晓松说

历史上的今天

Today

in History

鱼羊野史

第1卷

高晓松

作品

CNS PUBLISHING & MEDIA

湖南文艺出版社 HUNAN LITERATURE AND ART PUBLISHING HOUSE

博集天卷 CS-BOOKY

Today

in History

序

这套书是我 2013 年在东方卫视做的一档叫《晓松说——历史上的今天》的节目文字未删减版。因为电视播出的时长限制，也因为大众平台的尺度制约，播出版剪掉了很多。加上形象不够悦目、北京口音浓重，错过了不少观众。故此将文字结集出版，希望能和更多人分享知与识、艺与术、成长与思考。

既然叫“历史上的今天”，自然就按“天”索骥，把每天发生过的事件挑挑拣拣，拣出我感兴趣的一两件聊聊。由于我半生不务正业，主要是不知哪种营生堪当正业，就读了若干闲书，跑了许多地方，颇结识了些僧俗怪人，目击了二十年怪现状。也就攒下些心得想法，闲时在饭桌酒局贩售，落下个不埋单的口实。一来二去，就跑到天桥撂地说书，真干起了这门营生。

说是历史，又与人家专门考据分析归纳立论的“高大上”历史学问不同，无门无类，凡举政治、军事、科技、文艺、体育甚至天文地理古董迷信，杂七杂八，信马由缰，点到即止。需要读上个大半册，才能看出些观点主义之类。为免读者劳神，干脆在这里开宗明义，把我的不成熟小历史观呈上，以便随时检验。

我觉得整个人类历史的展开，就是科学和艺术以平行线的方式交替解释人与自然，交替给我们提供美感，从不同时共襄盛举。你离远些看到整个历史，当文艺昌明的时候，艺术飞速发展的时候，通常都是科学很落后的时候，或者科学停滞不前的时候。最开始出现的图腾、最开始出现的神话、原始的宗教，其实都是艺术的能指。太阳是阿波罗，月亮是嫦娥，东西方最开始都在用艺术解释世界。紧接着科学发展起来，开始急速地追赶，把世界大部分的现象，都赋予科学解释，地球是圆的，季风有规律，月亮是卫星。这个时候艺术就会很长时间停滞不前。文艺复兴的时代，艺术涤荡天下，再到工业革命的时候，艺术又相当程度地退居幕后。当科学迅速发展撞到南墙，比如到了一战，发现科学这么发达，可以这么高效率、短时间、大规模地杀人如草芥，上千万人就这样零落成泥碾作尘时，科学惊呆在那里，科学自己不能解释这是为什么。所以一战以后，又进入一个艺术大发展时代，就是我在后面经常讲的，巴黎流放归来的人中，出现了大批大师，出现了海明威、聂鲁达、菲茨杰拉德，出现了毕加索，哲学方面，萨特、福柯接踵而来，开始解释我们人类出现了什么问题。

然后科学再发展，艺术再解释，每当科学飞速发展的时候，人们的精神会停滞，因为科学发展的时候，对生活是有很大改善的，每当生活改善的时候，知识分子就觉得很孤单。比如今天，不光是中国，全世界的知识分子都觉得很孤单、很迷茫，包括英美的大知识分子，这两年都开始严重向左转，写了大量有关马克思主义、有关左派的书，因为他们也找不到出路。我觉得这就是历史发展的必然。因为现在是科学最大发展时期，以互联网为代表的高新科技，以最快的速度改变着人们的生活，这时候艺术通常会靠边站，等科学飞速地再一次撞到南墙。等科学对人们精神世界的又一轮高科技束缚出现的时候，科学又会发现自己无能为力，艺术又会超越科学，再去解释人类的新问题。那个时候才会出现崭新的文学、哲学，崭新的电影，崭新的绘画流派和音乐。我很期待那一天，最好在我有生之年，我猜一定在我有生之年，因为现在发展速度比以前快了百倍，两者交替的频率也应该比以前高很多。有意思的就是它们从来不同时绽放，而是交替，但是它们每一次交替都带给你很多美感跟思考。

再有就是大家说屁股决定脑袋，每个人都根据自己的身份、自己的成长，会有不同的看历史的眼光。每个时代都有它的好，有它的不好，只是由于每个人的身份不同，比如我作为一个知识分子家庭出身的孩子，作为一个读书人，我当然是喜欢文化昌明、知识分子自由的时代，我当然是不喜欢要被太监打屁股、被太监侮辱的时代，所以我肯定不喜欢明朝。我自己最喜欢的几个昌明时代，首先是春秋战国时期，尤其是齐国，不光是因为齐国有管仲和青楼，也不光是因为齐国有海鲜吃，那个时候饭做得不太好，只有脍、炙两种手段。那是知识分子最美好的黄金年代，你有上、中、下好几条路可选，上也许能成为诸子百家，那你就太高兴了，也许嘛，大师辈出的年代你被激发了，而不像今天，大家比着秀智商下限；中你可以布衣立谈成卿相，也许你就站在君主的门口聊几句，献个策，就进了中央政治局，苏秦甚至创造了同时佩六国相印的世界纪录，挂身上都背不动；再下，也可以去孟尝君、信陵君、春申君家里头当门客，跟公子聊聊天，替公子看看书，大家喝喝酒。我觉得那是一个美好的知识分子的时代，甚至比同时代的希腊还要好。那是一个轴心时代，这边有诸子百家，那边有希腊璀璨的大师们出现，南边还有释迦牟尼顿悟了。那是一个伟大的思想飞跃的时代。能生活在那个时代，就算吃得差一点儿，也觉得很幸福。或去唐代，当然最好不要经历安史之乱，好事儿都得叫咱赶上，最好是安史之乱之前就已经死了，生前经历了唐初一直到盛唐玄宗时期的开元盛世，与大诗人们一起结交、云游、写诗，甚至可以上殿去脱了鞋，醉草吓蛮书走起。那个美好的时代，是伟大的诗人时代。再不济就去宋朝，最好是在仁宗时期，不要看到后面改革、党争那些事。只跟苏家兄弟一起游于赤壁，杯盘狼藉，不知东方之既白。也可以写文章骂皇帝，破口大骂也没关系，最多就被发配去旅游嘛，到处去看看。所以我喜欢这些美好的时代。西方文艺复兴时期也很美好，大航海时代就算了，因为我吃不了苦，在船上确实苦。

我一直都以这样的观点来看待古今中外的人与物，基本上我比较偏中，既不左，也不是很右，你要说中庸也好，叫我自由派也好，我就是这样的一个读书人。以这样的观点来跟大家分享，午夜醒来想一想还算问心无愧。

高晓松

2013 年 12 月

Today
in History

目 录

❷月

引 言

众所周知，有一帮杞人忧天的家伙臆造了一个叫世界末日的东西，当然了，到那天世界末日没有准时来临，但这件事反而启发了我们，让我们重新想一想，我们是谁？我们从哪儿来？要去哪儿？也让我们更加珍视这个浩瀚宇宙中间，发生过无数次聚散悲欢的小小星球。历史是什么？很多人说过这样那样的话，胡适先生说过历史是个任人打扮的小姑娘，但是在很多时候历史甚至变成了一个整过容的大妈，我们要说的历史是尽量不整容、不化妆，素颜的历史。

1月

Today

in History

1月1日

《晓松说——历史上的今天》来到了 1 月 1 日。今天是崭新的一天，这一天很重要。在历史上很多地方，新的王朝、新的历史、新的国家、新的法令都在这一天开始，要说起来恐怕三天三夜也讲不完，大到国家的诞生，小到纽约时代广场的“大苹果”水晶球新年倒计时，还有洛杉矶的 Rose Parade（新年玫瑰花车巡游）等都在 1 月 1 日这一天开始。而对于我们国家来说，非常重要的一个 1 月 1 日是 1912 年的 1 月 1 日。

| 中华民国成立 |

大家都知道辛亥革命爆发的时间是 1911 年 10 月 10 日，革命发起以后，以摧枯拉朽、势如破竹之势在全国风起云涌。各个省纷纷独立，有的是军人独立，有的是政府独立，甚至连扬州妓院里的一个龟奴也跑出来宣布独立。当然革命是需要付出代价的，就我个人而言，我的家族就在这一段历史中遭受了一些苦难。我外婆的爷爷是清朝山西最后一任巡抚叫陆钟琦，当时革命到来的时候，各个地方都在争先独立，因为独立后你就可以在一方为王。当时我外婆的爷爷也要宣布独立，然而被军人抢了先。为了显示革命和与过去的旧制度、旧时代彻底划清界限，作为革命的军人第一件事就是要推翻自己的统治者，也就是最直接的上层。所以，我外婆一家一下子被当时的革命军人灭了门，导致我外婆成了孤儿。这是于个人和家族来讲，在那个年代，为了革命、为了推翻一个历史时代而付出的代价。

在大家纷纷独立了以后，总得成立一个新的国家，要有全新的面貌，所以1912年1月1日我们有了一个新的国家——中华民国，中华民国正式有了一位临时大总统，即孙中山先生。辛亥革命其实是由一些长期在革命熏陶下的军人很偶然地发动的，迅速发展为星火燎原之势。而孙先生此时正在美国科罗拉多州丹佛市的一家餐馆里刷盘子，在这之前他已经为革命奔波多年。当然革命不是一天两天的事情，不是请客吃饭，孙先生多年来募集的大量革命资金都在黄花岗等类似的起义中用完了，然而孙先生仍锲而不舍，为给革命积累资金正在美国刷盘子，虽然靠刷盘子来积累资金意义并不大（据后来考证并未刷盘子，而是在一栋高级公寓里当寓公）。孙先生在当天的美国报纸上看到国内发生了武昌起义，他非常兴奋，马上起程去几个国家寻求援助，1911年底时孙先生回国到了南京，这个时候各省的独立代表在那儿筹划成立一个新的国家，那个时候大家士气高涨，觉得一个崭新的时代要来了，一个崭新的国家即将诞生。虽然孙先生不是武昌起义直接的指挥和发动者，但由于多年的威望，以及与世界各国的联系，大家认为孙先生不但有革命威望，可能还有强大的资金、政治背景等等，所以选了孙先生做临时大总统。

孙先生当了临时大总统后做的第一件事，很有意思，叫作“改正朔、易服色”。这虽然看起来像面子工程，但面子工程对于一个年轻的新国家来说很重要，就是说要改纪元了。这次是有史以来最大的一次改元，它不但改了年号，而且改了历法，就是把我们沿用了上千年的农历改成了与全世界大多数国家一样的公历，这是一个巨大的改革。不但中华民国的元年来了，而且中华民国的元年是从原来纪元里的某年某月某日直接改成了1月1日，这个就是公历，一直沿用到今天。当然大家以前习惯了一会儿叫康熙、一会儿叫乾隆，对于一下子改为公历，大家还是不大习惯，并且当时在民间引发了各种混乱状况。首先是当时的报纸都不知道怎么写了，因为当时的纪元已经很混乱，很多地方已经不用清朝的纪元，直接用了黄帝历，如武昌起义之后发布的文告就是用了黄帝纪元，所以孙中山在就任临时大总统时，即电告各省都督：“中华民国改用阳历，以黄帝纪元四千六百九年十一月十三日，为中华民国元年元旦。”还有的地方用天干地支纪年法，如甲午、辛亥等。其中最混乱的就是债务和预算，比如之前谁向谁借了钱，说某年的闰月还，现在没有闰月了，或者某年某月欠你的钱都不承认了，所以好多人赖账。但是崭新的时代来了，当然要引发一些过渡期的不适，要改变大家原来熟悉的习惯，这是一件好事情，大家可以慢慢熟悉，可以慢慢习惯新事物新东西。

当然，我们几千年的传统有一些还是保留了下来，比如我们用了几千年的农历，尽管我们大家都说1月1日元旦是新年，但对于中华民族来讲，春节才是最盛大的节日。首先元旦晚会没有春节晚会做得那样盛大，其次从假期长度来讲，也明显看得出春节更受人们的重视，合家团圆走亲访友，假期很长。到今天为止，虽然我们大部分情况下会用公历，如我们的生日、开学日等，但每年我们至少有十五天全国人民还是会用农历。从除夕到十五，甚至在北方某些地区，从腊八开始就忘了公历这回事，一直到正月十五后，大家开始上班又用回公历日期，这是个很有趣的现象。

“改正朔、易服色”是很大的变革，我们上面讲的是“改正朔”，下面是关于“易服色”的。孙大总统上来后，要面目一新，首先是要剪辫子穿洋装，当时的洋装有很多种，法式的、德式的、英式的，什么大高帽、燕尾服、那种长的垂下来的挂穗等等，千奇百怪。实际上从那时起，真正流传下来的是当时以孙大总统名字命名的“中山装”，这个一直沿用到今天，直到现在，在一些正式的场合我们还是会穿。1949年毛泽东主席站在天安门城楼上宣布中华人民共和国成立时，也是穿的中山装，当然，新中国也沿用了这种公历纪年法。所以，从1912年1月1日开始，民国算是我们推翻了那么多年王权专制的一次最重大的改革，一直到中华人民共和国成立后也沿用了当时某些改革制度，所以这一天对于中华民族来说是很重要的。

大家虽然剪了二百多年来一直留的辫子，但甚至到改革开放后，在西方的一些电影小说等作品中，中国男人仍是留着一条辫子的形象，因为这是外国人对中国人形成的最初印象。但这次剪辫子，从最开始的劝导到强制，发展为后来越来越强烈的要求，以至于到最后留辫子的人成了稀奇的人群。当时最著名的两位留辫子的人一个是辫帅张勋，这个人后来还复辟了几天，一个是当时著名的教授辜鸿铭。有个资料说，1928年，有人专门统计说北平还剩4869人留辫子，我觉得这个挺有意思的，在那个兵荒马乱的时代，竟然还能统计出留辫子的人数。当然我们也不知道这个数据是否准确，但我觉得这件事很有意思，可见“剪辫子”这件事对于当时的人、当时的社会来说，是一项非常大的改革。我觉得到了今天，北京留辫子的人数（男人）估计又涨了十倍，像什么玩音乐的、玩摇滚组乐队的之类，这些搞艺术的人大多都留辫子，包括我本人，之前也梳过辫子。

所以，1912年1月1日，正式开始了我们国家一个崭新的纪元，这一天对于中华民族来说，很重要，很有意义。

“改正朔、易服色”当时只是外表上的改革，因为当时的孙中山先生只做了几个月的临时大总统就辞职了，移交给了袁世凯。第一任正式大总统，移交日期也很有意思，是4月1日，大家都知道这一天是愚人节。袁总统继续推行了一些实质性的改革。实际上孙总统是个理想主义革命者，他并没有真正管理过一个国家甚至一个省一个市，他一直都是以他的革命理想来努力改造这个国家，而袁总统则管理运营过几个省甚至说一个国家，所以他上任后做了许多实质性的改革。比如他改革了币制，当时的货币是很混乱的，很多地方用银子，还有的地方在用银圆，银圆当时还分成了龙洋、鹰洋，龙洋是当时大清发行的银圆，鹰洋是墨西哥的，因为当时墨西哥产的银子比较多，所以他们的鹰洋也在我们这儿通行。袁总统统一货币，这对国家是件很大的、实质性上的改革，袁总统被印到了当时的银圆上，就有了“袁大头”。

从北洋政府到南京政府，大家一棒一棒地接力，一棒一棒地接下去，一站一站地改造这个国家，一直到新中国成立，一直到今天，我觉得从推翻几千年的封建帝制之后，各位缔造了民国的领导人，包括孙总统，包括袁总统，以及后来我们的新中国成立，我觉得大家都为这个国家的改造和变革做出了巨大的努力。但是中间袁世凯又改了一次元，又“改正朔、易服色”洪宪复辟，1916年1月1日，是袁世凯一生中最大的污点。

1912年1月1日，我们开始采用公历纪年，我给大家对比下，在亚洲的各个国家中，我们不是最早，也不是最后采用公历的。亚洲最早进行维新改革的国家是日本，1873 年 1 月 1 日就采用了公历纪年，而土耳其在 1927 年 1 月 1 日才改用公历。

| “欧元”开始流通 |

这就是我们国家历史上非常重要的一个 1 月 1 日——1912 年的 1 月 1 日。而对于世界来说，历史的车轮也一直在浩浩荡荡地前进，不仅仅我们自己的国家，连老牌的帝国主义也在不断进化发展，包括欧洲也在前进，2002 年的 1 月 1 日欧洲开始了流通“欧元”货币。

欧元的启用也是件很有意思的事，展开讲很长，我就讲讲我自己和欧元之间的一点渊源。在二十世纪九十年代去过欧洲的人都知道，到欧洲身上得带各种各样的钱，到处找人换钱，比如你开着开着车（那个时候有些国家已经没有边境了，比如从比利时到荷兰），然后等你下去加油时，你发现那个钱不能用了，你就得到处找地方换钱，更衰的是你永远有一堆零钱浪费了，因为那时候你换来的钱都是大额的，对于花过之后的零钱，你换了地界儿就用不了了，各个国家都不会给你换零钱，所以最后只能作为回国后给朋友的小礼物，作为纪念送出去。而各个国家之间汇率很复杂，各个国家货币都不一样，像德国马克、法国法郎、意大利里拉等，我印象是那时候 1700 里拉才合 1 美元。我记得有一次我在巴塞罗那跟人撞了一次车，因为下大雨都没看见，把人家车门撞掉了，赔了人家 15 万比塞塔，听起来特别多，其实折合成美元也就一千稍稍多一点美金，所以那个时候很痛苦、很麻烦，身上带的钱各种各样，各种不同汇率，特别复杂。

到了葡萄牙，光记钱的名字就得记半天，比如 Escudo（埃斯库多），后来我想了个很恶心的办法将其变成中文——“一屎咕嘟”这下才记住。那个时候你会看见在各种大商场的名店前站着中国人，站那儿看半天，其实不是在看衣服、看卖的东西，其实是在算，在算汇率，在算折算后多少钱。中国人心算很厉害，我们从小就学心算，美国人根本不学这个，美国一个中学生你问他 5 乘 6 是多少，他得想半天，然后还是得找计算器，他算不出来，因为他们不学这个。所以中国人经常在人家店门前站半天，然后“哦”一声算出来了，转身走了，因为太贵了。

当时欧洲不断发展，各个国家间的联合越加紧密，先从经济，到后来的政治，在这期间，先统一了货币，后来又统一车牌，这些都非常方便。但是欧洲各国每个国家都有自己的传统，有强大的荣誉感，比如荣誉感最强的英国到现在也不用欧元，德法两国则做出了表率，尽管德国马克、法国法郎曾在他们很多伟大的文学作品中被一再提到和记载。对于统一发行欧元，各国的政治家虽然高瞻远瞩，但作为各国人民其实是反对的，大多数人都在反对。因为民族的传统、荣誉，还有富的国家（比如德国）不愿意跟穷的国家发行一样的货币。我个人体验是在发达国家比如德国、法国物价都涨了一点。还有一个反对的理由也很有意思，女权主义组织反对，为什么呢？大家知道欧洲很多国家的语言文字，除了英文不分阴阳格以外，绝大多数欧洲语言像法语、德语等，是分阴阳格的，比如月亮、军舰、船，这些都属于阴格的词，而像太阳之类则属于阳格的词。欧元属于阳性的名词，于是女权主义组织站出来反对了，为什么欧元不是属于阴性的名词，为什么不选一个阴格的词来命名，所以这个在当时也很有意思。

还有一点就是欧元是我见过的所有货币中面额最大的，其他更大金额的我听说过，但没见过。它有五百元一张的，这个就很方便放在钱包里。当然，你要是被抢劫、被偷了也挺倒霉的。美元我见到最大面值的是一百美元的，我们人民币最大面值也是一百的，这个要是出去购物，揣一沓钱，很容易被小偷盯上。所以我也呼吁我们的人民币可以出一千元一张、两千元一张的。

关于欧元的流通，可以这样看，作为全世界最重要的经济体系，很多经济、文化事务的发源地，为了发展共通的便捷之处、促进交流，人家都能够放下几千年的传统和荣誉，我觉得是非常让人欣赏的，也说明整个世界向前进步的改革潮流是浩浩荡荡的。

|《资治通鉴》编成|

以上关于 1 月 1 日，我个人感兴趣的两件历史大事，接下来说几个小点。其中一个小点就是《资治通鉴》，这是中国历史上第一部完整的编年史，过去都是纪传体，写人的历史，这个传、那个本纪，而这个是大编年史，按年头来写的。这个在当时的作用是帮助政府告诉统治者怎么统治。资料上记载的是1085年1月1日编成，我也不知道编成是指司马光他写完最后一个字，还是指当时的皇帝这一天批了，还是指正式印刷了。我之所以说这个，是因为翻译的问题，我觉得翻译是件有意思的事，我在美国看到的这本书书名的英文翻译是 *Comprehensive Mirror for Aid in Government*，意思就是“帮助政府的一块多面镜”，这么翻译很多美国人会不明白什么意思。因为美国人的民族历史不算太长，而我们这个民族是有很长的历史，并一直在回顾、借鉴、对照历史。我们经常把历史当成一面镜子，来衡量一件事或一个人，比如要做成什么样的事，要成为一个什么样的人等。我们是这样一个经常往回看的民族，据说毛主席也会经常把《资治通鉴》这本书放在床头。而美国这个国家是不重视历史的，第一他们没有多少历史，第二他们也不觉得历史是一面镜子，可以用来借鉴。我们国家的学生历史都学得很好，但在美国中学的课程里面历史的及格率是最低的，他们合格率最高的是经济，因为他们觉得这个最重要。美国是个向前看，同时也“向钱看”的民族，既开拓未来向前看，同时也拿钱当一切的标准。他们历史学得最差，据统计，在美国中学历史学科的合格率只有百分之十二，但是这个国家一直在前进，也就是说，我们是不是真的需要每天拿出历史，像一面镜子摆出来照一照，对照一下，我觉得是个值得思考的问题。还有百度上的 *Comprehensive Mirror to Aid in Government* 的翻译是不对的，可见凡事问百度也不是那么靠谱的。

我们还有很多翻译都是直译，其实在国外，很多人都不明白是什么意思。比如我们刚得了诺贝尔奖的作家莫言，他的《丰乳肥臀》在那边被直译成 *Big Breast Wide Hip* 就是《大胸大屁股》，当时看到这个翻译我就乐了，我觉得这有点没有考虑到其他国家的接受能力，因为丰乳肥臀在我们国家是形容女性身材的，这种身材的女性在中国很少见，对男人很有吸引力。但是在国外，到处都是这样的身材，大胸大屁股，所以就少了原著中引申的美好、吸引、曼妙的意思，而变得通俗。单从这个翻译的书名来看，第一能不能刺激人们买书的欲望，第二就是对于这本书到底写的是什么，人们会搞不清楚。我当时为这本书想了个译名 *The History of My Mother Fuckers*，一语双关，可惜没人找我翻译。

|杰罗姆·大卫·塞林格出生|

除了翻译的问题，今天1月1日还有一件事，就是我个人认为很重要的，我最热爱的美国作家杰罗姆·大卫·塞林格的诞辰，1919年的1月1日。每年生日都是假期，是很愉快的事。说到塞林格，他一生中最伟大的作品就是《麦田守望者》，这个书名其实就是从意义上翻译，而不是直译，因为“*The Catcher in the Rye*”直译过来的话，可能我们不大了解在说什么，而这么翻译既能大概了解了它的意思，又很雅。我对这本书非常非常喜欢，后来看到了原版，知道我们翻译过来的和原版的有很多很多区别，原版要比我们翻译过来的粗暴得多。所以塞林格先生写的其实是一个有狰狞表情和柔软内心的孩子，这和我们当下的许多大人刚好相反。

1995年我和我师兄宋柯成立了一家唱片公司，当时取名字的时候就叫麦田音乐，就是因为我很爱这本书，麦田音乐后来历经多次变革，从麦田音乐到华纳麦田音乐，到太合麦田音乐，麦田音乐很多年来都是中国内地很大的一家唱片公司，也是一家一直坚持理想的优秀唱片公司。

|大苹果水晶球落成和阿童木生日|

最后说两个小点，我很感兴趣的，一个是大家看到每年全球最盛大的新年倒计时，在纽约的时代广场，“砰”，水晶球掉下来，上百万人欢呼，新年来了。这个传统是从1908年的1月1日开始的，从那时起时代广场有了大苹果水晶球，全球最盛大的一个迎新仪式。再有就是阿童木，对于我这一代，甚至下一代再下一代，很多中国人少年、童年时代的美好记忆——铁臂阿童木，今天是他五十岁生日，祝阿童木同学五十岁生日快乐，他看上去比我年轻，而且永远年轻，真是让人嫉妒。谢谢他陪伴我们一代又一代少年成长，每个男孩都梦想成为这样一个小超人，祝他生日快乐。

❶月❷日

《晓松说——历史上的今天》来到了 1 月 2 日。今天主要跟大家讲几个我自己感兴趣的东西：第一个是民国政府在这一天正式颁布废除文言文推行白话文的法令；第二个是韩国首都汉城改叫首尔，这也是件很有意思的小事。

| 废除文言文 |

1920 年 1 月 2 日民国政府颁布新法令，废除文言文，使用白话文，也是让这个国家向现代化迈进的重要一步。大家知道，1919 年的五四运动中一个重要的观点就是说我们一直不能进步、一直不能向现代化迈进，就是因为受到儒家文化的束缚。当时在很多知识分子的倡导下，开始推行白话文，甚至有些过激的现象，比如将一切都简化到连白话文都不用了，甚至连汉字都不用了，直接改用字母，大家认为一切的束缚都来自这个方块字。当然，我们最后没有这样执行。但在其他一些国家，在向现代化的转型中，确实也出现了这种现象，比如后来越南就放弃了汉字而改用音标文字。我们还没那么激进，我们改成了白话文。推行白话文之后，一时间出现了千奇百怪的白话文，因为刚开始大家都在探索，所以各式各样的都有，我们现在回头去看那个时期的白话文，有些会显得特别可笑。也有一些特殊情况，比如在发电报时大家还是采用古文，因为电报很贵，按字算钱，所以在那个年代能拟电报的人，都是古文很好的人。当时能写电报的人就相当于现在能写微博的人，因为微博就是要在140字内将整件事情说清楚。我们家到现在还存着一封电报，就是我妈妈在柏林出生时外公外婆从德国发回的电报，就五个字“除夕得一女”，因为越洋的电报特别贵。

我之所以讲这件事情就是想跟大家说，每当你想推行改革的时候，都是有新的想法出现，抱着对新鲜事物的希望和热情，但是在变革过程中会有一些这样或那样的冲突矛盾。比如某些时候古文就是比白话文精练，之乎者也的那些词除外。我们所做的改革，应该是科学的、实用的、贴合实际的，而不是仅仅拿新旧做对比，新的都接受，旧的都剔除，这种改革是过激的。这里需要说明的一点是当时出现了很多新词汇，尤其是跟西方接轨，我们当时并没有那么多现代化的词汇，所以大量的现代化词汇来自于日本，因为他们跟西方接轨得更早，他们率先运用了现代化词汇。当时在日本有很多中国留学生，他们从日本回来后带回了大量日本的现代化词汇，他们当时已经对西方的词汇翻译运用得很成熟，所以被引进来后，很多我们就直接使用了。比如：组织、纪律、革命、社会主义、资本主义、法律、共和、文学、美术、哲学、政治……我们今天说抵制日货，可能说不开日本车了、不用日本电器了还行，但说要是所有都抵制，可能有百分之七十的现代化名词词汇我们都不能用了，因为都是从日本传入的。虽然中日两国在历史上存在很多冲突很多问题，但单从文化上讲，两个国家是相互影响、相互借鉴的。有关于白话文，今天只聊了一个小小的侧面。白话文从1919年五四运动开始，在胡适等大批留洋的、先进知识分子的带动下，终于成为法律。有关胡适等那一代伟大的知识分子，我们会等到5月4日那一天或者他们诞辰、逝世时再来更多地聊。

|“汉城”改名“首尔”|

2004年的1月2日，韩国政府正式叫停了首都名汉城，改名叫首尔。这也是中韩两国或者是中朝两国，或者叫汉和朝鲜这两个民族，多年来的恩恩怨怨中间的一环。韩国一直在不遗余力地抵制中国文化，包括他们用了那么多年的汉字，最后变成了拼音文字。他们宁可因此导致很多模糊的歧义，也要减少使用汉字，最后只能是自己名字是用汉字写的。名字现在也要慢慢地改成拼音，改成拼音以后，很多字其实就只发出一个音，就搞不清楚你姓方还是姓王。但是他们为了民族文化的独立，我觉得也无可厚非，因为他们受了太多年我们的影响。之前有很多年是我们的附属国，导致他们认为传统文化中有太多汉族的东西，包括他们的首都叫汉城。为什么要叫汉城呢？他们听了以后肯定也不舒服，所以就改叫首尔了。

今天大量韩国青年对汉字的认识已经很生疏，因为我记得我年轻的时候在国外，在欧洲、美国碰到很多韩国人，我们完全可以交流，虽然他说话我听不懂，我说话他也听不懂，但是我们可以笔谈。那个时候的中国年轻人和韩国人一见面，就拿着一支笔，写下来的汉字意思是一模一样的，大家完全可以交流。大家看历史记载，袁世凯当时出师朝鲜的时候，到了朝鲜我们的官员和朝鲜官员之间不需要翻译，双方就笔谈。朝鲜过去很多伟大的诗人用汉字写的诗，也很漂亮、很美好。

但是韩国为了自己的文化独立，进行了大规模的去中国化，包括他们把很多我们固有的节日，就像端午节当作他们的节日去申遗。我知道很多节日是可以共用的，并不是汉族专有的节日，可端午节屈原好歹也是一位中国的名人。春节，像这种历法上的节日，不是为了纪念某一个人的节日，我觉得可以共用，中秋节也是一个历法上的节日，因为月亮圆了，月亮照亮了中国，也照亮了韩国，我觉得是大家共有的节日。

韩国的移民在美国，尤其在加州，他们每年每年不遗余力地呼吁、奔走，进行公关、游说等。美国每年到了春节的时候，包括市长、州长、总统都要发言祝贺，以前官方说叫 Chinese New Year，祝贺中国新年，也就是春节。但由于越南、韩国移民不遗余力地努力，加之他们的人数越来越多，他们投的票也越来越多，影响了政府。最近几年美国的官方到了春节的时候，已经不叫 Chinese New Year，而叫 Lunar New Year，也就是农历新年。当然很多华侨非常愤怒，我觉得还好，我觉得有些东西本来就是我们各个民族共有的，有些东西是人类共有的，比如说月亮圆的那一天是人类共有的。只不过东方民族觉得那一天是美好的一天，西方民族觉得那是有狼人出现的一天，是恐怖的一天。

但是不管怎么样，月亮照着每一个民族，实际上大家可以共有。春节我认为也可以由东亚民族共有。端午节属于纪念屈原的，我觉得是不是能够共有还值得讨论，但是汉城改成首尔，这个事情不可改变，慢慢地也可以适应。虽然像我们这一代人说起来还是要说汉城，但是往下再年轻的人，根本就不会知道原来首尔叫汉城，这也没有什么，互相尊重对方的文化，这是民族自己的选择，我觉得这是人类向文明进步的一个应有的姿态。

1月3日

《晓松说——历史上的今天》来到了 1 月 3 日。今天要说几个我觉得有意思的事：一个是魏源的《海国图志》正式出版，拉开了中国人看世界的序幕；第二个是 1927 年在汉口收回了英租界，民国政府开始向独立自主前进；还有一些小事，比如说阿拉斯加成为美国第 49 个州。

|《海国图志》出版|

1843 年 1 月 3 日，一本重要的书出版了，是由一个叫魏源的人写的《海国图志》，这本书为我们这个长期以来以为自己是中央帝国、连外面什么样子都不知道的古老国家，形容了一下当时的世界是什么样子的。如果说《海国图志》是第一次张开眼睛，我觉得有两个小点要说，第一，其实我们并不是从 1843 年才睁开眼睛看世界的，可是为什么《海国图志》这么重要呢？我觉得这中间很奇怪。其实从郑和开始，我们就已经走遍了恨不得能有半个世界，看到了世界的各个角落，各个国家、民族等，甚至连长颈鹿都带回来了，只是大家以为那是麒麟。

前些年有一个英国人写了一本叫《1421》的书，书里写到罗马教廷的世界地图，是跑海的商人从郑和那获得的信息献到了罗马教廷，可以说西方人了解世界，也是从郑和开始的。但《1421》这本书，受到中国历史学家的猛烈抨击，说这是无稽之谈。由于郑和下西洋这件事，耗费了明朝几乎四分之一的国库，朱棣去世之后，新的皇帝以及大臣为了与民生息，坚决不再做这种耗费大量钱财的出海活动。当时的兵部尚书，一把火把郑和历年来所有的航海日志都烧掉了，他心里想的是利国利民，不让郑和再拿这个东西勾引新皇帝，不再花这么多钱。但在文化上、历史上，导致了一个重大的损失，就是我们当时作为世界上最强大的舰队，拥有最了解这个世界的所有资料都被销毁了。

清朝刚开始的时候，我们还是了解这个世界的，大量传教士在我们宫廷里起到了很重要的作用，甚至我们的皇帝本人都会说外语。八阿哥、九阿哥被抄家，看到他们相互之间写信都是用拉丁文写的，就说明他们很洋气，这跟欧洲宫廷差不多。欧洲宫廷也是用拉丁文，或者说法语，乾隆本人还能说外语。但是不知道为什么短短的一百多年，就跟断了片一样，这个国家突然断片了、忘了这世界什么样子，全忘光了。然后直到《海国图志》出现的时候，大家才又重新了解这个世界。但是那个时候已经又晚了那么多年，不知道怎么回事，就封闭了、落后了，变成了这样。

另外一个小点是说，据考证，很多人考证，这个魏源同志写的《海国图志》是盗版的、剽窃的，当然不是有人代笔的。据说这实际上是林则徐写的，林则徐写了以后被魏源给复制了，出版了这个《海国图志》。所以很多人都说林则徐才是开眼看世界的第一人，但无论如何对于中国人来说他肯定不是。只是作为近代的最开始，再重新去了解这个世界的时候，林则徐也好、魏源也好，起到了重要的作用。盗版当时也不算什么，因为我们一直也没有版权的概念，至于剽窃、复制，大家都无所谓。其实到今天，我们也没有很多版权概念，因为音乐、书，盗版的还是很多。

这里我讲一个关于版权的小故事，发生在跟魏源、林则徐同时代的美国。大家知道，1860年美国开始内战了。美国内战时期有一个版权小故事，就是西点军校——美国最著名的军校，大家都知道它。它那个时候的校长是Robert Lee，罗伯特·李，他是南方人，弗吉尼亚人。西点军校是这样的，一开战，因为是内战，所有的南方人都回到南方去参军，北方人回到北方参军。美国有很多电影讲过这个故事，同宿舍的、上下铺的，变成战场上的对手，这叫同室操戈，战场上你北方人，我是南方人，就要去拼命了，罗伯特·李以西点军校校长回到南方，做南军总司令。当然战争时期因为大家都大量地征兵，双方都是百万大军征起来训练，就有人向罗伯特·李建议说，咱们把西点军校那一本重要的叫《步兵操典》还是叫《战术操典》之类的书，赶快印了发给新来的这些兵，然后各位好把这军队训练起来。结果罗伯特·李说了一句话很有意思，写这本书的人，是个北方人，他现在已经参加了北军，我们去找他授权，他一定不授权给我们，我们没有授权怎么能印这本书呢？结果就真的就没有印这本书。

战争年代你死我活流血牺牲的时候，版权在西方都被重视成这样，所以我希望在眼下的和平年代我们的版权保护意识能更加进步。作为一个音乐人我更希望音乐版权能得到更好的保护。这是同时代的东西方一个重要的差别，西方一直重视法律、重视信誉、重视版权问题，我们一直不太重视这问题。当然今天已经进步很多了，希望以后能更加进步，希望音乐版权能一样得到更好的保护。

| 收回汉口英租界 |

1927 年 1 月 3 日，国民政府从汉口收回了英租界，这是一个振奋全国人民的重要事情，租界是我们作为一个独立的、自主的国家最屈辱的事情之一。割让土地那是一大屈辱啊，但是没办法，就在我们自己的国家内部，甚至最繁华的地方，在上海、厦门、青岛、天津、汉口、九江等地方，所有的这些重要交通枢纽也好，大城市也好，充斥着帝国主义的租界。租界里面实行的是外国法律，是外国领土，有洋人在那儿站岗，有洋人执行他们的法律，这是我们民族的大屈辱。这一年收回汉口英租界是一个振奋人心的事情，也是北伐胜利的重要标志之一。

实际上，收回汉口英租界，并不是中国第一次收回租界，从民国开始、从辛亥革命胜利开始，历届政府其实都收回过租界。

我给大家介绍一下租界的收回过程，首先是 1917 年一战时期，中国第一次收回租界。大家知道，在一战时期北洋政府加入了协约国，向德国奥匈帝国宣战，所以我们最后是战胜国的一方。宣战之后北洋政府首先收回了敌方，也就是德国奥匈帝国在天津的租界。1917 年俄国十月革命以后，苏俄先后于 1919 年与 1920 年宣布废除沙俄与中国签订的一切不平等条约，放弃了俄国在华的一切特权如租界等。中俄正式达成协议是在 1924 年。1922 年，中国收回了被日本侵占了很多年的包括青岛、胶州湾之类原来德国的租界。因为日本也参加了协约国，宣战以后日本是真派军队到青岛来跟德国打了一通，德国这个租界变成日本的了，1922 年我们收回了；然后 1927 年收回了汉口英租界，同一年收回了九江英租界，1929 年收回了镇江英租界，1931 年收回了天津的比利时租界。下面是一个重要的日子，1943 年二战时期，我们和全世界的反法西斯国家团结起来，成为全世界反法西斯同盟中的重要一员。大家为了显示团结，也为了配合当时的开罗会议，废除了天津、广州租界，以及英、美、比三国在上海及厦门的公共租界权。

这个地方有个有意思的小事，当时在重庆，英美跟我们签署了交还租界的协议，但只是一个名义上的协议，因为英美当时的重要租界在上海。上海公共租界当时是在日本的占领下，日本在袭击了珍珠港之后，太平洋战争爆发，就进驻了上海的租界。所以上海租界在日本的占领下，英美在重庆还给当时的蒋介石的国民政府一个协议，实际上是一纸空文，但是实际上同一年，几乎在同一时间，这个租界也还给了中国，是日本还给了汪精卫政府，这是一件值得大家思考一下的有意思的事情。就是说，因为这个租界实际上是在日本的占领下，日本说其实他们不要搞那些事情，都是假的，我们是真的还给你，结果导致重庆的蒋政府接收了英美的纸，但是南京的汪伪政府反而是接收了日本还回来的英美、比利时等公共租界。这是 1943 年，是最大规模地归还租界时期，但不是最大面积。然后轴心国意大利与法国维希政府也紧随日本，宣布交还在华租界。

当然，这些租界不论交不交给汪伪政府，都一样处在日军的统治下。直到抗战胜利后，才真正回到中国政府手里。接下来，新中国延续着前面历届政府未竟的事业继续收回租界，1955 年我们收回了二战以后租给苏联的旅顺、大连，当时是作为反法西斯同盟以及苏联出兵东北、帮助我们抗战的条件之一。更重要的是 1997 年，我们收回了最大面积的租界，就是大家都知道的收回了香港新界租借地。新界是占最大面积的。香港和九龙的岛是割让的，但是更大一部分是新界，它不是割让的，是当租界租给英国的，现在收回来了。最后，1999 年收回澳门。

| 阿拉斯加州成为美国第49个州 |

1959 年 1 月 3 日，阿拉斯加州成为美国第 49 个州，大家知道现在美国一共 50 个州，还有一特区就是首都华盛顿特区。阿拉斯加州是第 49 个州，也是美国面积最大的一个州，却是人口最少的州，只有 70 万人左右。阿拉斯加州前任州长是一大美女，就是 2008 年还去竞选上一届美国副总统的 Sarah Heath Palin（萨拉·希思·佩林）。这个非常有意思的大美女经常搞不清国际状况，一直认为非洲是一个国家什么之类的，主要是因为这位共和党的大美女候选人管的这州人口太少了，所以她实战经验不足。

给大家普及一个美国地理的小知识，美国最南部的州是哪个州？是夏威夷州，夏威夷州是美国第 50 个州，是最后一个加入美国联邦的州，但它是最南部的州。从美国地理位置来说，当然它不在大陆最南部，美国大陆最南部是佛罗里达州上的一个小岛，就是海明威写作时所在的叫 Key West 的最南部的一个小岛。夏威夷州实际上远离美国大陆，但是在美国它是最南端的一个州。

美国最北部的州是阿拉斯加州。美国最西部的州，大家仔细一看地图，还是阿拉斯加州，这都不重要，重要的是美国最东部的一个州，还是阿拉斯加州。为什么呢？你看地图它明明在这西北方向，但有意思的是，太平洋有条国际日期变更线，以这条线来分隔东西，所以阿拉斯加州出来一个阿留申群岛。这阿留申群岛有两个小岛，很小，被国际日期变更线穿过了，变成了整个地球最东边的两个小岛。所以这两个小岛就变成了美国在地理上来说——虽然眼睛上看着不是——的最东边，所以美国最东边的一个州，也是阿拉斯加州。

阿拉斯加州大家都知道，是美国买来的州，美国是一个能打就打，不能打就买，实在不行就想别的办法的这么一个比较实用主义的国家。当时是以几分钱一亩地的价钱，从俄国手里买过来的，但后来俄国悔得肠子都青了。因为这个州后来发现了极为丰富的石油、矿产资源，并且地理位置非常重要。因为它跨过白令海峡，如果这个州是俄国的，那整个世界历史都会改变。因为如果在冷战的时候，在最前沿、在北美洲有那么大一块苏联的地方这是很吓人的。

冷战的时候，美国的第一道防线，就是战略导弹的预警、轰炸机的预警等都在阿拉斯加州。因为阿拉斯加州是从我们这边到美国必经的地方，虽然在地图上看，我们是横穿太平洋，但大家知道地图是把一个球给摊平了，如果从中国飞美国的话，真正最近的距离都是过俄罗斯北部然后再飞过白令海峡，过了阿拉斯加再到美国。包括以前飞机不能飞这么久的时候，都停在阿拉斯加州的一个叫安克雷奇的城市加油，然后再到北美洲旧金山啊、洛杉矶啊，所以这是必经之路。战略要道归了美国，所以当时几分钱一亩买得非常值。

| 有声电影诞生 |

1913 年，爱迪生同志发明了灯泡，各种见亮光的东西，都是他发明的。

有声电影的发明——有声电影很重要，让电影从一个小小的门类，从大家觉得是一个小玩闹，变成了一门真正的综合艺术。电影在无声的时候，它是不能综合戏剧艺术的，因为戏剧在舞台上有大量台词，你不能演莎士比亚的戏剧，因为莎士比亚戏剧有大量台词，你不能靠打字幕，你只能用一些肢体语言动作，就像卓别林的表演。但是有声电影来了以后，电影真正迈入了最快的发展期，融合了世界上几乎所有的艺术种类。虽然称它为第七艺术，但是其实它将前六项艺术——建筑、雕塑、绘画、音乐、舞蹈、诗，全都融入到这个艺术形式里，所以它在一百年间的发展，超过了其他艺术上千年的发展，进展是最快的。音乐艺术这一百年没有多大进展，绘画艺术也只是出现了一些新的流派，但电影的发展是突飞猛进的。因为它记录了人类一百年的悲欢，在这个方面起到最重大的作用。

但也起了个小小的副作用，就是一代伟大默片时期的明星，由于要张嘴说话了，一下子就成了有声电影的牺牲品。比如好莱坞的大明星嘉宝，何等美丽，一张嘴不行了，就被淘汰掉了，也包括我们中国这里的阮玲玉、胡蝶啊等等。这些默片时代的大美女，大明星，由于张嘴不会说普通话，只能是吴侬软语或者是其他地方方言，于是也慢慢被淘汰掉了。据说阮玲玉后来自杀，其中一个原因也是因为有声电影来了以后压力很大，加上婚姻、爱情等，导致了她最后的选择。但是无论如何，任何一项变革，虽然会付出一些文化代价，比如明星陨落，但是科学的脚步浩浩荡荡，任何一种东西都阻挡不了。其中一个典型的例子就是去年得了奥斯卡奖最佳影片、最佳导演等好几个奖项的电影《艺术家》。《艺术家》这电影讲的就是默片时代的大明星，为了阻挡有声电影的脚步，自己倾家荡产倾尽全力，去拍伟大默片电影，最后的结果大家都看到了。

每一次科学来袭，每一次科学的重大进步，其实都会有很多文化人、知识分子、艺术家来阻挡，因为大家老担心科学会毁灭文化，科学会毁灭艺术，但是人类浩浩荡荡前进了这么多年，可能在个别的时候，付出一些文化的代价、一些精英的代价，但是看整个大的历史潮流，科学不可阻挡地改变着人类，而且科学可能会暂时毁灭一两样艺术，但是科学最终会创造出新的更伟大的艺术类型，人类的智慧能驾驭新的艺术类型并用来表达我们的悲欢，用来让人类继续记录自己的成长，这就是有声电影。

| 希尔顿逝世 |

1979 年希尔顿逝世了，就是开创了酒店帝国的 Hilton 同志。外国人很愿意用自己的名字命名他自己的企业、他自己的帝国、他自己的酒店、他自己的飞机，等等。波音（The Boeing Company）就是这样，因为由威廉·爱德华·波音创建。惠普（Hewlett-Packard）也是这样，是两人的名字拼在一起了。希尔顿虽然死了，但是留下了遍布世界各地的 Hilton 酒店，并且大家今天更感兴趣的是他留下的那个家族强大的美貌基因，今天这个希尔顿家族两位名媛在美国经常占据头版头条，在球迷和影迷中间都能看到希尔顿家两位大名媛的身影。在美国说 Paris 大家首先想到的是 Paris Hilton（帕丽斯·希尔顿）这位大美女啊，第二个才想说这是法国首都巴黎。所以这是一个很有意思的事情。

❶月❹日

《晓松说——历史上的今天》来到了 1 月 4 日，今天是一个有喜有悲的日子：喜的是，我最热爱的童话大师格林诞生，以及世界流行音乐的标杆 Billboard（公告牌）排行榜诞生；悲的是两位我热爱的作家加缪和三毛，都在 1 月 4 日这一天去世了。

| 公告牌排行榜诞生 |

首先来说，对我影响很大的，以及对世界流行音乐有标杆意义的 Billboard——公告牌排行榜，在 1936 年 1 月 4 日诞生，这是影响了一代又一代年轻人、一代又一代音乐家的伟大的榜。过去由一些知识分子操控话语权，他说你好，你就好，他说你不好，你就不好，流行音乐是属于人民的，它不是知识分子的。为什么大家觉得 Billboard 排行榜最公正，因为它其实主要就是销量榜，卖得最好的，就排在最前面。当然人民也在中间做了选择，也没有说因为是一个大众喜欢的销量榜，就埋没了伟大的音乐，伟大的音乐依然在这个排行榜上名列前茅，始终被人们热爱。

比如说其中我最热爱的乐队之一 Pink Floyd（平克·弗洛伊德），最伟大的唱片 *The Wall*（《迷墙》），曾经创下 Billboard 排行榜的最高纪录，如果没有记错的话，连续在前十名停了一千零五十多周。这是一个可怕的纪录，因为一年才五十二周，一千零五十多周相当于二十多年。

早年我去美国的时候，*The Wall* 被拍成了一部伟大的电影，你去租录像带的店里那个地方永远空着，永远有年轻人把它租走去看，像 Pink Floyd 这种不是那么流行，但非常有内涵而深刻的乐队，也依然能够雄踞前十名达二十年之久。

各种各样喜闻乐见的音乐形式，都在这里兼收并蓄。包括被很多很多中国乐迷所痛斥的鸟叔的《江南 style》，创下亚洲音乐的最高峰，排到了 Billboard 排行榜的第二名。据说韩国人民礼拜四不睡觉，因为有时差，然后等着看这个排行榜新一期榜单，看是不是得冠军。得了冠军，那韩国人民就觉得喜气洋洋，比潘基文当了联合国秘书长还高兴，但是到现在也没排上冠军，在亚军停留了几周，已经是韩国音乐乃至亚洲音乐空前的纪录。

在 Billboard 排行榜上，有一个概念叫"TOP 40"，就是前 40 名，你的作品排进过前 40 名，你就可以退休了。当然你热爱音乐，你可以继续去做音乐，继续去唱。因为美国包括整个西方，有完整的版税制度，版权保护非常非常严密，包括饭馆里放音乐，咖啡馆里放音乐，在任何地方使用音乐，都要付版税。所以说，一首排进了前 40 名的歌曲，其作者、歌手基本上可以退休了。我在洛杉矶，认识很多 29 岁、30 岁就退休的音乐家，虽然退休了，因为热爱还是在做音乐。像我认识的，得过三次格莱美奖的 K.C.Porter（K.C. 波特），他就是这样，很年轻就退休了，现在每天就是做一些自己喜欢的事，不会为了钱，被逼去做一些这样那样的歌，让所有中国的音乐人无比羡慕。

我们由于长期版权保护不利，做幕后的音乐人简直苦得跟农民工一样在生活。导致在洛杉矶这些年，我从来不敢跟人说我在中国是一个著名的音乐人，因为你要一说这个，大家就会特别奇怪地看着你，说你是著名音乐人，你怎么住这么破的一个区，因为在美国你住在哪个区，证明你基本的生活质量和财富。我在那儿拍电影时，我第一个电影制片人指着他价值 200 万美金的房子跟我说："且不说我拍过多少电影挣的钱，就我现在这个 200 万美金的房子，是我给我自己一部电影写的主题歌词，就写了半首歌，因为我对自己电影的主题歌的歌词不满意，我就自己写了。那还没进排行榜‘TOP 40’，就光那一首歌词的版税，我都已经买下这个200万美金的房子了。”然后看着我，长叹一声。所以我可不敢说我在中国是一个著名音乐人，我住在一很中产的山上，开着一辆很一般的车。他们不是搞音乐就可以发财，只有进了“TOP 40”才行。

有非常多的人爱搞音乐，以至于音乐学院毕业的学生，就业率只有百分之五。美国有一种乐队，叫TOP 40乐队，不能原创，只能唱排行榜上前40名的歌，所谓的最流行的歌你随便点。在洛杉矶——美国第二大城市，消费水平比较高，这样的乐队唱一晚上，每个人就挣25美元。你要在上海、在北京，哪怕在丽江，唱一晚上歌，都不至于只挣25美元，才合150元人民币。在中国，这个消费水平肯定难以生活，可是在美国大量的人因为爱音乐，就要去挣这25美元，而且25美元不是每天都能挣着的，因为很多人要干这个事，大家就排队，你先唱然后他唱。鲍勃·迪伦从家乡明尼苏达来到纽约的时候，一天晚上连25美元也挣不了，只有在旁边等着，只有客人点你唱，你才能挣那25美元，没人点你，你连那25美元也挣不着。可是就是这样，也有无数热爱音乐的人愿意过艰苦的生活，才导致了在美国流行音乐有这样的繁荣。因为热爱的人太多，金字塔的基座特别大，才导致最上边出现了迈克尔·杰克逊那样的巨星，那么多伟大的流行音乐天王、天后，那么多伟大的乐队。

所以这个排行榜对于我来说，几乎是我从小到大听歌的风向标，也是一代一代音乐人奋斗的目标。我估计我这辈子也很难奋斗得到。但我同时作为一个热爱音乐的人，听着这个排行榜上的歌长大，觉得很幸福，今天是它的生日，祝它能一直一直这么办下去。

| 格林诞生 |

哺育了全世界无数人童年的格林童话的作者——格林兄弟的哥哥是在今天诞生的。感谢有他们，感谢有格林兄弟的童话，让世界每个角落的童年都有了很多美好的憧憬，因为他们让我们觉得世界美好。

我们从小读这些童话的时候都认为这些是真的，都认为长大了以后，它们会实现。其实怀着这些美好的憧憬成长，即使经过各种艰难困苦，因为心里有童年的那些美好憧憬，人生还是有很多亮丽的东西。

灰姑娘是每一个女孩子的梦想，男人的梦想是白雪公主，还有我的梦想——青蛙王子，虽然我就长成这样了，青蛙身材，青蛙的脸，但是我也有这个梦想，有一天成为王子，虽然已经成不了了，但还可以成为一个天使。

童话永远是这个世界上人们最热爱的文学作品。2012 年中国作家收入排行里，第一名是给中国儿童提供了最多童话的郑渊洁。郑渊洁大哥跟我也很熟，很幽默正直的一个人，写了一辈子童话，包括我小时候也看皮皮鲁、鲁西西等。所以他成了 2012 年作家收入排行榜第一，是非常让人快乐的一件事。说明童话依然哺育着很多人，也希望童话能一直有人写下去，一直让每个孩子在成长的时候，坚定地认为世界是美好的，人们是相爱的。

| 提出实现“四个现代化” |

1975 年的今天——1 月 4 日，周恩来总理正式提出来，我们中国要在 20 世纪内实现四个现代化。当时飘着红领巾、留着小板寸、背着手的我们，听着喇叭里说到 2000 年我们就实现了四个现代化，我们的国家就繁荣富强了，表情特别坚定，斗志昂扬地说我们一定要为了实现四个现代化而奋斗。

那时候做梦都想不到今天现代化的成就。我们的梦想中感觉现代化就是骑一辆二八永久牌的还是崭新的自行车，每年吃上一个大猪肘子。当年梦想的四个现代化已经实现了，当然当时没有料到会付出很多代价，但是至少我们已经把四个现代化实现了。然后我们再回头来反思，在这条狂奔之路上失去了什么。

| 哥伦比亚大学成立 |

1754年的这一天，1月4日，杰出的哥伦比亚大学成立了。1917年的这一天，蔡元培先生出任了我们国家杰出的大学——北大的校长，这天很值得纪念。因为蔡元培先生提出来“兼容并包，思想自由”，成为那一代杰出的学者的原则，成为一所又一所杰出大学标杆性的宗旨。那些大学肩负着独立思考的任务，肩负着推动中国文明向前进的使命，甚至肩负着在逆流之中做中流砥柱的使命，坚守这个民族的信仰。有一天，我在哈佛某一个门上看到，“你进这个门，就是为让国家相信真理”，我觉得这就是大学的理想和信仰。

| 加缪、三毛去世 |

伟大的作家加缪，1960年的1月4日在车祸中去世，另一件悲伤的事情就是三毛去世。我们这一代人，“三毛”是我们每人的枕边书。三毛影响了我们这一整代年轻人，当然也可以说，给了我们很大伤害。因为三毛，我们坚信爱情是人生中最珍贵的东西，但是在成长过程中也屡屡碰壁。三毛那个时候是非常纯净的，她的长发，她的那些文字，包括她的爱情，她的荷西，她的撒哈拉沙漠里的小屋，她的加那利群岛上的家，包括她的邻居，她写下的那些所有美好的人、美好的时代，影响了我们一代人。

三毛很多诗篇被写成过歌，包括大家都听过的《橄榄树》，也包括这首诗：记得当时年纪小，你爱谈天我爱笑，有一回并肩坐在桃树下，风在林梢鸟儿在叫，我们不知怎样睡着了，梦里花落知多少。即使到今天四十多岁了，背起年少时候这些东西，依然能感觉到那个时候风是怎么吹开领口，年轻的心是怎么渴望爱情，依然要感谢三毛，感谢那个时代纯净的作家哺育我们成长。

1月5日

《晓松说——历史上的今天》来到了 1 月 5 日。今天有两件大事要讲：一件是 1942 年的今天，蒋介石被反法西斯同盟国任命为中国战区最高统帅；另一件事情是祸害人类的纳粹党在 1919 年的这一天成立了。

| 蒋介石被任命为中国战区统帅 |

今天要讲的第一件重大的事，在 1942 年的这一天，1 月 5 日。当时的国民政府领袖蒋介石被同盟国任命为中国战区的统帅，这件事不但是件重要的事而且是一件很有意义的事。

大家想一下，1942 的 1 月 5 日距离 1937 年的“七七事变”，已经过了好几年，这个时候为什么他被任命为统帅呢？日本当时侵略我们，我们一直在做抵抗，到了“七七事变”的时候，我们开始强烈抵抗，到了 1937 年 8 月 13 日，在上海开始打仗，就是淞沪战役开始的时候，全面抵抗就开始了。

在 1937 年的 8 月 14 日，国民政府发表了一个《自卫宣言》，这个《自卫宣言》

跟宣战有很大区别，宣战是什么意思，就是我跟你拼，我要一直打到东京，我要一直打到你投降，打到你趴下为止，这叫两国宣战，就分个输赢。而自卫就是说你只要不打我就好了，但是你要打我，我就需要自卫。那个时候因为我们在国际上很孤单，淞沪战役—— 一个重要的决策依据，我们想去国联申诉，以为《九国公约》会为我们做主。所以当时我们没有宣战，只是说自卫，摆出一副我们是被欺负的、被侵略的这么一个姿态。

然后就开始全国人民前赴后继地跟日本进行了好几年非常惨烈的抗战，当时各党派联合起来，各地军阀、地方派系携手共赴国难，跟日本战斗到 1941 年底，就是大家都知道珍珠港事件的时候（日本袭击美国的太平洋舰队基地珍珠港的时候是 12 月 7 日）终于迎来了曙光。但是珍珠港事件对美国来说是沉重打击，太平洋舰队几乎全军覆没。当然对中国来说，终于我们有了朋友，我们有了这个强大盟友。珍珠港事件传到美国的时候，全美国人民义愤填膺，美国的议会里抛弃了两党的争议，一齐投票向日本宣战。

紧接着，美国在对日本宣战的同时也和日本的盟国德国意大利互相宣战。当然美国跟英国历史渊源极深，情同表兄弟，加之反法西斯是基本的人类正义诉求，美国也一直想跟德国干起来，但是一直没机会，正好日本袭击。其实德国并没有袭击美国，当时美国就趁机和法西斯国家宣战。

中国在 1941 年的 12 月 9 日，独立肩负抗日的重任已经有四年多了，终于可以扬眉吐气地正式向日本、德国、意大利法西斯宣战。我们正式成了国际反法西斯阵营的一员，而且不是一般的一员，是一员大将。所以宣战之后的几天，到了 1942 年的今天，就是 1 月 5 日，盟国正式任命蒋介石为中国战区的最高统帅，而且中国战区不光包括中国，还包括了东南亚等一些地方。中国战区的辖区最初划为：中国、泰国、越南、缅甸，后又决定将缅甸南部、越南南部划归东南亚战区。中国战区统帅是蒋介石，参谋长是美国派来的史迪威将军。

这也是我们自鸦片战争起屈辱了那么多年之后，第一次有中国人成为国际反法西斯阵营重要的一个大战区的统帅。我觉得第一是我们全中国人民浴血奋战四年的成果，让全世界看到了我们的实力、我们的决心，包括我们的血泪。

在淞沪抗战的时候——这是抗战第一场大的战役，因为“七七事变”后，实际上平津几天就陷落了，整个华北也打得不是很好，华北主要是西北军在打。

但是淞沪开战以后，蒋介石率先抗击日军，虽然当时有统一的政府，但实际上各地军阀割据很严重，军阀混战也很严重，中国有大部分地方，原来是不听蒋介石中央政府的：包括广西、广东、四川、云南、贵州等。还有西北军、东北军，大家本来是各怀自己的心事，但是大家都在看以蒋介石为首的中央政府愿意怎么做。你是不是要驱赶我们这些地方部队在前面跟日本人拼命？然后你自己躲在后面。如果蒋介石当时是采取这种策略，中国的抗战绝对坚持不了那么多年，等到这个时候。

淞沪战役的时候，中央军的三十六师、八十七师、八十八师，这三个师是全副德械装备，是最精锐的部队，率先投入了淞沪战场。大批中央军紧接着从西安调往前线，因为大量部队在西安事变之后开出潼关镇压与改编原张学良东北军、杨虎城西北军部队。中央几乎所有的主力，包括大家都知道的后来的五大主力：十八军、七十四军等，全部投入到淞沪战场。所有各地方派系一看，中央军的全部主力都已经杀上第一线，而且打得非常非常惨烈。淞沪战役几乎就是绞肉机，就是中央军一个最精锐的师上去能坚持一个礼拜到十天，就打光了。然后地方派系派来的一个师，正常情况下，最快的时候四个小时就打光了，有的八个小时打光了，一两天都坚持不住。

那时候跟蒋打了多年，最跟蒋不对路的桂系，都已经把自己的全部主力开出广西，开上前线，在淞沪战场上最重要的地方系主力，就是桂系的六个师，包括七军、四十八军这种桂系的精锐主力，都几乎牺牲掉了。在淞沪战场，连最遥远的贵州、四川的部队，都纷纷赶赴战场，当时中国的所有铁路都在运载穿着不同颜色的军装、拿着不一样枪的士兵。在全世界的观瞻之下、在全世界的眼皮底下，在淞沪跟号称三个月灭亡中国的日本最精锐的九个师团，奋战了三个月。我们当然不能叫扬眉吐气，因为淞沪战役最后还是失败了，我军也损失惨重，但是至少在上海打的三个月，让全世界看到了我们抗日的决心，跟敌人拼光。

最后在南京保卫战的时候，实际上把淞沪战役撤下来的、仅剩的中央军主力，几乎全部损失殆尽。但是这唤醒了全国人民，唤起了所有地方派系团结抗战的勇气跟信心。包括我党的军队，也开出陕北，开到山西，参加了以中央军、晋绥军为主力的华北战区最大战役“忻口战役”，打了著名的“平型关”战役。所以一直到了后来的武汉会战、长沙会战等，打到不停地后退，不停地失败，最后退到重庆也没有投降。

最后当日本袭击了珍珠港，美国这种大家伙终于加入战斗，中国加入了反法西斯同盟，这是中国近代以来第一次真正地站上国际舞台。

大家知道，一战我们也曾宣战，我们也曾加入了协约国一方，是战胜国一方，但是我们获得的是屈辱的、最后坚决不能签字的协定：原来被德国占领的青岛等地方不但没收回来，作为战胜国还要转让给日本，然后才导致了我们的“五四运动”，虽然一战我们是战胜国，但其实毫无地位。

但是二战的时候我们不但加入了国际反法西斯阵营，而且我们是作为被尊重的大国，我们参加了开罗会议，是与美、英作为平等大国参加的。然后我们在联合国成立的时候，成为五大常任理事国之一，而且我们被授予了在中国境外包括越南北部地区接受日军受降的荣誉，我们被邀请派出军队去占领东京，作为占领军的一部分这样的荣誉。当然了，准备好去东京做占领军的那个师后来因为马上要开始内战就投入到内战战场被消灭掉了，最终没能作为占领军去占领日本，但是我们至少也获得了这个权利跟邀请。

所以在这一天，1 月 5 日，蒋被任命为中国战区最高统帅。

| 纳粹党成立 |

下面要讲的是 1919 年的今天，这一天埋下了应该说人类历史上最大规模的、最惨痛的战争祸根，就是德国纳粹党在这一天成立了。

那个时候德国一战战败然后屈辱地割地、赔款、签不平等条约、被限制军队规模等。甚至铁路也被扒走了。然后鲁尔区的工厂也被扒走了，割让了阿尔萨斯、洛林两个省，莱茵区是德国最重要的地区，还不能驻军，在这种非常屈辱的情况下，纳粹党成立了。

纳粹党打起来的旗号是：爱国。我们权且叫它爱国贼吧，当然在当时这样的旗号是很漂亮的，就是要振兴德国、要重振德国人民的信心、要爱这个国家。以至于在这样的口号下、在这样的宣传下。纳粹党成为一部强大的宣传机器，在它强大的宣传下，纳粹党经过十几年不遗余力的宣传，终于在 1933 年的民主选举中上台了。

纳粹党并不是通过政变，也不是像日本那样有军国主义的传统，由军部控制政权。纳粹党是真正在民选上台的，所以这也是民主发展历程中的教训，就是说民主选举不一定在任何时候都是对的，在一些特别的情况下，尤其在屈辱的情况下大家有一种要报复、要翻身、要怎么怎么样、要惩罚你的情绪下就会选出一个这样极端的纳粹党。

当然了，纳粹党有强大的战斗力，所以它上台以后迅速振兴了德国的经济。德国在纳粹党执政期间，经济是全世界到现在都很少见、空前、奇迹般地增长。德国经济在增长，短短几年之间就超过了英法，仅次于美国，排在西方的第二位。按照苏联的计算方法，苏联排在全世界的第二位啊，纳粹德国第三。但是总体来说，纳粹德国的经济实力迅速膨胀，然后成为 GDP 第二的大国，并成功举办了 1936 年奥运会，振奋了德国人民的士气。

然后成功地进军了莱茵区，就是不让驻军的这个地方，相当于把屈辱的东西收回来很多，再次振奋了德国的士气。紧接着就是富国强兵，眼看着各种先进武器得到展示、各种军容壮盛，极大地振奋了在一战之后非常屈辱的德国人民。但是所有的这一切最终导致了德国人民支持着纳粹党和希特勒，走向了战争的深渊，走向了与人类为敌，走向了屠杀犹太人、搞种族灭绝的道路。这是反人类的罪行，所以战后德国人民，其实不仅仅德国人民，全世界人民都深刻地反省，就是说，在一个民主的制度下、在民主选举下也会出现这样的结果。所以民主制度在战后，做了很多很多改进，建立了不光靠多数人的选举就可以决定一切的制度。

纳粹党给了全人类一个血的教训。所以这一天，1919 年 1 月 5 日纳粹党在德国成立埋下了未来的祸根，未来有关二战，有关反法西斯战争的内容，会跟大家来详细讲，今天先讲到这里。

| 杜布切克正式掌权 |

接下来一件小事情，对我们来说是小事情，但是对捷克人民来说，是他们历史上一件重大的事情。1968 年的这一天，1 月 5 日，捷克的杰出领导人杜布切克正式掌权。当然这个时候是深冬啊，1 月份是很冷的，但是杜布切克掌权以后，推行了著名的“布拉格之春”改革，算是铁幕的东方（因为东方的华约和西方的北约在冷战中间是两大对立集团，他们的界限被叫作铁幕），第一次出现了改革的曙光，人民开始获得了言论自由等各种各样的权利。

由于当时正在冷战时期，每一个国家尤其在前线的这些国家，都要加入强大的阵营，铁幕这边是北约，铁幕那边是华约。所以在捷克，杜布切克的这个改革让以苏联老大哥为首的华约国家产生了强烈的恐惧，觉得这个是资本主义的渗透，和平演变，支持自由化等，是不能被允许的。所以在捷克正在进行轰轰烈烈改革的时候，苏联纠集了华约其他各国的军队，悍然出兵捷克，以武力镇压了捷克人民的改革和“布拉格之春”。

此事后来被捷克伟大的作家米兰·昆德拉写进了他的伟大作品《不能承受的生命之轻》里，后来还被拍成了一部优秀的电影——《布拉格之春》，里面还有我非常喜欢的演员朱丽叶·比诺什。当然了，很多伟大的历史事件都被拍成了电影，被写成了文学作品，流传下来，为艺术增添了好题材好作品。但是当时当地的人民，承受这些的人民，是非常痛苦的。

我后来去捷克，在布拉格时专门去了那个广场。布拉格人民聚集在这里，要求改革，要求自由的这个广场，现在是捷克最重要的、每个游客都要去看的纪念广场。广场旁边就有一个纪念馆，纪念捷克人民当时怎样为了自由在奋斗。旁边的纪念馆里有大量照片啊、录像啊，记录当时苏军的坦克铁蹄开进捷克，把捷克人民自由的希望浇灭。但是，这件事情其实对整个东西方冷战都有重要的意义。因为东方，铁幕东方的人民要求自由的呼声越来越强，终于在 20 多年之后，铁幕降下来，各国人民依然追求着自己向往的自由。

福特公司正式实行八小时工作制

下面还有一件小事情，但是我觉得很有意义，就是 1914 年的今天。1914 年，大家想啊，现在是 2013 年，就是九十九年前的今天，福特汽车公司正式实行了八小时工作制，并把工人的日薪从两块半美金提高到五块美金。

大家知道，五块美金啊，今天当然只能买俩汉堡，但是在那个年代，五块美金，是非常非常值钱的。那个年代呢，一辆汽车，一辆福特自己产的汽车差不多卖到三百美金，之前可能稍微贵一点，因为生产效率没有那么高。自从福特汽车厂改革以后，由于生产效率空前提高，工人热情空前提高，一辆汽车的价钱，大概从六百多块钱降到了三百多块钱。三百块钱大家算一下，按五块钱一天的工资，差不多一个工人，六十多天的工资就能买一辆汽车。这个生活水平，在九十九年前，当时是举世无双的。不要说我们中国老百姓当时连鞋还买不起，即使是其他国家，欧洲的国家也还都做不到。中国当时一辆汽车大概卖个几百大洋吧，只有极少数官员、商人能买得起。

但是中国当时有一个现象很有意思，中国当时空前地重视教育，所以当时教授的工资空前地高。当时中国一个普通工人一个月几块钱的工资吧，一个军官，要在前线卖命的军官，大概十块二十块这样的工资。但是当时一个大教授能挣到三四百块，一个普通教授也到了两百多块。当时一辆几百块大洋的汽车，除了官员、高官以及比如说一个部长，当时能挣到一千块大洋，像林徽因的父亲林长民，当时做总长能赚到一千块大洋，一个月就可以买一辆汽车。当时一个教授的地位居然跟一个高官一个富商一样，一个大教授差不多两个月的工资也可以买一辆汽车，和当时美国一个工人的生活水平是持平的。

一个普通工人挣几块钱、买辆汽车已经是很遥远的事情，我不知道我怎么算今天的一个工人要多少天工资才能买一辆汽车，这需要一个很大的计算器。

❶月❻日

《晓松说——历史上的今天》来到了 1 月 6 日。今天比较巧的是好几个日子都跟新四军有关，所以先讲一讲新四军和皖南事变，其次是夏时制等一些好玩的事情，一起跟大家分享。

| 新四军成立及皖南事变 |

可能冥冥中，有一些好像命运的东西，新四军的很多重要时刻都是在这一天发生的。第一是 1938 年的 1 月 6 日，新四军军部成立，正式有了我党历史上最重要的军队之一；第二是 1941 年这一天，就是皖南事变最后结束的这一天，新四军的前期在这里画上了一个大大的逗号吧。接着是新四军继叶挺之后的下一任军长，陈毅元帅，在 1972 年的这一天逝世了。因为这三个时间的关系，今天讲一下有关新四军的小点滴。

重要的历史，历史课本都讲了，大家自己去“维基”一下，我就讲讲我觉得有意思值得一提的事情。皖南事变结束时，新四军及其直属部队，包括大量干部在里面有将近一万人，几乎全军覆没。叶挺同志去交涉，被国民党扣留，一直到抗战后才被释放，但不久就因飞机失事而牺牲了。

1938年的1月6日，成立了军部，叶挺同志为新四军军长，但实际上之后这三年叶挺同志只指挥了两天新四军，就是1月5日跟1月6日这两天——皖南事变的最后两天。为什么呢？因为叶挺同志最开始是中共党员，在北伐时期做北伐名将的时候就是中共党员，他的第四军的独立团团长。第四军是我党最重要的部队，也是北伐时一支能征善战的部队，导致了第四军被称为“铁军”。后来叶挺同志做了南昌起义跟广州起义我军的主要领导人。

因为两次起义都失败了，加上党那时候有一些激进，就批评了叶挺同志。叶挺这个人本身是一个气性很大的人，因为他是一个职业军人，不是个职业革命家，所以他对各方面形势都是以一个军人的性格来判断的。再加上他老婆家里特有钱，他又是那种穿得又好吃得又好的做派，所以那个时候被党批评了以后就脱党了，脱党以后就在国外待了一些年，过着员外的生活。

但是抗战爆发，所有的人都共赴国难，叶挺也一样。作为一个中国人，虽然当时已经不是中共党员了，作为中国军人回国报效，正好赶上中共军队留在江南的游击队改编成新四军。改编成新四军以后，国共双方对于新四军军长人选，始终在斗争，国民政府是希望顾祝同来做新四军军长，我们是要请叶剑英来当军长。

大家看这两个人就知道，新四军虽然只是一个军，但是双方对这个军的重视，远远超过当时整个国民革命军的数十个军。因为顾祝同当时的地位，已经是战区司令长官这个级别了，他来这儿当军长说明国民政府很重视这支军队。叶剑英同志南昌起义的时候就已经是第四军参谋长了，我们要请叶剑英同志来做军长，叶剑英同志作为我党我军的一个高级将领，红军时期就做过总参谋长，八路军后期也做过总参谋长，以这个级别来做新四军军长，说明双方都很重视。

但是僵持不下的时候，正好叶挺出现了，这个人双方都觉得可以接受。叶挺是北伐名将（北伐是以蒋介石为统帅的），所以蒋介石也比较信任他。他毕竟是中共老党员，中共还算是比较信任他的，请他来延安谈了谈，然后他表示一切听党的。

没想到最后，他也一直没能真正获得指挥权。因为我党对军队到今天为止都是党指挥枪，就是党要保证绝对领导。所以当新四军成立，军部也成立了，军长是叶挺，但同时成立了新四军的党委，党委是由当时负责南方三年游击战的我党最高领导人项英同志来担任。陈毅同志在三年游击战争中也起了很大作用，所以在新四军中做支队司令（相当于师长）。在当时，项英同志有一点过于强调党的领导，把团结更多的人、团结全民一起抗战这件事稍微往后放了放，所以新四军一直是由党委来领导。叶挺同志因为不是中共党员，所以没法参加党委会，也一直不能插手新四军指挥的各方面事务，实际上连一个参谋长的作用都没起到。因为实际上党委在开会的时候，新四军参谋长是中共党员，所以战略、战术、作战方案实际上都是在党委会会议上决定的，直接向党中央汇报。

因为当中隔了一个党委，所以叶挺始终没有能够参与到指挥中来，当然他的脾气一直也没能改，中间有三次他是非常愤怒的，因为他认为项英不懂军事，他自己是一位名将，所以曾经愤怒地辞职三次。但是我党说抗日战争和国内战争是不一样的，在国内战争的时候，他可以愤而离去，出国了然后再也不回来，但抗日战争是一个民族的战争，是关系到我炎黄子孙生死存亡的战争。叶挺同志，在这个时候表现还是比较好的，虽然他的军人脾气导致了三次辞职，但他最终还是能忍辱负重。

中间周恩来同志亲自找项英谈话，党中央也命令成立一个新四军军事委员会，由叶挺来做一把手，项英同志做二把手，但是这个军事委员会一直没有真正成立，还是党委在领导。直到皖南事变的最后两天，大家在历史课本上也都看到了，以项英同志为首的几个重要领导层在革命战斗的最关键时刻脱队了，离开了部队。新四军由于没有指挥，最后大家就听了叶挺军长的，但叶挺在那个时候已经无力回天。那个时候整个战局的各方面，已经到了山穷水尽的地步。所以叶挺同志真正指挥新四军最后两天，只做了一个决定，就我自己去，跟国民党谈判，来挽救新四军的这点血脉，叶挺同志等于是舍身前往敌营。

我觉得这是非常令人感动的，就是他真正能指挥新四军的时候他做的决定，不是大家拼死了算了，或者是咱们就投降吧，或者什么都不做。他的决定是舍身赴敌营，然后以自己在整个国民革命军中的威望来谈判。当然最后谈判没能成功，他自己也被扣留了，但是这显示了一个革命军人在关键时刻的高风亮节。

因为他被扣留，新四军重新再改组，重新成立新军部的时候，陈毅同志担任了新四军军长。历史就是这样的各种风云际会，如果没有叶挺同志被扣留，叶挺同志则一直是军长。陈毅同志到了1955年评衔的时候，就没有军长这个资历了。实际上陈毅同志评元帅不太符合规定。因为1955年评元帅、评大将的时候，头一条规定就是当时已经离开军队、不再担任军职的不参加评选，如周恩来、邓小平，包括新四军的那些师长，李先念、邓子恢等都当了副总理级的干部，所以都没有参选。陈毅当时已经离开军队做副总理兼外交部部长，实际上是不能评选的，但是就是因为他新四军军长的重要资历，在元帅中间总要有一位来代表南方三年游击战、新四军，代表三野。刘少奇当时提议是由粟裕大将代表新四军跟三野，粟裕大将也是坚持了三年的游击战争，也做过三野代司令员兼代政委，所以由他代表这三方面评元帅。但是周总理，肯定也有毛主席的意思在里面，最后坚持说代表这三个方面的还是让陈毅元帅来，所以陈毅算是在元帅跟大将里唯一不符合评选资格的，因为他已经离开了军队。1972年陈毅在“文化大革命”期间惨遭迫害，最后含冤去世。

当然了，如果叶挺同志还活着，代表了新四军包括未来的野战军来评选元帅，也轮不到陈毅元帅，也轮不到粟裕大将，必定是由叶挺来做元帅，我们的十大元帅中间就会出现两位叶帅。可是历史是没法假设的，历史就是这样一件一件事地发生了，人们就一个一个登上舞台然后又离去。所以今天讲讲关于新四军的这段历史，大家有兴趣可以去网上搜有关的各方面资料。

| 美国实行夏时制 |

下面讲一个有点意思的事情，就是1974年的1月6日，美国重新实行了夏时制一直到今天。以至于我在美国的那些年，经常搞乱，某一天就突然变成夏时制了，现在好了，现在高科技使你的手机自动变成夏时制，不像以前不弄表就上班迟到。

夏时制大家都明白是为什么，就为了节省点能源吧。因为夏天的时候日照长，把时间提前一个小时，大家就早点起床呗。因为天亮得早，早点起床早点睡觉，省得点灯了，其实在欧洲很早就已经开始实行了。我想要说的是美国，它不是节约的国家，美国是一个消费至上的国家，是一个典型的资本主义国家，就是大家尽量多消费、多花钱。生产的东西都过剩，然后大家就猛消费，以这个来维持庞大的经济运转。作为这么一个国家，美国实行夏时制远远晚于欧洲。

为什么 1974 年 1 月 6 日实行，这有点意思。因为在那之前美国能源充沛极了。美国本来自己就是一个资源大国，美国的得克萨斯产石油，品质之高恨不能喷出来就能加车里开走了，而且成本也不高，加上那个时候中东的石油价格非常非常低廉，1973 年前才 3 美元一桶。美国消费起来，是完全不用考虑节约的，到现在也是。欧洲人来美国的，通常首先批评美国的就是你们怎么开这大车，因为美国人都开特大的车，三点几排量在美国不算大车，然而欧洲都开特小的小车，标榜环保啊等等。美国只有硅谷的一帮所谓知识精英才标榜自己环保，坐经济舱，开丰田小车。但是你看美国大部分地方，大家都开很大的车，黑人开更大的车，华人哪怕当一个饭馆刷盘子的，出来也开特大一奔驰，然后被欧洲人批评。美国人去欧洲也批评他们啊，说你们这教堂，怎么盖这么大啊？说你们虽然开小车，其实你们已经把人民剥削完了，都盖这么大教堂，美国教堂特别小。

话说回来，为什么 1974 年 1 月 6 日实行夏时制这有点意思，因为 1973 年爆发了第四次中东战争，这也是五次中东战争中间最大规模的一次，也应该叫决战吧。这之前一直没分出胜负，有时候你赢，有时候我赢，虽然阿拉伯国家没有真正赢过，但因为有苏联在后面做军事援助，基本上还算能打个平手。但 1973 年是拼了，就是双方决战，所有的阿拉伯国家，二十余国第一次空前团结起来，因为大家觉得这再打不赢就没法弄了。

为了打赢以色列，叙利亚跟埃及带领全体阿拉伯国家一起拼了命地跟以色列打。因为战争拼消耗是最重要的，刚开始打没几天，两边就没有东西可消耗了。打到最激烈处，美苏两国全力支持。

美国支持以色列已经到了什么地步？那个时候你再给钱订货，然后去生产来不及了，就直接把美国现役战斗机，比如说当时最先进的 F4，直接就把机徽从美国的五角星涂成以色列的六角星，然后由美军中间的犹太人飞行员，直接驾机飞到前线去参战。

苏联那边也是，当时二十几个阿拉伯国家，包括很多产油的有钱国家，一起直接把钱拍到桌上说，他们这几个前线国家需要什么？在参战第一线打的有埃及、叙利亚、约旦，伊拉克也出了一个师，那些没出兵的国家就直接把钱往那儿一扔，说苏联你就给吧，他们要什么就给买什么。

但是实际上苏联的武器还是没有美国的先进，于是这些国家为了制裁美国，或者就为阻挡美国，说你只要向以色列运武器，支持以色列，我就制裁你。当时已经不光是运武器了，因为苏联当时空降师已经到了苏联最南部了，就是准备你只要叫以色列再打，苏联就要吓唬一下你。美国为了保护以色列，美国对以色列的感情很深，犹太人在美国是最重要的少数民族，掌控了美国的经济命脉与几乎百分之九十的媒体，对政治有相当的影响力，换句话说，犹太人没有百分之八十选你，你这个美国总统是当不了的，所以美国就拼了。

你怎么制裁我吧我不管，我就支持以色列，而且下令一级战备，就是全球进入一级战备。美国吓唬苏联，说苏联你把你那几个空降师撤回去，你只要再在那儿吓唬以色列，我就全球一级战备，咱拼了，就要打世界大战。

那时候，只要美国一起来苏联就缩回去了，但是阿拉伯国家不缩回去，阿拉伯人英勇地说，那我就石油禁运，你不是要我油吗，那我油就不给你了，于是油价那个时候飞涨，从几块美金到十几美金这样级别地涨。

这一下子美国人民受了罪了，说你政府支持以色列，老百姓就节约一下，于是那个时候美国一下子就产生了各种各样节能啊节油啊等措施，大家都恨不得就骑自行车了。这个时候美国政府才想到说，咱们也节节能吧，于是在 1974 年的 1 月 6 日，正式实行了夏时制。夏时制由于提前了一小时，晚上少点一小时灯，能节省到当时算出来的总消耗能源百分之十五。这么大规模的节约，在美国这么崇尚消费主义的国家也开始实行了，而且一直实行到现在。

夏时制后来在我国也实行了一阵，为什么我国没实行下去呢？因为我国跟其他国家不太一样，欧洲这些国家都小啊，都一个时区，所以它天亮的时间是一样的，德国最东部跟最西部差不了几百公里，所以实行下去就很节能。美国跟中国一样大，美国跟中国不但面积一样大，而且这个长宽比例都差不多，都跨了四个时区，但美国那是一个联邦制的国家，就是中央政府没有权力要求你说用我的时间，就是说华盛顿没权力说加州你用华盛顿时间，所以美国是用各州自己的时间。

美国分了四个时区，东部有东部时间，比洛杉矶加州西岸早了三个小时。当然了这也导致很多混乱啊：东岸的股市一开始，西岸的大清早起床开始炒股。包括某些年奥斯卡颁奖，西岸开始颁奖礼的时候，东岸已经睡觉了。尽管他们是分了时区的，但在各个时区实行夏时制的时候，都还是节能的。

而我们是一个自古以来中央集权的国家，大家都用中央所在地的时间，南京是首都的时候用南京时间，北京是首都用北京时间。本来新疆跟北京因为时差已经完全不一样了，所以统一之后，他们差不多每天早晨十点才起床，比我们晚了三个多小时，然后十一、十二点上班。在用夏时制以后，实际上只对东南沿海，以及东北一点的地方有节能作用，对于所有中西部地区，因为本来已经有时差了，已经不是那样的时间了。所以实行起夏时制之后，不但没有形成全国大节能，而且导致了很多混乱。所以后来我们实行几年以后就取消了，而美国一直延续到现在。

1月7日

《晓松说——历史上的今天》来到了 1 月 7 日。首先在 1989 年的今天，裕仁天皇去世。再有就是今天是两位我很喜欢的电影人的生日，一位是尼古拉斯·凯奇，另一位是洪金宝。

| 裕仁天皇去世 |

首先讲一下裕仁天皇，对中国人民来说无比熟悉的这位天皇。中华民族一百多年来，被日本欺负得最多。最开始的时候，甲午战争是裕仁的爷爷明治打败了我们，因此获得了巨额赔款，获得了当时世界上最富有的国家——中国的超过日本政府全年收入数十倍的巨额赔款，导致了明治的维新图强迅速成功。交到裕仁手里的时候，日本已经是一个非常强大的国家，因为一战的时候，这个日本作为战胜国，获取了很大的利益，不但获取了德国在中国的殖民地等，而且跻身世界大国，共同出兵干涉了苏联。

日本之前就打败过俄国，后来又在西伯利亚干涉过苏联，在最后，苏联红军还是把所有的日本人赶出去了，但是那个时候日军已经是列强之一。而且在这个一战以后的华盛顿会议上，签订了《限制海军军备条约》（即《五国海军协定》），日本获得了这样的地位：全世界海军五大强国的主力舰吨位比例为5 ∶ 5 ∶ 3 ∶ 1.75 ∶ 1.75，其中两个五是美国跟英国，三就是日本。法意两国各为1.75。日本已经超过了欧洲的法国跟意大利，获得了仅次于英美的海军强国地位。

相当于什么呢？裕仁天皇继位的时候，他是一个很年轻的人，二十几岁就继位了，一个年纪轻轻的人，手里拿着大杀器，而且放眼周围在亚洲还没有什么可匹敌的对手。大家知道当时这五个强国，美英法意都很遥远，他在亚洲，面对的都是一些不甚强大的国家。

日本说是3 ∶ 5 ∶ 5对英美，实际上海军的发展并不弱于英美。因为二战前，世界海军强国叫“Big Seven”就是“七大舰”，就是16英寸（406毫米）这么大的大炮，装备这样大炮的军舰一共有七艘，其中美国三艘、英国两艘、日本两艘，所以在这个时候他的海军实力已经跟英美基本上齐平。到二战开战的时候，日本海军跟英美相比已经毫不落下风，尤其航空母舰和舰载战斗机是超越英美的，并且二战中还有两艘世界上最大的到现在也没人超越的巨型军舰，装备18英寸大炮的“大和”号和“武藏”号。

裕仁天皇作为一个手握大杀器的年轻的神一样的皇帝，他对二战包括对侵略中国、亚洲各国，要负一个什么样的责任？我个人觉得他要负很大的责任。历史上有很多的记载，日本的军部、陆军怎么猖狂，还要搞政变刺杀大臣等等，在战前也发生过，在终战的时候——1945年到最后的时候也发生过。但是即使是那样的法西斯军部，他打的旗号也是要“清君侧”，就是要保卫裕仁天皇，还是要一切听天皇的，把那些不想打仗的大臣屠杀掉。实际上全日本人民把裕仁天皇当成神。

我是这么想的，一个是日本这个民族本身的民族性，这个事不能由裕仁天皇一个人来负责。其实一直到今天日本这个民族性，它的尚武传统，它的那些民族特点都很突出，包括日本人生存在那样的几个小岛上。那几个岛不但什么资源都没有，而且集中了全世界百分之十的活火山和百分之二十的地震海啸。这个民族的欲望、民族性，当然不能全赖到裕仁天皇身上。但这个法西斯的欲望，在裕仁天皇那儿实际上是获得了默许的，这个地方我觉得裕仁天皇要负上责任。当然了，如果从人性上考虑，任何一个年纪轻轻的、手握大杀器的皇帝，手下又有一些无比忠诚的、战无不胜的军队，难免会膨胀。

在裕仁天皇继位时他继承了他爷爷几乎战无不胜的纪录，明治时代不仅打败了世界上经济体最庞大的中国，在 1904 年、1905 年日俄战争中打败了号称欧洲最大陆军的俄国，接着在一战中成为战胜国。所以人嘛，都是这样的。中国历史上各个朝代也都有年轻皇帝，继位的时候手握大杀器，然后有战无不胜的光荣成果，当然会野心膨胀。所以我觉得在后来发动战争中间裕仁天皇起到了不可推卸的责任。

作为一个年轻人，他的冲动，他的那种企图建功立业、企图光宗耀祖的欲望，导致了亚洲人民的深重灾难，也影响了美国人民，二战袭击珍珠港，跟美国打了那么多年。但是到最后的时候，裕仁天皇起到了还算是比较积极的作用，至少是少牺牲了本国一半的军队吧。

因为当时，实际上在日本最后的时间，主战派还是占到上风，不但在人数上占上风，而且主和派手里没有武器，都是手无缚鸡之力的那帮外交官以及文人。军队是坚决要求打的，因为日本民族那种尚武精神，日本是一个不但尚武而且善战的民族。这种情况下，裕仁天皇有绝对的权威，最终在御前圣裁的时候，大家在内阁相持不下，文人没办法，文人没有子弹，没法跟军人干，但文人抬出裕仁天皇，我们主和，你们（军人）主战，那我们最后到御前圣裁，就是由天皇来裁决。最后裕仁天皇在圣裁的时候，是坚定地说，我决定停战，接受盟国的条件，不再让我们的人民做出更多的牺牲，并且裕仁天皇最后说，宁可不要我自己这个位子，大家也应该最后无条件投降。

无条件投降就是说不能讲任何价钱了，是不是保留天皇制、保留裕仁天皇，裕仁天皇是不是当成战犯，这个时候还不确定。当时整个军队，包括日本人民，已经每个人都在磨竹子了，大家准备拼了，有枪的拿枪，没枪的拿竹子，拿竹子都要干。最后裕仁天皇决定，跟全国人民广播，那也是日本人民第一次听到天皇的声音，因为天皇在日本一直都是神，从来没人听过他说话啥样。

裕仁录音的过程有点意思，因为大家从来没人敢命令天皇说，你站在这儿，你对着那东西。天皇本人连电话都没接过，虽然日本是一个近代化的列强国家，海空军都是世界先进级别的，但是日本天皇本人从来没接过电话，因为他不需要也不可能有人敢于给他打个电话让他接，全是副官大臣接完告诉他一声。但是他终于走到了麦克风前，所有的录音师都跪着，然后大家都感激涕零，在那儿哭着。然后裕仁天皇发表了这个终战的宣言，录了两次，第一次录完了以后问大家说，我说错了没有，大家都不敢说话，因为谁敢说天皇说错了，然后天皇再问说，我说错了没有，有一个录音师斗胆说，您有一个词发音不太清楚，天皇马上说，那我再录一遍。然后又录了一遍，第二遍又错了几个地方，但谁也不敢再说，您还得录第三遍，没有人敢了。于是就播出了天皇的第一段录音，日本人民在那一天所有的事情都停下来，所有的军队、所有的人民，听到了天皇真实的终战宣言，相当于诏书，所以才导致了最后日本没有大乱，也没有导致军队大规模哗变。虽然有小规模的哗变啊，一支小部队，冲到了东京，闹了一闹，几个军官企图挽救一下，但是由于天皇坚定的信念，最后这些军官在皇宫门前广场上全都剖腹自尽，向天皇谢罪，日本顺利地投降了，没有造成混乱。

当时美国的预计说，如果日本不投降，继续进攻的话，最后到登陆日本本土，全部占领日本，还要牺牲一百万的盟军。到最后这个时候，天皇阻止了最后的挣扎，他起到了正面的作用。并且天皇自己开始放下神的架子出来，让全国人民看到了他的样子，看到了他和麦克阿瑟将军的合影。然后大家一看，哦，美国统帅那么高，天皇那么小。然后自己又发表了一个《人格宣言》，表明自己不是神是人，让日本人民明白他只是一个人。从那儿开始，日本正式进入了一个民主社会，因为进入民主社会的一个前提，就是那个神，一定要从那个神坛上下来，人民才可以自己感觉到自己有权利，自己来决定这个国家的一切未来。所以日本天皇我觉得他是对战争有不可推卸的责任，但在最后，第一决定终战，第二由于自己走下神坛，对使日本成为一个民主自由的国家，他最终起到了好的作用。

| 巴拿马运河第一艘船只通过 |

1913 年 10 月 10 日巴拿马运河正式完工，1914 年 1 月 7 日第一艘船只通过，1914 年 8 月 15 日首次向全球商船开放。巴拿马运河是全世界最重要的两条运河之一，另外一条是苏伊士运河。京杭大运河是世界上最长的运河，贯通中国南北，它的作用也非常重要，但和巴拿马运河、苏伊士运河不可同日而语。

巴拿马运河和苏伊士运河都是分别连通两大洋，然后穿过两大洲。换句话说，没有这两条运河，所有的船要多走一个大洲。没有苏伊士运河，船要整个绕一圈非洲，有了苏伊士运河，直接就从印度洋、红海进了地中海，所以意义重大。苏伊士运河的战略位置非常重要，为了这条运河发生了各种各样的战争。巴拿马运河比较幸运，因为在那个大洲只有一个强国，没有那么多人来争夺。美国人为了掌控这条运河，不但开凿这条运河，并且把运河沿线这个地区都当作了美国的管辖范围，叫它租界也好，叫它运河区也好，反正这个地方属于美国，因为这是美国的战略生命线。

1915 年时正逢一战，巴拿马运河开通，对于美国、对于全世界都有非常重要的意义。美国是个“两洋”的国家，在军事上非常需要巴拿马运河。它的舰队在其中一洋打仗，另外一洋的舰队要去支援，如果没有巴拿马运河，那就一直要向南绕过火地岛再往北，等绕到那儿的时候估计战争就该结束了，而且其间消耗的时间、消耗的资源，都是巨大的。

运输意义就不用说了，为此还专门出现了“巴拿马型船”，是一种专门设计的适合巴拿马运河船闸的大型船只。接着出现了各种各样的为运河服务的东西。运河也是收入最高的一项大工程，美国当年掌握巴拿马运河就像当年英国掌握苏伊士运河一样，巴拿马本来已经独立了，美国也要掌控运河很多年，一直到最近，才把巴拿马运河还给巴拿马。

美国还干过一件让全世界都觉得很霸权的事情。其实反美的国家多了，但是美国一般也不会到你的国家抓你，因为对美国的战略意义没有那么大的影响。但是由于巴拿马运河是美国最重要的战略生命线，巴拿马出现了一个反美的总统诺列加之后，1989 年美国居然悍然撕毁各种协议，不惜破坏国际法，派军队直接打到巴拿马的首都，把诺列加给抓到美国去受审。这件事做得非常霸道。

所以美国确实是一个很矛盾的国家，没有选票的时候，它就到处宣扬人权，一旦牵涉选票，就是美国利益至上，只要符合美国的利益，不管什么国际法，就可以把你关到关塔那摩监狱。美国经常干出这种为了美国利益可以破坏全世界各种规矩的事情，因为政治家保护美国利益，美国人民就还选他。

巴拿马运河很美，大家有机会去那边旅行的话，可以去看一看，我觉得看那些船闸很有意思，这是人类智慧的结晶。

| 尼古拉斯·凯奇生日 |

下面讲讲算是中国观众最熟悉的美国男演员之一吧，尼古拉斯·凯奇。

在中国，我们的观众比国外会稍微滞后一点，就是某演员差不多在好莱坞成了一线的大明星，过了几年后才在中国被完全接受，因为作品总是要一点点地被接受。再加上我们的舆论媒体，酷爱炒作我们自己的包括港台明星的各种花边绯闻等，很少去炒作好莱坞明星的绯闻。所以第一时间不够热，都是隔了几年之后，才慢慢热起来。尼古拉斯·凯奇现在应该是中国观众最熟悉的好莱坞演员之一，因为他每年在有配额的进口大片里占了一两部，不停在这儿露脸，但是他在好莱坞已经不再是一线男星了，虽然他很努力。

尼古拉斯·凯奇是一个非常努力的演员，他努力到什么程度呢？他本人是科波拉家族的孩子。大家知道科波拉家族，在好莱坞是举足轻重的一个大家族，光大导演就出了两位，得奥斯卡最佳导演的科波拉本人，以及索菲亚·科波拉导演，也是第一个得到奥斯卡奖最佳导演的女性。科波拉是一个庞大的电影家族，尼古拉斯·凯奇是为了表明自己不是富二代，不靠家族势力，坚决把自己的名字也改了，就是他不再姓科波拉，改成了尼古拉斯·凯奇。Cage 是笼子的意思，自己起了这么一个怪名。也许因为他觉得以前生活在笼子里似的，一定要自己奋斗。

他曾经奋斗到很一线的位置，也演过一些我自己非常喜欢的电影，包括大导演 David Lynch（大卫·林奇）的《心中狂野》，是我很热爱的电影，也包括好莱坞的华人大导演的电影。吴宇森当时在好莱坞已经做得非常成功，他甚至用自己的名字“吴”命名了这种类型的电影——热血男儿、兄弟情义的类型，已经叫吴电影。大家如果去洛杉矶参观，整个好莱坞的星光大道上有很多大明星的名字被嵌在地上一个个五角星里。在这众多星星中，真正在地上有手印脚印的没有几个，其中吴宇森就是我看到唯一的一个，俩手俩脚印印在那个好莱坞中国剧院前广场的最中间，他比周围其他人的都大，中文写的吴宇森。所以吴宇森在当时这样的成功情况下，好莱坞所有一线明星，觉得自己是热血男儿，觉得自己很彪悍的、很 Man（男子汉气概）的这种男明星，都要去演他的电影。

当时，尼古拉斯·凯奇出演了吴宇森的《变脸》。那个时候尼古拉斯·凯奇有两千多万美金的片酬，就完全是一线男明星。可是慢慢、慢慢他演太多了，有点过于努力，所以他的片酬从两千多万美金，跌到了四百万美金。好莱坞是很残酷的，没有那么多人性讲，你给我赚钱，就多给你，赚不了钱，对不起，已经给你够了就这样。四百万美金片酬，就是还不如成龙李连杰。他们两位在好莱坞，今天还能有一千万美金的片酬，四百万美金只能算三线的片酬了。女明星片酬差不多都比在同一个级别的男明星低个三分之一。四百万美金片酬大概就跟周润发差不多，他已经到了这个地步，所以他已经不是当年的一线明星了。

但是大家还会经常看到他，因为我已经听到消息，他马上要主演一部中国的电影，然后也是中国电影付出的高片酬，四百万美金在好莱坞算三线的片酬了，但是在中国付出四百万美金片酬的这个男主角还是罕见的，说明我们的电影，已经在慢慢地跟好莱坞接轨、跟国际接轨了。我们已经用到好莱坞的更多团队，我们的电影公司已经买到了好莱坞最好的数字制作公司，我们的电影公司已经买了美国第二大院线 AMC。现在我们可以雇来好莱坞曾经的一线大明星来演电影，这个很有意思，希望尼古拉斯·凯奇成为下一个中国人民的老朋友。

| 洪金宝生日 |

1952 年的 1 月 7 日，洪金宝大哥出生，这是我的好大哥。已经年过六十的大哥，依然战斗在电影的第一线，已经拍了四百部电影。我前年导演的电影《大武生》就是由洪金宝大哥担任动作导演，给了我最美好的回忆。

洪金宝以及他所率领的洪家班，是整个华语电影界，其实也包括了全世界电影业中最好的动作指导之一。因为大家知道全世界电影，也没有多少好的动作指导，好莱坞拍到那种动作很多、想要漂亮的电影的时候也要请到这几位香港大师。就像袁和平去拍过《黑客帝国》，洪金宝大哥也在美国好莱坞拍过很多动作片。包括整个华语电影界以及全世界的最好的几位动作导演，今天就是袁和平大哥的袁家班、洪金宝的洪家班，以及程小东的程家班。

因为武术这个东西，把它拍成电影，不是会武的人就能拍，因为那需要千锤百炼。如果拍文戏，整个一部电影拍下来也就几百个镜头，但是如果拍武戏，一场四分钟的打斗就要拍250个镜头。而且洪金宝大哥他们那个洪家班，强到什么程度？洪金宝大哥250个镜头全在心里，为什么？因为武戏很耗演员，演员很不愿意去武戏组拍戏，因为要吊到威亚上吊很久，演员最怕的就是脸上挨一拳。洪金宝大哥在演《叶问》的时候又是动作导演又是演员，他一直鼓励那个演洋人拳手的英国演员真打自己，结果嘴内侧受伤送到医院缝了十几针。武行出身的兄弟们都特别敬业而且特别勇敢。

我们拍的时候也是，明星都在文戏组，武戏组要拍，全部没有明星，怎么拍呢？那就跳过这些有明星正面的镜头，拍其他的镜头，大家知道你再去补的时候，很不容易补进去，剪进去正好，但是在洪大哥脑子里，250个镜头先拍150个明星替身的，威亚怎么吊、套路怎么打，所有东西拍完，然后明星一来，只给十天时间，洪大哥上手就拍，镜头非常清楚，这一组动作需要你三个侧面，那个镜头需要你两个特写，全部补完100个镜头，然后剪到那几场戏里，简直天衣无缝，我那时候都傻了。

所以大家知道动作导演有多重要，袁和平给李安导演的《卧虎藏龙》做动作导演的时候，李安这么大的导演也说不上话，因为这些真的不懂，完全在动作导演心里。那些神奇的快速的武戏，完全是在生活中看不到的，完全靠快速剪接，需要你的脑子里非常快速地用经验来支撑，所以年轻人很难做动作导演，现在还只是这几个大哥在做动作导演。

洪金宝非常仗义，他本人是一个非常低调的人，他很不愿意参加宣传啊，颁奖礼啊等，包括他自己做动作导演和主演的《叶问》，他都不参加宣传。但是《大武生》上映的时候，我那时候正好出了那件不太好意思的事情，正在一个叫看守所的地方待着，所以没办法参加电影宣传。让我特别感动的就是洪金宝大哥作为一个非常不爱宣传，只爱工作的，拍电影的时候可以拍40个小时不睡觉都没问题，宣传的时候一分钟都觉得很别扭的人，因为我没办法参加宣传，他为了这部电影，也为了我这个小弟，作为大哥挺身而出，带领韩庚、吴尊、大S等演员一站一站地做宣传，一站一站地出席新闻发布会，到一个一个城市、一个一个电影院去，本来应该导演做的工作，洪大哥挺身而出代替我，让我非常非常非常感激。

而且我自己对香港演艺界本身的敬业精神就很尊敬，因为他们对电影的热爱，不是小知识分子的热爱，他们真是把电影当作一个信仰，就是我要拍的就是最好看的电影，我要卖命。洪金宝大哥他们七小福是学京剧的，包括洪金宝大哥、成龙大哥、元彪大哥等。洪金宝是最大的，他们叫洪金宝大哥，他还得帮这帮兄弟，唱戏开始没落以后就来到电影圈，从做替身开始打拼，就是敬业、玩命，从没有威亚、没有保护的时候开始，洪金宝大哥不用替身，车冲过来，没有东西保护，就往车上跳，滚过那个车前头。所以后来他们带着憧憬、带着洪家班，都以这种敬业精神来要求。

他们对电影完全是一种信仰，他们是那种真正当之无愧的电影人，所以呢，以洪金宝大哥为代表的那一代香港电影人，是我最敬佩的。他们能 40 个小时不睡觉拍电影，在现场你能看到，整个剧组里，拍到第 40 个小时，我们内地的所有工作人员，全部都找地儿躲着去了，但是洪家班全都挺立在那儿，一动不动站着，继续拍戏。所以我对他们是非常非常崇敬，尤其对洪大哥本人，他身上留存了那种香港电影黄金年代的时候留下来的最好的信仰、理想、敬业，以及对电影的热爱。

洪大哥，生日快乐！

❶月❽日

《晓松说——历史上的今天》来到了 1 月 8 日。今天比较有意思，没有某件大事发生，但是有人出生，有人去世。我今天想讲的都是人：第一是 1976 年 1 月 8 日，周总理去世；第二是很多个世纪之前的 1 月 8 日，我最崇敬的大艺术家、大名士、大文人，苏轼出生；第三是流行音乐界的丰碑——“猫王”出生。

| 周恩来去世 |

1976 年的 1 月 8 日，周恩来总理去世。有关周恩来总理以及我们这个国家的苦难的时代，就不多说了，我相信每一个中国人对那个时代都有很多很多了解。

周总理在那个苦难的时代里，多年以来对这个国家的贡献我也不多说了，就说一下我自己亲身经历的这个小事情。就是在十里长街送总理的时候，我就在现场，周总理去世的时候我记得很清楚，全家哭得不行。周总理在那个时候算是大家心中仅剩的希望的火苗，所以周总理去世的时候大家怀着一种极为悲痛的心情。今天可能更年轻的人不能理解，但是当时觉得好绝望好难过，所以送总理那一天呢，全家带着我，我当时是6岁，特别特别冷，对那天我唯一的记忆就是特别特别冷。之前我在幼儿园也折了很多小白花，大家都送花圈。那天我记得我穿着一双白色塑料底的棉鞋。现在好像在北京很少有人穿那种鞋，不知道是因为全球变暖还是因为污染。反正那个时候冻得我就站在那儿等了很久很久，我记得都觉得等了一个世纪，我感觉我那个鞋已经粘在长安街的地面上了，脚完全失去知觉。然后一会儿灵车来了，大家都已经冻成那样，不行了，一片那种哭号。灵车很快过去了，其实就那一瞬间，等了很久。

漫长的岁月过去，回忆起来恍如隔世，这些事都是很久远以前的事情了。由于我捣乱，那个时候我们家还发生了很危险的一件事情。就是那时候大家在天安门广场纪念总理，很多很多知识分子，怀着各种各样的心情，有热爱的、有悲壮的、有绝望的等等，写了很多很多的诗。其实大家想不到那个年代的知识分子，那种豪情，你看到他们穿着很朴素，甚至衣衫褴褛，都是那种一看就是饱经风霜的知识分子，在寒风中朗诵那些诗，那时候给我的印象极为深刻。

我还记得那个时候最盛传的一首诗是这样写的："欲悲闻鬼叫，我哭豺狼笑。洒泪祭雄杰，扬眉剑出鞘。"这是当时流传最广的一首诗。我的父亲母亲，也在广场上抄了很多诗。那个时候纪念总理是不能公开张扬的，所以大家抄完诗回来以后都藏在很多地方，我们家那个是藏在一个镜框里，那个时候每家都挂着一个镜框，里面有各种全家福啊、小时候的照片等。我是男孩，手特欠，那天我也不知道怎么的，一手欠上去把那镜框给拆了，结果哗啦从我们家照片后面掉出一大堆我爸爸妈妈在天安门抄回来的那些诗，一下子全家给吓着了。因为这个东西，当时就是反革命，就是罪证，所以当时处在那种恐惧的环境下，我们家吓坏了，马上坐火车把那些诗连夜转移到了沈阳我姑姑家，藏在那里。一直到了粉碎"四人帮"之后，才从沈阳把那些诗抄拿回来，到现在还在家里存着，那是一个年代永久的记忆。我也希望那样的年代在中国不会再出现了，不会出现朗诵诗是违法的，不会出现诗抄被家里的一个孩子发现了以后全家都被抓的事情，希望永远不再出现那样的时代。

丨苏轼出生丨

下面说我的精神偶像、我的文学偶像、我的音乐偶像——苏轼。苏轼是我各种偶像，其实更重要的是人生偶像。苏轼最重要的，我觉得感动我的，就是不论在什么样的逆境下，心怀着一种，今天人叫自由。那个时候没有自由这个词，但是有大名士对天下的那种胸怀，那种胸怀就是不以一点点得失，就怨天尤人了、就绝望了。

他一生中大部分时候，都在各种颠沛流离中，真正得意的时候没多少。这个我就不多讲了，这个对我们来说，对苏轼来说，对我们的历史来说，根本就不重要，历朝历代都有。我也不认为苏轼在政治上是有多么保守的，我个人认为苏轼之所以会支持旧党，主要是因为旧党那些人都是大名士，很有文化。苏轼并不是一个敏锐的政治家，我热爱的大量的大师级的那些艺术家，都不是政治上特别有才能的，李白不是，苏轼也不是，包括后来很多大师都不是。

我个人觉得苏轼是对旧党那些人的风范的认同，那些人学富五车，所以他支持了旧党，然后在残酷的生活中，不停地被贬，但是从他的诗篇中几乎看不到因为这些事情而写出那些幽怨。大家再看李煜的词，那简直幽怨得不行了，但是苏轼也挺惨的啊，每天以泪洗面，从一个部级干部被贬到副处级干部，当了什么黄州团练，还能写出“老夫聊发少年狂，左牵黄，右擎苍，锦帽貂裘，千骑卷平冈”，写完就玩去了、派对去了，在黄州的时候，苏轼的派对是著名的大派对。

因为他走到哪儿，永远有一帮大名士去找他玩。那帮大名士，不像今天的人，说你被贬了，你政治上失意了，就都躲着你，那时候中国古代文人有一种气节，现在那种气节都跑到哪儿去了？过去是反过来的，就是你越春风得意，咱离你越远，我是隐士，然后你越被贬，你越倒霉，哥们儿越来陪你，哥们儿独行万里，只为允你一诺。所以他只要一派对，不但一帮大名士，还有好几百美女，琴棋书画之类的种种，一块儿去唱歌。每次苏轼派对完了回城的时候，全城出动。这个很有意思，而且那时候的人极其崇拜文人，当官的没这么多人崇拜。在过去，文人的地位是非常高的，哪怕被贬到这个地步。

就是李白也一样，李白被从长安贬到白帝，其实长安离白帝并不远，每到一个地方，县委书记都出来请客，然后每个县委书记请他多留两天，所以溜达了很久才到达，他的特赦令比他到得早，所以写了“朝辞白帝彩云间，千里江陵一日还”——又走了。

苏轼也是，他一路上都是被各种文人尊重。大家可以看到苏轼的诗词，包括文章，一个是他个人心胸宽广，另一个是那个时代不是把文人逼到绝路的时代，所以大家想，苏轼被贬成那样，一路上还是这样豁达。放逐到海南岛这种贬，整个宋朝都没几位。

宋朝是一个对文人最美好的年代啊，因为宋朝是军人建国，所以它很尊重文人，它为世世代代的君主立下了一个叫不杀士的规矩，绝不杀一个知识分子，即使你把我气得都成这样了，我也只贬你，所以宋朝的知识分子主要的人生就是“旅游”。

我觉得环境也很重要，浪漫的朝代，在一个不杀士的尊重知识分子的朝代，文人不会走出绝望的一步，再加上苏轼本来的胸怀。苏轼我是非常热爱的，就算一路被贬到惠州去了，那个时候不像现在，现在广东很繁荣，那个时候是蛮夷之地，到处都是乱七八糟，什么也没有，到那儿还能“日啖荔枝三百颗”，特别乐观，是我的偶像。

我不管到什么地方都特乐观，我坐了牢，都能在里面想着苏轼，然后在那儿学学东西，翻译翻译书什么的。他乐观到什么程度呢？他其实还算有钱，每贬到一个地方，他都觉得这个地方很好。当时贬他的那些新党的头儿，心胸特别狭小，尤其那个宰相，只要一听说他盖房了，马上又下一令，他又被贬到什么地方去了，然后到那儿又开始盖房子，盖得差不多了，又被贬走了，最后一分钱也没有了。他没有理财的那种才华，他也没有那种真的政治上的敏感，就是我什么时候能回朝，在这之前我的钱是不是要省着点？那个时候的文人啊！

苏轼也是大书画家，但是他也不会去卖文。不要说苏轼了，就是那个时代的大奸臣，不到山穷水尽的地步，也不去卖那个字儿。文人那个时候的风格就是，我再怎么怎么落魄，也不能干这个。

所以到最后他已经很穷了，在宋朝被贬到海南岛，意思就是永远都回不来了。这个时候有两个让我觉得特感动的事情。海南岛那时候就是穷山恶水，那个时候也没有今天这么好的船，现在好了，大家都去海南岛，三亚“天涯海角”那四个字，就是苏轼写的啊，到那儿可以看到大师的书法。那个时候的海南岛，那简直就是没法形容的地方，漂洋过海到了那个地方，连庙也没有。因为苏轼到了那儿以后，没地方住，所以就打算住庙里，和尚永远是好的。

每一个时代宗教都是稳定剂，宗教能保护住知识分子，不光在中国，在世界各国，宗教都起到非常重要的作用，养活了历朝历代的很多伟大的艺术家和诗人。

结果到了海南连庙也没有，最后只能在大树底下刨一个坑，但是他依然乐观。最感人的事情是，他的那些朋友，那些文人隐士，漂洋过海来看他。有一首歌叫《漂洋过海来看你》，现在漂洋过海就是因为爱情，那时候不是，那时候是你都到了那个地步，而且我知道我去看你，肯定会得罪当朝的官员，可是我就要去看你。他的那些朋友漂洋过海去陪他，一个人陪几个月，一个人陪几个月。海南什么也没有，肉也没有，盐也没有，药也没有，什么都没有，都从海上运，他又不是什么达官贵人了，所以有的时候有，有的时候没有，有的时候台风来了，就没吃的，就饿成那样。

当然特别感人的是，他饿成那样的时候，在海南还教了个学生。海南这个地方，世世代代一直到那个时候，从来没有出过一个进士，因为那儿当时不是一个开化的地方。他教了一个姓江的学生，教完了以后还给这个学生作了半首诗，说等这孩子金榜题名后续上后半首，结果那个姓江的学生真的金榜题名了。海南的生活带给苏轼身体上巨大的伤害，因为那时候实在是太艰苦了，苏轼最后在海南待了三年，终于徽宗上台把他弄回来。他有信心他一定会回来，但是回来差不多三天，就去世了。去世之后，他那个学生终于不辜负他，成了海南有史以来第一位进士。但是那后半首诗是谁写完的呢？他找到了位列唐宋八大家的苏轼的弟弟苏辙，把这首诗最后写完。苏家两位大才子，成就了海南岛的第一位进士。

说苏轼可以说三天三夜啊，咱们时间很短，我只说对苏轼最崇敬和他最美好的一部分，身为艺术家，自由、浪漫是最重要的，我觉得苏轼是真正做到了。苏轼身上有所有浪漫艺术家共同的优点，当然也有人说是缺点，就是比较爱女人，也是个大情种。一辈子先是爱自己的表妹，爱到比贾宝玉爱林黛玉还爱，然后表妹去世哭得跟鬼似的。然后爱自己老婆，也是传诵千古的诗篇，“夜来幽梦忽还乡，小轩窗，正梳妆，相顾无言，唯有泪千行”。

他是一个大才子，我要说尤其是一个会写歌的人，大家知道那些词牌其实都是唱出来的，尤其是苏轼爱写的这个《蝶恋花》，据我考证是非常好听的小调曲，因为它全是仄声结尾。“花褪残红青杏小，燕子飞时，绿水人家绕，枝上柳绵吹又少，天涯何处无芳草。”这看起来就是一个小调结尾的歌，而且是套曲。大家听那个词牌，听着就像青楼里头唱的歌，那时候流行音乐是在青楼里的。《蝶恋花》是所有词牌里头传下来最多的，大概传下来好几万首，说明是一首非常好听的曲子，所以苏轼还会写歌，非常讨女孩喜欢。

这个传统一直传到今天，今天传到我们那时候，写歌还是讨女生喜欢的。但是今天不知道，今天听说有房子，是讨女生喜欢的，传了几千年的写歌传统没有了。

|“猫王”出生|

讲到写歌了啊，“猫王”是不是写歌比苏轼写得好听呢？西方这个文字传统是很少的，没有多少伟大的光辉诗篇传下来，但是音乐的传统是非常伟大的。全世界流行音乐，一说到那些大腕，当然也有些英国的啊，英国这些大腕也是要到美国才红起来。美国是一个热血民族，爱写字的人都留在欧洲，这些热血的人都来了美国，所以说美国的流行音乐传统是非常深厚、非常广阔的，因为他囊括了世界各地来的人。

“猫王”影响了全世界的年轻人。戴蛤蟆镜、穿大喇叭裤，这个对于西方国家来说还算好，因为人家一直有时尚传统，只是说“猫王”来了，时尚变成了喇叭裤、蛤蟆镜。但是对于当时我们中国这代年轻人来说，简直就是开天辟地，因为那之前我们是封闭的，大家都得穿一样的衣服，全是灰的、蓝的、绿的，北京话叫“察蓝板绿”。那会儿突然一开放，第一波时尚就是“猫王”带来的，所以大家看到那个时候的人，包括我自己那时候都穿一尺宽的喇叭裤，裤脚特别宽，膝盖处特瘦。

“猫王”在美国，我觉得一个重大的影响就是他奠定了白人音乐里面重要的一个类型：摇滚乐。摇滚乐是白人流行乐史上最重要的类型，振聋发聩。这之前的流行音乐，大家都是抒情唱法，很不男人，“猫王”奠定了那种特别激扬的风格，变成那种很有男人劲、阳刚之气的调子，所以“猫王”特别招女人喜欢。

那时候男子三大美，胡子、鬓角、大毛腿。“猫王”长得帅，还有俩这么大的鬓角，女的都喜欢极了。当然，摇滚音乐总的来说，在全世界我觉得都是正面的，在中国也是正面的，从崔健开始，从罗大佑开始，我觉得是解冻年代，最振聋发聩的呐喊。

“猫王”的很多情歌也很好听，我们那时候追女生，最经常唱的一首歌就是“猫王”的*Love Me Tender*，然后每次特别柔情地给女生唱。

“猫王”给了一代一代年轻人很多精神食粮和弹药。感谢“猫王”，“猫王”生日快乐！到今天为止，如果大家看新闻的话，今天晚上的新闻，或者明天晚上的，一定会有新闻说又有多少多少“猫王”的歌迷，在这一天去了“猫王”诞生的地方、他的故居等。大多都是很大岁数，胖成那样的女歌迷，但是一到了 Grace Land（恩赐之地），还是怀着当年那种小姑娘对“猫王”的青涩情感，特别美好。

|阿尔及利亚独立|

1961 年的 1 月 8 日，法国举行公投，大多数人对阿尔及利亚独立投了赞成票，法国政府也表示同意。当然了，每一次自由、每一次独立，都不是帝国主义赏赐的。阿尔及利亚最后能够让法国人民公投说同意独立，也是阿尔及利亚人民长期浴血奋战的结果。早在 1953 年就奋起战斗争取独立，1958 年又成立了自己的政权阿尔及利亚共和国临时政府，更是越战越勇。打到最后，法国实在是付不起这些鲜血的代价了，才会投票说同意独立，才会在1962年3月18日被迫同阿方临时政府签订《埃维昂协议》，正式承认她的独立。同年7月3日阿尔及利亚终于正式宣布独立。对于法国以及对于前殖民地的国家有一个后遗症，挺有意思，就是阿尔及利亚一独立，它就不再是法国的地方了，于是生活在阿尔及利亚的这一百万法国人，长得跟法国人一模一样，当然很多人是第二代或者第三代，然后大家就说，那我们回法国。还有一批阿尔及利亚的，本来就是阿尔及利亚人，但是他们也愿意忠于法国，或者愿意去法国，不愿意留在阿尔及利亚。

殖民地都会出现这种问题，每一个国家不是每个人都爱国啊，但是你也不能把每个不爱国的人叫作什么什么“奸”之类的。因为人民不同于军人和官员，军人或者政府官员如果有问题，那可以说他是汉奸啊，但是人民我觉得没有什么“汉奸”“某奸”一说。人民有用脚投票的权利，用脚决定自己在哪里生活，这是每一个人天赋的人权。

所以大批的阿尔及利亚人、在阿尔及利亚生活的法国人等上百万人，离开阿尔及利亚去了法国。这些人到今天，在法国都形成了一个很头痛的问题，法国人管他们叫“黑脚”。为什么叫“黑脚”？其实长得跟法国人一模一样，就是法国人，只是他在阿尔及利亚生活，或者他在阿尔及利亚出生的，他是第二代或者第三代，甚至这些人到了法国以后，再出生的孩子，还是被法国人称为“黑脚”，就是法语叫“Pied-Noir”。其实你脚不是黑的，明明也是白的，但因为你是非洲生的，其实阿尔及利亚还不是黑非洲，但是他就是歧视你。

白人对白人的歧视，仅仅是因为你的出生地，这在法国造成了很多很多社会问题。由于这些被歧视的“黑脚”努力奋斗，也诞生了很多优秀的人物。伟大的法国大作家加缪，就是阿尔及利亚生的“黑脚”。再有就是法国仅有的一次得了世界杯，法国的光荣，法国当时全国都疯了，那场比赛我坚决认为是假球，当然法国还是有实力的，在自己的主场三比零赢了巴西。当时这支光荣的法国国家队里，有三四位国脚都是“黑脚”，包括法国足球队的灵魂齐达内就是一个“黑脚”，他是在法国出生的，是法国在阿尔及利亚人的后裔，也被认为是“黑脚”，所以他其实自己心里有两个祖国。

齐达内在1994年之前，多次向阿尔及利亚国家队申请加入阿尔及利亚国家队，仅仅是因为他跑得不够快，阿尔及利亚主教练说，你跑太慢了，阿尔及利亚队全部靠速度和来回奔跑来踢球。齐达内是属于那种纯技术的大师级的踢球法，所以阿尔及利亚队没要他，结果他加入了法国队，成为法国队灵魂，然后夺得了世界杯。1998 年世界杯决赛，那仨球有俩球都是齐达内进的。

齐达内退役以后，对阿尔及利亚队还是有很多感情，包括帮助阿尔及利亚队做参谋，中间曾经有风传，说他想做阿尔及利亚队的主教练。因为他虽然在法国生，但是“黑脚”们心里永远有这样或者那样的想法，有一种 confuse（疑问）：到底我是哪里人？

加缪写的东西也是，他们对那块土地，还是有很多感情。但他们又是法国人，说着法语。这个不叫种族歧视，这完全是同一种族，长得一模一样，连名字叫出来都一样，但是他们自己知道自己被歧视。这种歧视其实在全世界有很多，尤其是很多老牌帝国主义国家、在各地有殖民地的国家，比如英国，从印度回来的那些人，从东南亚回来的人在国内和原来在英国的人就还是有这种问题。

移民国家也有这个问题，移民里有同种族之间的歧视，比如美国就很明显。大家知道当以色列有危险时，作为移民美国的犹太人，大家都会团结起来。但是在美国犹太人内部还是有歧视的，就是德裔犹太人，他们说意第绪（Yidiš）语而不说希伯来语，说意第绪语的德裔犹太人，歧视东欧斯拉夫民族地区来的那些犹太人。因为他们先到美国，他们受到更好的教育，在美国地位更高，然后对于那些东欧的尤其大批苏联来的犹太人是有歧视的。

黑人本身作为一个被歧视的民族，他们内部也有歧视，比如加勒比来的黑人歧视非洲来的黑人。因为大家知道加勒比群岛上有很多黑人，非洲也有很多黑人。加勒比群岛来的黑人就是大家看到的这个跑步冠军，百米冠军博尔特，博尔特就是一黑人，但是他不是非洲黑人，他是加勒比黑人，长得还挺端正那样，加勒比来的这个黑人会歧视非洲来的黑人。

华人我就不说了，华人到哪儿就自己分成大陆与港台。大陆与港台里面又分成了讲广东话的，就开始歧视说普通话的，等等。但是对外大家都是华人，一旦华人在美国受欺负了，大家团结起来一起为这个种族斗争，但一到没这种事的时候，大家内部心里还是有很多这种歧视。

美国白人之间，都有这样的歧视。白人中间被歧视的那种人叫 Redneck

（红脖子），是一种很底层的、文化程度比较低的白人。为什么管这种人叫红脖子呢？大家知道咱们黄种人一晒他的皮肤就黑了，白人一晒他的皮肤就红了，这个红脖子就是他老在那儿种地，暴露在太阳下，把脖子晒得倍儿红，当然酗酒也可能导致脖子特红。大家其实在美国能看到，这种人比较明显的特点，就是这儿是一大红脖子，倍儿粗俗的那种就叫"红脖子"。

他们被歧视到什么程度，其实比歧视黑人还要残酷，就是有些州有歧视这种 Redneck 白人的法律。因为白人心里觉得说，黑人他反正跟我长得不一样，他觉得你没有他的地位高，人家知道你是黑人，但是你作为白人，你长得居然跟我一样，可是这么没文化，你这么底层，对我来说威胁更大。所以有些州对这种 Redneck 的歧视，到了要测智商的程度，你这种 Redneck 测的智商不到一个数字要强制绝育的。大家知道美国在奴隶制时期，都没有给黑奴绝育，不但没给黑奴绝育，黑奴生下来的还是他的财产啊。但是竟然对 Redneck 这种红脖子白人要测智商，智商不够要绝育，这么残酷，已经完全违背了美国平等自由民主的立国原则。

这样的歧视，大家知道什么时候才废除？对黑人的歧视从法律上是从二十世纪五十年代的民权运动时起，在各州都已经废除了。黑人已经可以跟白人一起上学，坐公共汽车。但是歧视红脖子白人的这个法，一直到 1977 年才在最后一个州——北卡罗来纳州废除。所以今天从阿尔及利亚这么一个小事讲到平时可能不太重视的问题——种族歧视之外，种族内部的歧视也有很多很多问题。我觉得这就是人的问题，人总是要出现这些阶级啊，歧视啊等问题，有种族的时候歧视种族，没种族的时候歧视自己人。

1月9日

《晓松说——历史上的今天》来到了 1 月 9 日。今天给大家讲一个重要的事情，我中华民族重要的转折点——靖康之变，就是在这一天。然后讲我崇敬的大师——梁思成。

| 靖康之变 |

今天给大家讲一个我中华民族重要的转折点——靖康之变。应该算是整个中华民族发展的转折点。当时中国作为最强大的国家，全世界百分之九十的 GDP 都在宋朝，作为文化上空前的高峰，一切都在世界领先的情况下，被蛮夷之族灭国。灭国之耻导致整个中华民族的走向完全发生了转变，从本来有可能缔造文艺复兴甚至有可能缔造资本主义，让这个国家向强盛发展，转到了越来越弱、被外族不停地侵略，然后不停地走向恶性循环的一面。因为挨打所以落后，因为落后又挨打。

靖康之变，是非常值得纪念的。但是我在这里想说，因为大家历史上应该都学过很多了，宋朝是一切都很美好的一个朝代，唯独军事上是超级落伍的。虽然评书里也不弱，有好多超级猛将，杨门女将也有，林冲也有，甚至倒拔垂杨柳的鲁智深也有。其实真实的军事情况很落后，落后到什么程度呢？原来北方有一个大辽国，然后那边新兴起一个金国，我们跟他们约定了一起打辽国，趁辽的主力部队都在和金打，我们想在后面突袭两下，结果两次大战，我们一次出动十几万人，一次出动二十万人，居然被辽国的偏师打得全军覆没，那个丢人简直是太可怕了。

所以金国一下子就变得非常有信心，金国原来觉得宋朝很厉害，自己是蛮夷之族，结果一块儿打辽国的过程中发现，这么强大的辽国就被我这么打败了，而且宋朝兴全国之兵来打，居然都被辽国偏师打败了，所以立刻对宋朝有了一种“完全没问题”的信心，非常轻视。再加上他发现了一条非常好的捷径，就是从燕云十六州开始直驱宋朝首都的一条近路，一个礼拜就能打到汴梁城。这个发现又给了他们很大的信心。

这个发现怎么回事呢？原来这条路是宋朝的高度军事机密，只有宋朝的高级军事指挥官员知道，外族不知道，每次辽国使臣来访问，我们的礼部，就是外交部，带着他们的使臣都要绕路，要不然绕到今天的京沪线，要不然绕到今天的京广线，绕来绕去。这条近路实际上是今天的京九线，从来没有带外族走过，就是怕敌人知道这条路。

大家知道在古代，没有那么些先进的武器的情况下，地理对打仗是非常非常重要的，在河的上游还是下游，高处还是低处，地理非常重要。跟金国联合一起打辽国的时候，宋朝两位当朝宰相，为了争功——这一直是我们汉族的问题，就内部永远有问题——结果居然带了金国使臣走了条近路，七天就到了汴梁，这位使臣回去以后，让金国清楚地知道了我们的虚实、我们的战斗力，还知道了这条近路，结果导致那么强大的一个国家，全世界最先进的、最富有的一个国家，七天之内就兵临城下被灭国。

灭国以后导致了我们历史上从来没有过的屈辱。清朝到最后屈辱成那样，也没有皇帝被人掳走，到人家那儿为奴去，去人家那里当用人去，都没有过。但是在宋朝靖康之变时，我们的徽钦二帝，一个太上皇，一个当朝的皇帝，居然被掳走。更屈辱的是，不但两位皇帝被掳走，因为野蛮民族其实也不知道要我们什么，就是打赢了你，要把你酋长抓走，要你的女人，所以当时被掳到北方去的几乎全部是女人。当然大家知道宫里的女人就是这个国家最美丽的女人，宫里的男人没几个，除了两个皇帝、皇子之外几个人，三千多女人包括皇后、嫔妃、宫女等，都被掳走了。

在那里，大家都能想象发生了什么事情，我想说的是更加屈辱的，他们除了要皇帝、女人以外，还要很多钱。我看到这个资料以后非常气愤，当时用女人去折抵赔款，怎么折抵呢？选纳嫔妃八十三人、王妃二十四人、帝姬二十二人，折了十三万四千锭，嫔裕九十八人，又折了二十二万锭，全是他们皇家各个王子皇亲的女儿，又折了二十四万多，宫女四百七十九人、才女六百零四人等等。最后连歌女一千三百一十四人也去，官女一千三百一十九人等等，又折了三十三万锭，居然最后用了一万一千六百三十五名我们的女子，去折抵了很多赔款，这个事情让我觉得非常愤怒。

我觉得啊，这个民族兴也好，亡也好，都是男人的事情，本来女人就是无辜的，男人好，大家兴，男人坏，大家亡，但是兴亡最后要由女人去做代价，女人去做赔款，我觉得这个是非常屈辱的。清朝那时候那么赔款，一会儿两亿，一会儿四亿，也没有拿女人去做赔款。当然了，清朝是赔给那些西洋国家，西洋国家也没有那些要求，但是蛮夷民族要求女人，我们居然就能做到把女人赔给野蛮民族。

我特别要感叹一位皇后——朱皇后，就是钦宗的皇后，当朝皇后。最耻辱的就是他们到了北方以后，先去太庙献祭，等于是一个正式隆重的灭国投降仪式。就是到太庙里，金国说我们现在把敌国的酋长俘虏来了。在这儿跪下，然后献俘太庙，在这个仪式完了以后，钦宗的皇后朱皇后自杀殉节，坚决不受辱。

大家知道皇后的地位是有多么高，这个乾坤，乾是皇帝，坤是皇后，中国其实从来没有出现过一夫多妻制，而是一夫一妻多妾多婢制。皇后就是母仪天下，皇帝是君临天下。实际上在中国古代所有所谓的忠孝里面，忠于的是皇帝跟皇后，是共同作为国家的代表，是摆在那里的皇权，所以皇后有非常崇高的地位。

朱皇后身为一介女子，坚决自杀殉节不受辱，给我们的汉人留下了一点点荣誉。可是那些男人，尤其是两位皇帝，尤其是徽宗，本身还是一位艺术家，作为一个艺术家居然都没有那种情怀，都没有那种勇气。两位皇帝屈辱到什么程度？给别人当服务员，金国皇帝在吃饭，下面有宋朝皇帝和辽国皇帝，一起当服务员。

辽国是先被灭亡的，辽国是当时全世界很强大的国家，俄语里到现在还管中国叫“Kitaj”，就是契丹。其实当时很多很多国家，尤其是西方国家，认为辽国就是中国，契丹就是中国。当然经济是宋朝最强大，但是辽国的幅员、辽国的军事等，是最强大的。

最后是宋辽两国皇帝一起给金国皇帝当服务员，在这个时候辽国皇帝还是表现得比宋朝皇帝更有气节，最后决心不受辱，夺了一匹马逃跑，但是他心里知道肯定是跑不了的，当然最后是被打死。但是就是被打死，也不能让我辽国皇帝在那儿卑躬屈膝给你当服务员。可是这两位宋朝皇帝，就是大汉族的这个偶像，居然就能忍辱偷生给别人当服务员，而且还能忍很多很多年。

妇女们当然是备受凌辱，除了少数几个命还算好，被金国低级军官娶了。宋朝的公主，最后都能发给一个最小的官，指挥二十五个人的那种小官。剩下那分不了的，人太多，最后到了他们的皇家官方的妓院——浣衣院，在那里面接客。

之前赵构跑了，建立了南宋，由于他当了南宋皇帝，大家就羞辱他的母亲韦皇妃以及他的老婆。他老婆那时候已经怀了孕，但是后来在北上的途中坠马堕胎了，一直都在那个浣衣院，其实就是做慰安妇。我看过记载，韦皇妃——宋高宗的母亲，最多一天接客一百多个人。他的妻子，堕胎了以后也在这个地方接客，然后一直被折磨，她三十岁就去世了。

靖康耻，犹未雪；臣子恨，何时灭！传说是岳飞写的，虽然现在考证是后人所作，但是每个人看到的时候，心里都能感受到那种国仇家恨。这种灭国之恨，才造就了后来大家对岳飞那么崇拜，对秦桧那么恨，就是因为靖康之变，是我们历史上最屈辱的一次。所以只要是还有血性的汉人、中国人，敢于站起来战斗的，都会被人民传颂为民族英雄，凡是最后投降的，他永远要跪在那个地方。

| 梁思成去世 |

下面讲讲中国伟大的古建筑学家，也是中国建筑教育的奠基人——梁思成先生，他是1972年的1月9日去世的。说到梁先生，我有万千感慨。我的外公外婆，和梁先生、林（徽因）先生当年同在清华做教授，而且两家是门对门，住在清华胜因院，一个12号，一个14号。我们两家是一张图纸盖的，就是房子都一模一样，二楼两间，楼下四间，就是这样门对门住着。我的母亲就是梁先生的学生，也是清华建筑系毕业的。

从小我就听家里人讲梁先生美好的事迹、美好的情怀，有关梁先生各种各样的贡献，我就不多说了。只说两点。建筑在这之前，差不多和音乐是一样的地位，都是匠人干的事情，中国自古都是诗词、文学最高，大家做官也不考科学、建筑、音乐。所以做建筑的都是什么样式雷这些匠人，从来没有把建筑当成一门科学。

把建筑当成科学在中国实际上就是从梁思成先生、林徽因先生留学归来开始的。两位都是名校生，梁先生宾大哈佛，林先生耶鲁。梁先生从美国留学归来，最先在东北大学，由张学良出资，建立了中国第一个建筑系。清华大学建筑系也是梁先生和林先生创办的，梁先生做系主任。建筑开始成为一门科学，开始系统地研究这件事，尤其是保护古建筑，这件事情就是从梁先生开始的。

一个伟大的民族保护什么，当然很重要啊，音乐可以失传，但是建筑是一个民族最重要最重要的遗产。从梁先生开始，保护古建筑被当成一个最重要的事业得以开展，所以梁先生对我们这个民族的贡献是伟大的，更重要的是我想说梁先生是君子。大家在书上看君子啊，《论语》里说君子应该什么样，“人不知而不愠，不亦君子乎”等。今天大家在生活中，包括我自己，几乎没有见到过君子是什么样子的。

君子长什么样子，君子应该是什么样子？即使在大师辈出、君子辈出的时代——民国时代，梁先生也是君子中的君子。梁先生的一生，就是君子的一生，当然他的爱情故事首先已经很君子了，梁先生和林先生的爱情故事是始终都被传诵的。大家知道金岳霖先生，因为挚爱林徽因先生，所以金先生终身未娶，一直跟着梁家生活。梁家在抗战前富有的时候，住在大院子里的时候，金先生就住在跨院里。

梁家最惨的时候，就是日本人来了，所有的北京知识分子集体逃难。梁先生说了，我们也做不了什么，不能上前线，但我们至少可以为国家尽忠守节，所以当时的逃难，其实没有什么目的，就是为了尽忠。

到了李庄，因为那时候，梁先生创办的营造学社并不是政府看重的事情，其他的什么清华北大啊，南开啊，都还有预算，还是有工资的。但营造学社是一个民间组织，在一分钱也没有的情况下，就那样逃难。最后已经逃到长沙，任何东西都带不了的情况下，梁先生林先生决定，把所有古建筑的资料带着，衣服都不要了，最后到了李庄。

在李庄六年，在连电都没有的情况下，他们亲自做坯、烧砖，亲自盖房。我估计那是两位大建筑师这辈子盖的最难看的房，一间小房。金先生依然赶来，在旁边搭了一间耳房，全家只有一块大木板和一块小木板，大木板是梁先生林先生用来写《中国建筑史》的。

中国的历史以前从来不写文化历史，中国只写帝王将相，怎么当官，怎么谋国，这最重要。所以民国的一代大师们，他们修了中国整个两千年的文化史，包括郑振铎先生修撰的《中国俗文化史》，林梁两位先生修的建筑史，鲁迅先生修了一个历史最短的小说史，因为小说从明清才开始。金先生在小木板上写《知识论》，他的哲学著作；林梁两位在大木板上写《中国建筑史》。

最后回到北京以后，金先生也在清华里面做教授。我妈说每天下午，只要看到金先生夹着诗集路过我们家，就准是下午四点。金先生每天下午四点准时到对门梁先生家里去。梁先生是一个胸怀非常广阔的人，梁先生让自己的孩子们管金先生叫金爸。金先生到卧室里去，那时候林徽因先生长期卧病在床，去给林先生读诗，然后梁先生在外边给大家开会。

之前对徐志摩的态度也是，林徽因先生很喜欢跟徐志摩先生在一起排练话剧，然后梁先生就做幕后，毫无怨言，也不吃醋。他们排话剧，梁先生负责买盒饭、当司机等等。徐志摩为了亲临林徽因先生的讲座，冒险坐了一架邮政飞机，从南京起飞，然后飞机失事，在济南逝世了。

这个消息传到北京，第一个出发去找徐志摩先生，去现场的就是梁先生。梁先生开着车，带着金先生，其实是两位情敌，去济南找徐志摩。沈从文先生在青岛教书是第一个到的，当时梁先生在现场，还捡了一块飞机失事的飞机皮，回到北京以后送给了林徽因，因为这是林先生的初恋，那块飞机皮一直挂在林先生卧室的墙上。

梁先生是一个胸怀非常广阔的人，广阔到什么程度？当时二战末期，美军有好几个作战方案，其中一个作战方案是从中国大陆开始反攻，从中国大陆开始起飞，因为当时在西南建了好多机场，在贵州四川湖南，然后在那儿起飞B29飞机轰炸中国日占区的军事目标，就找到了梁思成先生。

那个时候因为没有经费，梁先生已经在这个李庄憋了很久，每天干吗呢？梁先生是君子，想法你是想不到的，他每天带着营造学社的助手爬竿，说现在虽然不能考察古建筑，在未来还是要考察古建筑的。考察古建筑，爬是重要的一个技能，梁先生每次考察古建筑的时候都亲自爬，有时候林先生也一起爬，爬河北的塔，爬五台山唐代的庙啊等。所以那几年梁先生每天都在那儿爬竿，是为了以后还能去考察古建筑。

我看过一个特别感人的记载，就是剑桥大学的教授李约瑟，后来写了《中国科学技术史》，他对中国文化很了解，抗战时期他也来过中国，他就想去寻找中国的知识分子。他最后找到李庄，有很多机构都在李庄，包括当时的中华研究院，当时的同济大学分校等。李约瑟先生写的回忆录特别感人，说到了一个穷乡僻壤，没有电，什么现代化设施也没有，一个原始的地方。突然来了一大堆老朋友，一大堆衣衫褴褛胡子拉碴，但是人人都说着非常标准的英文的中国知识分子，就在那个地方，在为国尽忠守节。

所以美军在李庄找到了梁思成先生，说你去把中国日占区的那些古建筑都标出来，让我们轰炸的时候，保护中国古建筑。梁先生以大君子大名士、大知识分子的高风亮节，不但标了中国的古建筑，还标了日本京都和奈良的古建筑，并且对美军说，建筑是人类的遗产，是人类的文化，不能因为一次战争，你是坏人、我是好人等这些事情，摧毁掉人类文化。

日本当时被美军地毯式轰炸，许多城市被夷为平地。最后由于梁先生的标注，以及梁先生的力劝，美军在轰炸日本时，保护了京都跟奈良的古建筑。梁先生是以那种谦谦君子非常博大的情怀在做每一件事情。

幸亏他在那个年代，民国当时有很多很多君子，那还是人们互相信任、民风非常纯良的一个社会。梁先生战前曾给全国每一个县的邮政局长汇去两块大洋。虽然梁先生林先生做教授收入还是很高的，但给每一个邮政局寄去两块钱，那也是一大笔钱。他也不知道人家叫什么，只写邮政局长收，然后每个都写一封信说，我们在考察保护中国古建筑，希望你收到两块大洋以后，能把你们县境内的古建筑拍照片寄回来。因为梁先生两条腿有限，收集一下资料，心里有个底，他做的是前人从来没有做过的事业。

让梁先生特别感动的是，全国所有的县，每一个县的邮政局长，都拍了那个县的古建筑照片，给他寄回来，所以我有时候看到这些的时候，我就想民国那个时候是一个多么美好的时代，人和人之间的信任，人们那种自古传下来的、中华民族的那种忠孝礼义都还有。

我妈回忆梁先生也都是特别感动，梁先生因为年轻的时候骑摩托出过一次车祸，脊椎有很大问题，所以他一生一直穿着一个铁背心，才能直起腰来。每次逗我妈玩儿，说梁叔叔给你演大虾米，就把那个铁背心一脱，一下头就够到脚那儿了，梁先生这腰一辈子都有很大的问题。梁先生最后劝我妈，你别听你爸的学外语，外语谁不会？外国人都说外语，你跟我学，所以我妈最后考了清华建筑系，师从梁先生。

但是梁先生的结局比较让人难过啊。大家知道梁先生保护古建筑已经到了痴迷的程度，新中国成立以后拆北京城墙，梁先生就非常地伤心，拆东单、西单牌楼时梁先生最后抱着柱子哭。“文革”就不用说了，梁先生被打倒以后，家里人跟我讲，梁先生最痛苦的是，他坚持认为党是对的，自己是错的，自己那套美式的建筑教育是不对的，苏式的教育是对的，他坚信自己是错的，可是他从科学家的角度，又想不出为什么他是错的。

那一代知识分子最大的一个痛苦，就是起初怀着对党的信任，后来经历了许多磨难。梁先生林先生留下来，是由于对党有非常大的好感。因为1948年北平马上要解放的时候，那时候还不能肯定要和平解放，共产党就派了两个人来找林先生梁先生，说请把北京城的古建筑标出来，如果不能和平解放，我军如果攻城，哪怕牺牲多少人，也要保护古建筑。就这一句话，让梁先生林先生特别感动，他们不但连夜标了古建筑，而且留在了北平，坚定地留在了学校里。

清华的老校长梅贻琦非常器重梁先生，也是梅校长把林梁两位请到清华办建筑系的。走的时候，梅校长是跟梁先生林先生专门说的，一起走吧。梁先生林先生坚决不走，当时清华的教授们，理工科教授都怀着对建设国家的巨大热情，包括我的外公外婆。他们不但没有走，而且还组织了护校队，就是保护这个学校，要和平地完整地交给新的政府，怀着这样的信心，迎来了新中国。

1月10日

《晓松说——历史上的今天》来到了 1 月 10 日。首先是一件我个人很感兴趣的事情，在 2000 年的这一天，一个新兴的网站——“美国在线”收购了庞大的“时代华纳”。第二要讲一件女性观众们会非常感兴趣的事，大家背的那包、喷的香水，就是香奈儿，可可 · 香奈儿在这一天去世。

| American Online收购时代华纳 |

2000 年的时候，American Online（美国在线，AOL），一家网站收购了庞大的“时代华纳”。今天看起来，那个时候 American Online 在互联网泡沫时期搞得很大，名字也很好听，叫“美国在线”。那时候美国人的邮箱都用“AOL”的，今天已经找不着了，除了特别特别老派的人，50 多岁的人，还在用 AOL 的邮箱，年轻人一律都用 Gmail 邮箱，比这个年轻人再老一点的，用 hotmail 邮箱，再老一点用 Yahoo（雅虎）邮箱，可见科技发展之快。

大家知道 2000 年是互联网泡沫最高潮的时候，那个时候股价飞涨，纳斯达克到五千点，现在纳斯达克才两三千点，蒸发了一大半市值。那个时候大家知道在美国成了什么样了吗？就是租房给互联网公司，都不要你房租，要你股票；然后帮你上市的律师事务所，都不要酬金要你股票。那时候互联网股票到了非常可怕的泡沫地步，每周都产生亿万富豪，每天都是发财的故事。那个时候我在搜狐做艺术总监，搜狐上下也充满着上市发财的渴望，但是搜狐正好是2000年上的市，突然间就泡沫崩溃了，纳斯达克从五千点一下变成了两千多点，所以我那时候在搜狐有点小股票，也全蒸发没了。

但那个时候大家可以看到，科技的泡沫能到多么强大的地步。"时代华纳"，那是这个世界上最强大的娱乐公司，因为美国的好莱坞也好、媒体也好，都是世界上最强大的娱乐产业。"华纳"本身就是最强大的，"华纳"自己有电影公司、唱片公司等，有庞大的产业。"时代"是个大媒体公司，大家知道《时代》周刊，"时代"和"华纳"并起来是无与伦比的真正的一只大象，庞然大物。然后那时候叫"蛇吞大象"，就是来一个"美国在线"，刚成立没几年，由于互联网泡沫，他的股价巨高，就拿股票直接给你收了。

1620亿美元的巨大规模收购，令人瞠目结舌。在这之前，最大规模的娱乐业并购是日本索尼公司收购美国哥伦比亚，当时在美国引起巨大反响。因为哥伦比亚是美国的骄傲，怎么能被日本的公司收购，那个时候是60多亿美元，就收购了哥伦比亚电影公司、唱片公司、电视台等。这一次收购是有史以来最大的一次娱乐界收购，1620亿美元。

我印象很深，在收购之后不久，我在一次派对上，还见到了AOL和"时代华纳"这些人。当时看到American Online的管理层，全部都特年轻，而且还长得特帅，意气风发，顾盼自雄，那派对走进来"American Online"这帮人，大家都是"哇"的那种态度。然后"时代华纳"一帮都是老派，一帮五十岁六十岁的人，拍过那么多部电影，做过那么多伟大的内容，跟在他们后面，因为是被收购了。

但是当时我就觉得不靠谱。因为我热爱内容方，我一直都反对互联网凌驾在内容方上，包括在国内，我一直反对国内一些互联网公司，以盗版起家，然后去上市圈钱，回头再扔给内容方一点钱。当然了，当时全世界都处于那种亢奋状态之中，都觉得互联网是未来工业。大家都认为内容行业应该做些牺牲、内容行业是夕阳工业等，但是2000年到现在才12年，大家回头再看看，“American Online”在哪里？那时候股价那么高，后来跌完了以后，两家还是分手了。

大家可以看到分手以后的结果，“时代华纳”依然是“时代华纳”，只是叫了几年“American Online Time Warner”，最后“时代”还是“时代”，“华纳”还是“华纳”，“时代华纳”依然每年为全世界的所有的观众、所有的消费者生产着丰富的产品。American Online已经销声匿迹，不知道沉到哪里去了，所以我就想说，不论什么样的科技来了，不论什么样的媒体来了，不论最开始是剧院，然后是电台，后来变成唱片，现在变成互联网，人们要听的是音乐，最后可能没有银幕了，最后可能电视都没有，变成不管什么样的东西，人们永远要的是好看的电影。

| Coco Chanel去世 |

1971年的这一天，Coco Chanel（可可・香奈儿）去世。我相信很多男士和我一样，全世界不光是咱中国的男士，还有日本的、韩国的、美国的等等，一想起Chanel就很痛苦，因为我们的太太们，我们没有太太之前，我们的女朋友们，每当要提到这个词，我们想到的就是“啊”下个月房租没了。买一个Chanel包，对女性来说当然是美好的，无数女性喜欢Chanel的包啊，香水啊等等。

Coco Chanel是一个非常有意思的大美女，这个我相信大家很多都了解，我就说两句，她是“巴漂”的优秀代表，因为她是在巴黎漂嘛。就跟现在“北漂”一样，长得好看、年轻、喜欢唱歌，然后就去酒吧唱歌。她是一个典型的“巴漂”成功之路，就是唱歌能唱成明星最好，唱不成明星也没关系，那我们有其他道路，就是因为年轻貌美，歌声优美，开始傍上了各种有钱人、军官等。

那个时代军官和今天的不一样。那个时代军官都是贵族，不像今天军官好像没有那个时候那么受重视。那时候军官很有荣誉感，因为都是世家，都是贵族。然后她突然发现自己除了唱歌以外，还有一个别的本事，就是干时尚这事，就干起来了。

时尚我就不说了，我也不懂，但我觉得这个人很有意思，你说她红颜薄命也好，还是说她像过去中国古代的青楼大美女也好，反正就是年轻的时候绽放了炙热的爱情，有过各种情人。她爱上过俄国伟大的作曲家斯特拉文斯基，然后爱上过纳粹军官。这件事很有意思，大家看电影都看到法国二战结束以后，把那些和纳粹军官睡过觉的妓女，全都弄出来，剪头发、泼粪在身上，拉着一串绳子游街……但我觉得每个民族，都有点势利，人家妓女为了生存去跟德国军官睡觉，结果受到这样的凌辱。堂堂的 Coco Chanel 爱上了德国军官，而且还跟德国军官一起跑了，最后跑到瑞士去了。大家依然买她的包，买她的香水，没觉得有什么，觉得 Coco Chanel 这样的人可以爱上任何人，都没问题。所以我觉得这件事很有意思，Chanel 红颜倾城，一生有过很多次爱情，但是最终自己终身未嫁，孤独老去，很像很像我们中国历史上很多的青楼大美女，比如说李师师柳如是那样的大美女。

这就是老天的公平吧，每个女人有自己的选择，你可以选择年轻的时候绽放爱情，绽放所有炙热的东西。你身边的情人都是这个世界上最优秀的人，但是你孤苦老去。你也可以选择，有一个平凡的婚姻，没有那么多绽放的爱情，但是你最后儿孙满堂，两个人一起厮守，能埋到一座墓里，长相厮守。Coco Chanel 选择的是第一条路，也很美好。

对我来说 Chanel 这个牌子，想到了我就脑袋疼，但是 Coco Chanel 这个人对我来说很有意思，在我心里，她是一特强大的女人。所有这些“北漂”“上漂”的年轻人，应该去想想自己是否一定要把歌唱下去，一定要每年参加各种比赛，参加“超女”参加各种选秀等，是不是也想想你身上有其他的才华，可以在漂的过程中随时随地地让自己奋斗起来。

1月11日

《晓松说——历史上的今天》来到了 1 月 11 日。今天讲两个事：一个是 1851 年的这一天爆发了太平天国起义，当然有说好的有说不好的，我也只是说说我个人的观点；一个是 1982 年的今天，邓小平提出了“一国两制”。

| 太平天国起义爆发 |

首先讲一下太平天国，太平天国作为最大的一次农民起义，席卷了大半个中国，在我们历史书里被歌颂了很久。我个人认为，太平天国起义，就像历史上绝大部分农民起义一样，有好的一面，也有不好的一面，而且农民起义会迅速变质，甚至变得比他们反对的那种封建制度，还要封建，还要可怕，还要保守，还要落后，还要粗暴，历史上有很多这样的例子。

黄巢起义的时候，拿老百姓人肉当军粮，张献忠起义的时候屠了四川。太平天国起义也是，刚开始还是好的，那时是哪里有压迫，哪里就有反抗。广东、广西也不知道是不是压迫更严重了一点，还是因为离首都更远一点，反正十九世纪，包括二十世纪初大部分起义，从农民起义到知识分子起义，各种革命起义，几乎都是广东、广西干出来的。这个大家可以去分析一下，到底是因为压迫更严重，还是离首都比较远，没有那种皇权意识，想干就干？

洪秀全就是想干就干了，干起来以后，他变质得比一般的农民起义还要快，刚拿下一个县城就开始弄一堆妃子，就开始过起了帝王生活。到了南京以后，应该说算是中国最腐败的小朝廷吧，很少见那么腐败的。到什么地步呢？洪秀全本人，从进了南京城——天京，到最后死在里面，就出过一次宫。他在宫里头干吗呢？每天就是和好多好多美女在一起。洪秀全是历史上第一个搞数字化管理的，先进了一百多年，因为他的女人太多，他认不出来他老婆，最后只能编号。他的儿子被俘后就曾向清军承认自己有八十八个妈。他儿子九岁就给了两个老婆。

所有的王都穷奢极欲。他们对人民实行禁欲，所有的男人、女人不能行房，不能过夫妻生活，必须男女分开。西王萧朝贵居然是因为他的爸妈行了房，过了夫妻生活，说他违反了天条，太平天国除了王们，其他人不能过夫妻生活，把他爸妈杀了。他不想想他爸妈不过夫妻生活哪来的他呀？当时的战争进行了大规模的破坏和屠杀，而且破坏的是中国最富庶的浙江、江苏、上海这一带，东南沿海最富庶的地区。具体杀了多少人，各种统计都有，我看了各种资料，最少也有四千万人吧，比一百五十年来日本鬼子所杀的中国人加一块儿还多，而且杀掉的可都是精英啊。大家知道，江浙两省，一直都是中国精英所在。中国明清两代的状元们百分之七八十都是江浙两省出来的，而且还有商人、资本主义萌芽人物、工场主等。所有的富庶地区都在这里，全部被夷为平地。把那里的古建筑拆得精光，给他们自己盖王府。

太平天国有两个好的作用，一是汉人精英正式登上了历史舞台。太平天国之前，清朝的舞台上主要是满族人。后来用汉人是因为没办法，因为仅靠满蒙打不了太平天国了：北边要打英法联军，南边要打太平天国。所以出现了曾国藩的湘军、李鸿章的淮军等等。这些汉人又有能力，又有思想，又有治军的方法，文武双全地来了一帮，登上历史舞台。另一个好的作用就是之前双方都不用洋枪洋炮，太平天国也不会用外国人的东西，清军也不用。后来大家看到洋枪洋炮真管用，太平天国覆灭以后，开始接受西方的近代化工业、近代化制度。不像原来拒绝西方，觉得老子最厉害。

洪秀全除了忽悠和好色以外没啥真本事。太平天国所谓“天朝田亩制度”都是假的，从来没有实施过。实际上这个太平天国组织没有实行过任何先进的政策。洪秀全本人还有一个特点，就是写诗写得实在臭，大家可以看看。他写的诗特别可笑，所有的诗都是来教训他那些老婆的，不许看，不许抬头，不许顶嘴，都写成诗。中国历代帝王里，我认为诗写得最好的是李后主，最臭的就是洪秀全，位列倒数第一名。

| 邓小平提出“一国两制” |

1982 年 1 月 11 日，邓小平提出了一个国家两种制度。一国两制啊，到现在为止实行得很成功，以这个制度，收回了香港，收回了澳门，这些大家都知道。我想说的是其实这并非首举，一国两制或者一国 N 制，实际上这个世界有一种类型的国家是联邦制国家，或者更松散叫邦联制国家。邦联制国家比联邦制国家还要更松散一点，就是都有自己的政府，弄一块儿联合起来。

联邦制国家，比如美国，就是多个小国家，那么多州吧，组成一个联邦，不是中央集权的国家，在这些国家里实施的是一国 N 制。因为在联邦制国家里并没有规定说大家定个什么制度，美国只是规定了各个州都实行共和制。美国每个州都有很多不一样的政策，有的州什么都选，有的州就选一州长、一议会就完了。下边也是每个市都不一样，有的市先选市长，有的市只选议会，议会去雇个职业经理人当市长，都可以。

再一个就是自己选择制度的国家里，尤其是邦联制国家，本身就是一国 N 多制。印度就是一个非常典型的例子。印度到今天还存在一个红色走廊，在东部。印度是一个邦联制的国家，他有几个大邦，实行的制度完全不一样，为什么叫红色走廊，那是毛派共产党在那里执政。在那个邦里实行社会主义，另外的邦里，实行资本主义。这样也能组一个国家，没问题。每个邦的人民都有选择，我这邦人民决定选择毛派共产党，这个邦就是社会主义，另一个邦可以选择资本主义。当然了，那个选择社会主义的共产党是由人民选举，在议会选举的过程中上台执政的。

我觉得，这是一个有意思的事，来跟大家分享一下。世界大多数联邦制的国家都存在这种制度。有的就是实施一国多制的，有的是存在这种可能，就是宪法规定有这个权利，不过大家都共同认为，这种制度比较好。像美国就是大部分采取了一种制度，但是在宪法里规定每个州有权利选择自己的政府和政府的体制，宪法甚至还保障各个州有脱离联邦的权利。

| 黄舒骏生日 |

今天是黄舒骏的生日。大家别看他长得面嫩，实际上比我大三岁。三岁一个代沟，所以他跟我不是一代人啊。黄舒骏在大陆，我个人认为是被低估了的音乐人。早年在台湾他很有地位，尤其是刚出道的时候，写了很多美好的歌曲，像《雁渡寒潭》《马不停蹄的忧伤》《未央歌》《恋爱症候群》等等，非常受欢迎。舒骏哥在大陆被低估，成了一个评委，实际上他的音乐、他的作词，都非常好、非常深刻。当时大家认为他几乎是第二个罗大佑。他的音乐不是普通的流行音乐，而是一种能够拉近那个时代、有时代感的、能呐喊的、比较高级的流行音乐。现在舒骏哥和我一样，到处当评委，都是为了下一代的奶粉钱、嫁妆钱，豁出去咱当爹的这张老脸了。

1月12日

《晓松说——历史上的今天》来到了1月12日。第一要讲的是1949年的1月12日，以色列和阿拉伯国家的第一次中东战争就在这天结束。其次是1790年徽班进京，京剧从民间跃上宫廷舞台。另外，今天还是我非常崇拜的大作家村上春树的生日。

| 以色列和阿拉伯议和结束战争 |

大家一天到晚肯定在各种新闻里看到巴以和谈，这个老生常谈的话题我就不多说了。我只说我觉得有意思的几点，第一点就是犹太这个民族是个非常了不起的民族，他们在两千年没有祖国的情况下，在备受排挤迫害的情况下，在没有土地的情况下，居然在每个地方都坚持着自己民族的信仰，坚守自己民族的传统。我在洛杉矶每个周末都看见好多留卷卷胡子、戴小黑帽的犹太人进出犹太教堂。

犹太人两千年不会种地啊，因为他们流落的每个国家，都觉得你不是我们国家的人，不能拥有土地。犹太人只能做买卖，但是犹太人居然就是在这种流浪的情况下生存下来了。在以色列有一个犹太民族坚持两千年事迹的纪念馆，里面有全世界犹太教堂的模型，其中还有一个是在中国的，建得跟庙一模一样，就在河南，当然里边是犹太教堂。中华民族是全世界唯一同化犹太人的民族。河南、山西有一些皮肤是白的、一晒变红而不是变黑，鼻子比较高，头发自来卷的这种人，有可能就是当年的犹太人在中国被同化了的后代。

犹太人本来是逆来顺受的民族，在各个国家，在德国被迫害，在西班牙被迫害，在俄国被迫害，很少反抗。但它一旦有了祖国以后，所焕发出来的空前强大的凝聚力和战斗力，全世界人都看傻了，目瞪口呆。当时其实很多国家都说，给犹太人一块地吧，他们挺可怜的。有很多方案啊，但是犹太人都不要。犹太人说我们有祖国，以色列就是我们的祖国，最后大家没办法就接受了，于是犹太人就从冲上海滩开始，有钱的出钱，有力的出力，建立国家。

犹太人跟数十个阿拉伯国家战斗，居然一次都没败，中东战争，除了第四次勉强可以说打个平手，实际上要我说阿拉伯国家还是败了。以色列一个弹丸之地，一颗炮弹就能贯穿东西，就这么一点国土。

你要去以色列看，你就觉得特有意思。一个建筑师跟你聊天，聊着聊着他就开始换衣服，然后带上钢盔，从衣柜里拿出一支冲锋枪，我问他干吗去，他说今天我巡逻，那哥们儿跟你聊完，就出去巡逻去了。因为以色列国土特别窄，分分钟就可能被灭国，所以他们能做到全民皆兵，48 小时内就能立即动员起来，开赴前线就能打。所有人都没想到犹太人的战斗能力是这么空前强悍，因为他们从来没有表现过，两千年来都是被人欺负，所以你可见一个民族，当真正有了祖国，有了信仰，有了自己的凝聚力之后，那焕发出来的战斗力，几乎是难以想象的。

阿拉伯国家曾经是非常善战的，曾经八次打败十字军，可是不知道为什么，一个民族会改变，阿拉伯自从奥斯曼土耳其衰落以后，几乎没打过一次胜仗。从以色列独立开始，连续战败。二十多个阿拉伯国家团结起来就打他一个弹丸之地，打了好几十年，最后和解。

这个和解也是很难的，因为耶路撒冷是两个宗教共同的圣地。我在美国目睹过一次大型辩论，犹太和穆斯林知识分子们在台上大谈和解，下面这边坐着犹太人，那边坐着穆斯林。这些犹太人和穆斯林都在美国生活多年，最后观众表决，两边几乎百分之百都举手说我们选择战斗，我都看傻了。不是不想和解，是没办法和解，最后只能打仗，当场两边年轻人就差点打起来。

犹太人掌握着美国的核心资源，掌握着钱，掌握着华尔街，掌握着媒体，好莱坞八大电影公司都是犹太人办的。犹太民族不但掌握了世界上最多的钱，而且得了好多诺贝尔奖。

据测算，犹太人和华人智商并列人类第一高，但是犹太人得了139个诺贝尔奖，咱们只有12个。华人也特能做生意，可是全是开饭馆跟洗衣店。在美国，华人也有六百万，在美国的少数民族中，华人跟犹太人一样多。可是华人跟犹太人在经济上完全不能比，犹太人整个掌握着华尔街，华人掌握着唐人街。这两个同样高智商的民族，其所取得的成就则完全不同，就是因为犹太人空前团结。

犹太这个民族很神奇，艺术家也出一大堆，全世界名字里带伯格和维茨的都是犹太人，如斯皮尔伯格、索德伯格，包括自己改了名字的伍迪·艾伦也是犹太人，包括我最喜爱的作家塞林格、苏珊·桑塔格，全是犹太人，犹太人是神奇的。

而且更神奇的是什么呢？一个两千年不会种地的民族，居然现在农业科技排全世界第一名，这简直太神奇了。因为他自己国土太小，而且都是沙漠盐碱地，大家知道死海就在那儿，犹太人居然在那种地方，用各种滴灌技术，种出了粮食。所以犹太人太神奇，无所不能，骁勇善战，现在变得还会种地了，你说怎么办吧？

| 村上春树生日 |

下面讲一下我热爱的大师村上春树，我想应该不只是一代人吧，至少两三代青年，沐浴着他的光辉长大。1949年这一天是他的生辰，比我爸妈还小很多，村上大师生日快乐。

我们中国人从小，都是经过了一个这样的过程，就是日本人全是在电影里杀中国人的坏人，然后痛恨日本人。在成长的过程中，我们认识到一个又一个日本人，我们首先认识了山口百惠，认识了黑泽明，认识了北野武，认识了宫崎骏，认识了村上，尤其是村上的书，我上学时人手一本。我们认识了滨崎步，我们认识了阿童木等。一个民族无论曾经犯过什么样的错误，这个民族优秀的人，依然是值得人类尊敬的，依然是人类的财富。

在所有这些人里，我应该非常肯定地说，对我们那一代年轻人影响最大的就是村上春树。可能对下一代人影响最大的是AV（成人电影），呵呵。我们那一代人几乎没有人没看过村上春树，村上本人的作品是非常西化的，感觉不到日本人的东西，说日本多拧巴，日本人多轴，而村上作品里的人追求自由超过一切，这更不像日本人。日本人是守纪律，要献身，像樱花一样逝去的这样一个民族。但是村上书里面的人，你看着他虽然叫日本名字，但你看这人就像一个西方人。当然村上本人是一个多年在美国生活的日本作家，自己还喜欢爵士乐，还弄爵士乐队，开酒吧，在美国大学教书，所以村上的文学，是属于这个世界的。

我其实反对给文学做任何界定，比如说民族的就是世界的，越民族越好，其实不是，因为那都是举孤证，我反对在立论的时候，以举孤证立论，比如，因为莫言成功了，咱民族就是最好的。

村上的东西可没有很多日本民族的东西。我最喜欢村上的《夜袭面包店》，完全彻底的西方存在主义写法，但是我觉得非现实主义的这些东西特打动我，大家有机会去看看，特别有意思。

村上虽然没得过诺贝尔奖，但他得到很多很多文学奖。他有一次在以色列领文学奖致辞时说了一段“鸡蛋和墙”的名言，就是艺术家永远支持鸡蛋，所以鸡蛋和墙碰撞的时候，不去问墙是对的，还是鸡蛋是对的，不管谁是对的，首先支持鸡蛋，我听了以后深受感染和鼓舞。感谢村上陪伴我们成长，祝你生日快乐。

| 齐秦生日 |

齐秦影响了我们一整代的年轻人。当时大学里唱的歌，一半都是齐秦的，他自己词、曲、唱、弹琴都很好，长得又帅，那个时候是一代人的偶像。

今天我觉得很痛苦的是说起《外面的世界》，年轻人都说《外面的世界》是莫文蔚唱的，我说《外面的世界》怎么会是莫文蔚唱的，难道不是齐秦唱的吗？年轻人居然说齐秦唱的没火起来，是叫莫文蔚唱火了，啊？齐秦唱的《外面的世界》没火起来？当时在所有的大街小巷，所有的卡拉OK里每天都在唱《外面的世界》，以至于都唱烦了，比《同桌的你》还烦。

所以齐秦当时头几张唱片空前影响了一代人，我觉得当时他代表了台湾流行音乐的一个流派，齐秦的歌朗朗上口，而且又非常好弹，所以他那时候对所有弹吉他的少年影响是巨大的。但是，每一个人都会老嘛，江山代有才人出，今天的年轻人，喜欢这个喜欢那个，当然是没问题的，流行音乐就是这样的。

祝齐秦大哥，小哥生日快乐。大家都管他叫小哥，其实他是大哥，生日快乐。齐秦大哥很爱喝酒，轻易不要跟齐秦大哥喝酒，很危险。

| 四大徽班进京 |

1790年，四大徽班进北京，意味着京剧从民间一跃登上这个中国最高的舞台，京剧成了整个中国最好的国粹。京剧名角进了宫，甚至给了骑马进宫、带刀上殿的崇高荣誉，大臣都不敢，所以导致了京剧的辉煌。从那个时候开始，一直辉煌到样板戏。

当时京剧大角，比现在成龙、李连杰挣的钱还多。那时候几百块大洋，能买一辆车，京剧大角唱一场，就能买辆车。那大角在家里，都开流水席，就大家进来都不认识，随便唱一嗓子，进来就吃，每天开二十多桌流水席。

从那个时候开始，京剧一直辉煌到样板戏，那之后不知道是因为京剧吸引不了人才，还是流行音乐空前发展，而慢慢变成了小众艺术。现代京剧已经把大规模的管弦乐交响乐与传统京剧唱腔结合，舞台美术也做了很多探索，我很喜欢。

大家说要保护京剧，大家说要挽救京剧，我觉得这个说法不好，什么东西一要保护了，就快完了。还是不要来保护，还是要大家来爱它，把这些美好的东西传承下去。

1月13日

《晓松说——历史上的今天》来到了1月13日。第一，在1988年的这一天，蒋经国在台北去世。第二就是1904年的这一天，爆发了日俄战争。第三是1946年的今天，中国成为联合国五大常任理事国之一，从此走上了世界舞台。

|蒋经国去世|

首先是讲一点蒋经国这个人，如果抛开政治，抛开各种偏见，抛开了长期以来的党政之争，两岸之间的各种渊源，全从一个人的角度来看的话，蒋经国堪称政治家少有的模范。

人是一个非常好的人，当然他也犯过富二代经常犯的错误，和章亚若有两个私生子。但是那个时代的人，娶个三房、八房甚至十房的姨太太，完全没问题，但是他一直坚持和结发妻子相濡以沫、相敬如宾地过了一生，始终是一个非常朴素的人。那么多年了，在非常妖魔化的时代，也没有人能够妖魔化蒋经国。经过这么多年，台湾有这么多政敌，其他地方当然也有他的政敌，但是蒋经国的人品还是公认的。

他自己在苏联参加了共产党，“四一二”后，还在苏联发表讲演时宣布与蒋介石划清界限，不认他爹了。然后经历了残酷的苏联执政时期，侥幸活了下来，但是被发配到乌拉尔山地区，在冰天雪地中抗争，奋勇生活。最后在中苏关系好起来以后找到他时，他居然吭哧吭哧自己已经奋斗到车间主任这个职位上。他俄语说得比中文好，标准的俄语。

他回国后，突然间从一个没人管的流浪儿，变成了贵为世界五大国之一的大统帅的公子。当时蒋介石的地位如日中天，不光是中国人民的抗日统帅，而且是盟军重要的战区统帅，蒋经国应该算是蒋介石能确认的唯一亲生儿子，比较争气，从头一点一点开始干起来。他是一个非常非常缜密的人，有自己的亲信、自己的团队、自己的追求。

到台湾以后，蒋经国肩负起了重新塑造国民党的重任，这一段历史，大家都知道，蒋经国全面改造国民党，发现了大量的优秀知识青年。他掌控着庞大的特务机关，当一个人掌握了强大的特务机构，是很容易变坏的，但是他本人依然很清廉。

肩负大任之后，蒋经国二十世纪八十年代把台湾带进了变革时期，他让台湾民主化，展示出一个高瞻远瞩的政治家的胸怀。民主化有很多方式，其中一种最好最好的不流血方式，就是蒋经国的方式。专制独裁政权，开始去改革，是一个重大的进步，对那个地区的人民是最好的一种方式，远好过流血政变或者革命。

| 日俄战争爆发 |

1904 年 1 月 13 日，一场重要的洲际战争——日俄战争爆发了。

日本和我们本来是一样的，被一个叫佩里的美军将领打开了国门，一样被迫签订了不平等条约，一样要开放通商等等。但日本和我们选择了完全不同的道路，日本选择干脆敞开大门，干脆向你学习，干脆一切就“脱亚入欧”，大家立即改学西方，迅速地强大。

1894年，居然以一个只有当时中国十分之一国力的小国打败了大清帝国，打败了当时世界上GDP首屈一指的强大国家，打败了当时亚洲最强大的舰队——北洋水师。日本获得了两亿三千万两白银，不算利息在内的赔偿，原来为两亿两，后来交还辽东半岛又获赎金三千万两，合计两亿三千万两。两亿三千万两白银，赔给了一个一年只有几百万收入的国家，日本迅速腾飞。我们如果不赔给他这两亿三千万两白银，我们能买多少舰队？能把日本炸平。我们不是因为落后才挨打，我们是因为挨打才落后。我们最强大的以坚船利炮的欧洲装备武装的北洋水师被人打败了，导致日本迅速强大，甩开了我们，而且日本居然在十年之后就挑战了当时世界上最强大的大帝国——俄国。

俄国当时陆军号称世界第一强大，海军排在世界前列。日本向这样规模的欧洲大帝国挑战，并且打败了俄国，是在亚洲从来没有过的，震惊了全世界。俄国老毛子都很高，日本人那么矮，肉搏战的时候，得仨日本人上去摔一个老毛子，就到这个地步，但是日本人奋勇战斗。而且这仗打得真可笑啊。陆战都是在中国打的，海战先在中国，最后在对马海峡。

日本上来先打的就是旅顺，因为俄国太平洋舰队在旅顺，可见中国那时候有多倒霉，这港要么给俄国，要么日本赢了来占领。陆战全部是在中国东北，沿着东北一路打。中国真可怜，清政府居然还宣布中立，人家俩国家在你国土上打，两边一起杀中国人，然后一起征中国民夫去修工事，中国还宣布中立，太可笑了。

日俄战争在军事技术历史上也有重大意义，因为日俄战争最大的特点就是机枪第一次被大规模使用。在日俄战争之前，大家敲着鼓，吹着风笛，吹着号，唱起歌，排着方阵向前走，开枪对射。机枪来了以后，刚开始大家也不知道怎么改变战术，日俄战争双方伤亡极惨重，一天冲锋就打死上万人。因为当时军队还不知道什么散兵线，就是机关枪一边扫，这边打着旗集团冲锋，连主帅乃木希典的俩儿子都在阵前被击毙。在日俄战争中间，才发明了新的战术，发明了散兵线、步炮协同等等。

海战则是爆发第一次世界大战的日德兰海战之前，甲午海战之后世界最大规模的海战。俄国太平洋舰队被歼灭，最后俄国调动了它最强大的波罗的海舰队。大家知道波罗的海舰队就在圣彼得堡门口，是俄国最强大的舰队，倾巢出动，说俄国怎么能输给你们小日本，简直太可笑了，绕了世界大半圈，来到远东的时候，在对马海峡，被东乡平八郎率领的日本舰队全歼到什么程度？连会计船都打沉了。那个会计船上带着一千七百多吨黄金，因为当时在远东，除了旅顺之外他们没有好的军港，旅顺被日本占有，所以专门带着会计船，带了一千七百多吨黄金，准备在海参崴再去修一个军港。结果连这会计船都没到，直接被击沉在对马海峡里，现在还在那儿沉着呢。大家有志者上那儿捞一捞。那下边有一千七百多吨大金块。

日本最风光的时候，就是在对马海峡打败了俄国。从日俄战争之后日本再也没有一次这么风光的时候。因为后来日本野心再膨胀的时候，就开始挑战各种大哥，最后被打成现在这样了，所以日俄战争是一场重要的洲际战争，亚洲打败了欧洲的一场强大战争，在军事技术上也是起了重大作用。

日本从此跻身世界大国之列，全世界再也没有人敢小看日本了。日本虽然对我们有一百多年的欺辱的历史，但日本图强、自救、发展的速度，是所有亚洲国家的榜样。

| 联合国安理会成立 |

1946 年的 1 月 13 日，联合国安理会成立。中华民国，成为五大常任理事国之一，这五大常任理事国是拥有平等权利的，美国、英国、苏联、法国并不比我们有一点更多的权利。

联合国大会是没有强制性，强制性都在联合国安理会，安理会有十几个理事国，一百多个国家轮流当，只有这五个大国，是永远当常任理事国。这五个大国，各有一票否决权，就是这个世界上的事儿，只要我不同意，你就不能干，这个权利中国是作为五大国之一拥有了。

这是经历百年屈辱之后，中国人民第一次站起来了。当然了，1949 年我们又站起来一回。实际上，在 1949 年新中国成立之前，我们就是联合国五大常任理事国之一，就拥有跟其他四强平等的权利。这个席位是靠全中国人民浴血奋战打败日本，在全世界反法西斯战争中起到了重要的作用，牺牲了几千万人争取来的啊。所以这功劳也不能算在某个政府、某个党身上。

| 孔庆翔生日 |

今天是一个可爱的小孩儿的生日，要说中文名字，大家可能都不知道，叫孔庆翔，大家一听，这是孔子某某代孙子。但是这位呢，虽然是孔子家的，不但山东话不会说，中国话也不会说，这哥们儿，英文名字大家一听很多人都知道，他叫 William Hung（孔庆翔）。他干吗了呢？他在 American Idol（《美国偶像》）那个节目里面，跳着一种很怪的舞，很不协调，唱着走调的歌，然后突然受到美国人民热烈欢迎。孔庆翔说："我已尽力做到最棒，其实我也不疯不傻，你们也许不懂，这也是我的一种生活态度。"

美国人民特别有意思，美国人民对娱乐特别宽容，对政治特别苛刻。美国人民对政治家说的话不相信，对政治家使劲怀疑，但是对娱乐特别宽容，即使唱歌走调也照样欢迎。不像咱们这儿，咱们这儿来个什么曾轶可，唱歌走调，嚯，大家就气得快疯了，就骂，就要以头撞墙，不行，觉得好像天要塌了，穷凶极恶那个劲儿。有一个人唱歌走调怎么了，那不是娱乐吗？所以孔庆翔当时成为亚裔华人在美国最著名的人之一，而且还到处演出啊等等。

娱乐就是娱乐，各种各样的，多元化的，美国人民觉得很高兴啊，没有什么种族歧视，人家首先就是黑人都是娱乐圈最大腕儿，迈克尔·杰克逊、玛丽亚·凯莉、威尔·史密斯等等。亚裔也没问题，你只要好玩，把大家弄得高兴，都可以。

William Hung，1983 年出生，这哥们儿也三十岁了，但是我猜现在这个哥们儿已经过气儿了，因为光靠这种玩意儿，可以玩两年，但是长时间是不行的，现在已经听不见这人声音了。好，小孔，生日快乐。

1月14日

《晓松说——历史上的今天》来到了1月14日。1948年的今天，一部伟大的电影《一江春水向东流》，获得当年票房冠军，非常值得庆祝。1953年的今天，铁托同志担任了南斯拉夫第一任总统。再就是2000年的今天，人类克隆出一只猴子，距离克隆人已经很近了。

|《一江春水向东流》获票房冠军|

在1948年的这个时候，实际上内战打到都市了，内战在前线打，后方的人民还是要娱乐，这时候《一江春水向东流》获得票房冠军。这个电影我猜所有的老一辈人，当然包括我都看过不止一遍。

这个电影得的票房冠军，一共有712 874人看了这个电影。今天是300万人看，票房就是一亿，《泰囧》已经有将近4000万人看了。70多万人看，折合成今天的票房就是2500万。按当时的社会环境来说，已经是非常非常好的成绩。当时全中国的人口没法和现在比，大城市的电影院也没几个，下面的城市也没什么电影院，所以这么多人进去看，说明这个电影是非常不错的。以《一江春水向东流》为代表的二十世纪四十年代的中国电影，我觉得毫不逊色于当时全世界任何一个国家的。《一江春水向东流》实际上是一部商业片，讲的是男人对感情的背叛，这种臭男人陈世美商业片是那时的主要类型之一。

那时的优秀电影还包括《乌鸦与麻雀》《马路天使》等等，完全不逊色于当时被世界电影界贴上闪光标签的意大利新现实主义电影。我在电影学院读书时上来先学的就是意大利新现实主义电影，《罗马十一点》《偷自行车的人》等等影片，但是你回头一看，我们毫不逊色。《一江春水向东流》展现出来的那种时代情怀，那个时候的爱情观念；《乌鸦与麻雀》展现出来的那种讽刺能力，讽刺当时的政府。当时政府推出来的那些狗屁政策，成为大家的笑料。

以上海为代表的当时的中国电影，达到了世界的高水平，而且解放以后留下了上影厂，解放以后很多年都是靠上影厂的电影在撑着。包括一大半人去了香港，导致香港的电影业大发展。香港原来就没有什么电影，香港就是卖鱼的，然后突然知识分子来了，上海来了很多导演、演员啊、编剧等等，其中编剧还包括金庸同志，也跑到香港来了。一直是靠上海这些才子，导致香港到二十世纪六十年代整个电影界还说上海话，不是广东话。直到李小龙，完全拍成另一种电影功夫片，才开始粤语片的年代，进入到高峰，可见上海那批人，是多么有水平。

为什么呢？最重要的是开放包容的环境、自由创作的气氛。当时并没有人来查电影，大家就是你想怎么做就怎么来，包括香港政府也是，完全可以自由创作，只有在一个宽松自由的环境下，才能创造出优秀的电影。当然了，那一批优秀的演员，也包括在这部电影里的几位女演员，白杨、上官云珠等等，都是后来很少见到的。

那个年代不光中国，好莱坞大明星也是，《埃及艳后》怎么看我怎么觉得这电影好看，其实就是因为明星大，伊丽莎白·泰勒往那儿一站，马上你就完全进去了，你也不管情节有没有漏洞啊怎么怎么样。那个年代，是明星电影的黄金年代，只要明星往那儿一写名字，票就卖出去，那时候的明星，都是有大范儿的那种类型电影明星。

那个年代是中国文艺电影的黄金时代，也是以上海为代表的中国电影的黄金年代。直到今天，中国能数出来能跟当时那些作品媲美的电影，我猜用一只手能数下来。虽然我们每年能生产800部电影，虽然我们有十亿票房等，但是能拿出来的电影，四十年后还有人看吗？

像今天看《一江春水向东流》，依然还会落泪，今天看《埃及艳后》依然还会长叹。但是今天看十年前的电影，包括我自己拍的，实在是有愧。当然也不能全赖环境，苏联的环境也很残酷，伊朗的环境也很残酷，但是苏联依然拍出了《这里的黎明静悄悄》，伊朗还拍出了《一次别离》。它和以色列一部电影一起争夺2012年奥斯卡最佳外语片奖，美国电影学院以宽广的胸怀，没有给自己国家的盟友以色列，而是给了自己国家的对头——伊朗。伊朗其实也很严格的，穆斯林的法律审查很严格，依然拍出好的片子，苏联当时那么严酷，苏联艺术家动辄发配劳改营，依然创作出了伟大的电影，所以我们到底是什么问题呢？

| 人类成功克隆猴 |

大家知道2000年，人类成功克隆了一只猴，这个很可怕啊，因为猴已经有人的百分之九十八的智力了，所以再往前一步，距离克隆人已经很近了。

我个人的理论一直认为人是差猴子变的，按照进化论的观点，当森林减少的时候，厉害的猴子留在森林里，把那些差猴子赶出去了。差猴子被赶出森林来到平地，被迫直立行走，就变成了人。所以人是差猴子变的，强的猴子留在森林里，把差的猴子逼成了人。逼成了人以后，人又克隆出猴子，这个很有意思。

但是克隆人，我个人是持坚决反对的态度。我觉得人是不能逆天的，克隆出人来，会产生巨大的伦理道德问题，尤其是会产生奴隶，因为克隆出来的人，他相当于是你自己生产出来的产品，你对他一直拥有所有权。如果一个人对另一个人拥有所有权的话，我们就回了奴隶社会，所以我个人坚决反对克隆人。

克隆到猴子就已经可以了，但是我坚决支持克隆器官啊，克隆器官很重要。我之前问我的医生，他跟我保证说，你放心，在美国十年之内克隆器官就能完全商业化，这个可以做到的，只是这个成本很高啊。我当时听了心里特别高兴，我说那我就不戒酒也不戒烟，然后可以在污染很严重的北京生活，反正给我预订五十个肝喝酒用，四十个肺抽烟用，跟大家开玩笑啊。总而言之，克隆器官是一定能做到的，而且一定能商业化，而且我坚决支持，这是造福人类的。

克隆人是不行的，克隆人伦理有大问题。而且我要说的另一个问题是，克隆这个技术实际上还不是真的制造出一个活人来，他还是制造出一个胚胎来，然后放到你的肚子里，还得放人肚子里去生长，相当于就是做出一个你的种子，你不管怎么让他有优势，他也得搁到肚子里，我觉得到了这一步，已经到人类逆天的边界，就是人类不能再往前走一步。

克隆人是一个方向，另一个方向就是人类有一天能直接做出来一个人，不需要时光让他成长。袁隆平不管怎么弄来弄去，他这个米粒还得种在地里，还得生长，还得要阳光、雨露，还得有时光。我自己是学科学的，我对科学有强烈的信仰，和那种坚持科学的立场。但是我同时坚信科学是有边界的，造物给科学划定的边界就是到此为止，人类再往前一步，就是——做出一粒米来，不用把米种到地里去，靠阳光、雨露跟时光成长——直接做出一个十八岁的人来，不需要把这个人做成受精卵，胚胎放到肚子里生出来，再慢慢成长。这个时候我觉得人类就已经跨越了科学的边界，已经触犯了造物的权威，我觉得这个永远不能做。

有一天我还跟几个医生科学家辩论过这个问题，我说，我猜我有生之年，以及遥远的未来，人类都不会做出这样的事来。当然直接做成一粒米有一个好处，就是房价立刻就下去了，变成五毛钱一平方米，因为所有耕地都解放了，不再需要种地了，那都可以盖房子了。

但是人类能做出一粒米来吗？生命能不需要阳光雨露，不需要时光来成长吗？能直接做成一个十八岁的人吗？这个十八岁的人脑子里装的是邪恶还是善良？装的是英文还是法文？是怎么变成十八岁的人的？

当然了，我说这种话会有很多很多人骂我，因为他们相信科学万能，所以我就是宗教裁判所，我烧死了布鲁诺。我就是不相信科学吗？我认为科学和人类的关系是：人不光是由科学造就，如果科学能解决人类的一切问题，不需要思想，不需要宗教，不需要艺术或有关生命的其他，一切都由科学解决就好了。科学有大量的问题解决不了，科学甚至做出了很多反动的东西，比如说武器，比如说灾难等。我认为科学的力量是伟大的，但是有一点就是，克隆科学到了这里，请不要再前进了，谢谢。克隆器官，来五个肾就好，谢谢。

| 伍佰生日 |

1968年的今天，伍佰大哥出生，这个名字起得很好，因为谁当你弟弟，谁都只能是二百五，所以生日快乐。

其实大家不太了解伍佰，伍佰不是非常能代表港台的摇滚乐。因为伍佰的摇滚乐实际上还是流行音乐，基本还是你爱我，我爱你，当然是很好啊。但是我个人觉得跟Beyond《光辉岁月》时期的摇滚乐还是有差距。这是第一。

第二，港台有大量的多元化的地下的摇滚乐其实很多做得很好，但由于它不是很流行，我们这边听到的人比较少。我们误以为台湾人天天坐在那儿唱《冬季到台北来看雨》，其实不是，港台有很多好听的摇滚乐，大家如果有机会的话，找来听一听，我觉得很有意思，不比我们这边差。

伍佰生日快乐。

| 铁托成为南斯拉夫最高统帅 |

1953年的今天，铁托当选为南斯拉夫第一任总统。南斯拉夫是个联邦制的共和国。

为什么要说这件事，因为我觉得在那个年代，会诞生很多很多伟大的政治家，今天最多就是一些技术官僚或者政客。有智慧的，高瞻远瞩的，能一举让这个国家向前进几十年、稳定半个世纪的政治家，已经很少很少了。那个时代有很多。

铁托就是一个非常智慧的、高瞻远瞩的，比较伟大的政治家。大家知道南斯拉夫这个国家，就是一大火药桶，为什么？一战前世界上就没有南斯拉夫这个国家，南斯拉夫是一战以后，几个大国非要把塞尔维亚、克罗地亚等这几个小国强行弄在一起。塞尔维亚在欧洲虽然没多大力量，但是它挺能搅和，一战就是因为塞尔维亚导致的，所以把这几个国家人为地团在一起，成了南斯拉夫这么一个国家。

但是这些民族之间，不但互相语言不一样，民族也不一样，北边是日耳曼人，塞尔维亚这边是南斯拉夫人，还有穆斯林。因为这里原来是奥斯曼土耳其和奥匈帝国交界地，所以非常复杂，宗教也不一样，那边信天主教，这边信东正教，这边信伊斯兰教真主安拉。

然后关键他们还有很多世仇，互相打过很多仗。甚至到二战的时候，南斯拉夫一个加盟共和国克罗地亚，还帮着德国屠杀过塞尔维亚人。所以这些国家被硬团在一起以后，需要一个非常强势的高瞻远瞩的政治家，能把这个国家稳定下来。

这个时候铁托走上了共和国的历史舞台。首先他不是塞尔维亚人，他坚定地遏制住了大塞尔维亚沙文主义，在他的强制管理下，塞尔维亚和其他的几个国家是平等的。在南斯拉夫，铁托是最大的头儿，其他总理议会的头儿，都是另外的几个共和国的领导轮流担任，塞尔维亚不比其他几个共和国多，都是到点轮换，一直是这种方式，所以南斯拉夫一直很稳定。

而且在强大的东西方冷战中，铁托非常智慧地采取了一个不结盟的政策，他也不跟着斯大林走，跟西方也若即若离，跟中国也还挺好，铁托同志是中国人民的老朋友了，最老的朋友之一，他经常来中国。我记得我小的时候，经常在电视上、报纸上看到铁托同志。是他以他个人的智慧，以他的个人能力，把一个互相仇恨的，很难相处在一起的，化学物理上都不能在一起的多民族国家糅合起来，坚持了半个世纪。而且在东西方冷战中间，南斯拉夫生存下来了，生存得还不错，在东方的国家中，该国人民的生活水平是比较高的。

当然铁托后来一去世，南斯拉夫就完蛋了，后来大家都看到南斯拉夫内战，发生的反人类罪，塞尔维亚屠杀斯雷布雷尼察等，最终他们还是分开了。

1月15日

《晓松说——历史上的今天》来到了1月15日。1897年这一天，民国大情种徐志摩出生。再有就是1967年，美国社会中最盛大的体育赛事，橄榄球“超级碗”总决赛，第一次在洛杉矶，诞生了。

| 徐志摩出生 |

1896年，徐志摩出生了。徐志摩大家都知道，大诗人、大才子、大情种，大家看过徐志摩写的诗，诗当然写得很好，我还给《再别康桥》谱过曲，还挺好听。

但是你再看看他写的信，当然现在已经没有人写情书了啊，现在好像就发几个短信，或者聊天软件摇晃摇晃，大家就开始约上了。那时候，大家写情书特别多，而且那时候写情书成了一种瘾，他不是说非要跟你好，像今天写情书怀着很明确的目的。像我们那时候写情书就已经很有目的啊，我们那时候写情书都写得特简单，都一页纸，为什么一页纸呢？追你的时候一页纸，结尾永远要写情长纸短，最后跟你分手了时候就写，纸短情长。

徐志摩的情书都特别厚，写给林徽因的，写给林徽因他爸的，徐志摩跟林长民是忘年交，互相角色扮演给对方写信，情书写得那真是香艳。写给陆小曼前夫的，还是拿英文写的，那时候人还真逗，陆小曼前夫是哈尔滨市公安局局长，你说搁现在一个写诗的，敢抢公安局局长老婆，那还活吗？那就直接到里头死翘翘了。那会儿徐志摩还给人家公安局局长写信，还拿英文写，说我爱你老婆，如何如何。那个公安局局长因为也是海归啊，军校留学回来的，然后还给他回信说，那好吧，那你们俩好吧，我参军去了。这哥们儿直接就入伍参军了，把老婆给他了。

这个太有意思了，民国时期是一个空前繁荣、大师辈出的时代，大城市人民的生活完全接受西方的那一套东西以后，形成了一个特别有意思的气氛。我认为民国是继春秋战国诸子百家之后最好的时代，一批大师站出来修了中国两千多年文化史，而且开始改造这个国家。大家都是说着英文，说着法文，说着德文，徐志摩是其中重要的一员，他们的新月社也好，他们的杂志也好，都是如此。当然那时候有宽松的气氛，大家都可以随手办个杂志啊，办个诗社啊，等等。

徐志摩本人没有什么政治倾向，因为他忠于爱情，他对女人的追求，使他没多大政治倾向。最感动的是什么呢，他爱这些人也就罢了，问题是那些女孩都特爱他，每个人一直都爱他。林徽因被他伤害了，当然还是很爱他，一直到最后他去世，林徽因把他飞机失事现场那块飞机皮，一直挂在墙上，那块飞机皮还是林徽因老公梁思成给捡回来的。她就把这块飞机皮挂卧室里，挂了一辈子。徐志摩应该算是中国第一个登报离婚的，那时候简直就是爱林徽因爱到疯魔的地步，他登报离婚之后被各种人痛斥，但是他不管，他是为了爱情一往无前，真正的大情种。

他的前妻张幼仪也爱他一辈子，他跟张幼仪登报高调离婚，张幼仪也没再嫁，张幼仪本身是一个大家闺秀啊，她哥哥是当时的大知识分子张奚若。张幼仪最后自己奋斗成了一个女强人。生意做得很好，赚很多钱，而且一直养徐家老小，而且还接济陆小曼。她一生爱徐志摩。

陆小曼也是。陆小曼当时是民国大交际花，陆小曼家的派对，全是年轻漂亮的海归，林徽因家的派对，都是老一代的，那些什么胡适、什么徐志摩啊，都在林徽因的派对上，但是陆小曼的派对都是刘海粟、徐悲鸿什么的那些学艺术的海归。当然新中国成立以后她经历很多迫害啊，很不得志。陆小曼在最惨的时候，编了徐志摩所有的遗留下来的手稿，而且自己还写了一个情真意切的序言，叫作《遗文编就答君心》。

还有凌叔华，其实凌叔华跟徐志摩没正经好过，她爱徐志摩爱成什么样？徐志摩生前把自己的日记放凌叔华这儿了，然后徐志摩去世。徐志摩去世也是因为他是双重情种，首先是陆小曼要花很多钱，他没那么多钱，所以到处去兼差、兼教授，兼乱七八糟的事情。结果他跑南京去了后，又非要飞回北京，非要听林徽因给各国领馆的人讲中国建筑，冒雨坐邮政飞机飞北京。他等于是为了陆小曼才奔波，又是为了林徽因去世。最后林徽因就疯了，就非要找凌叔华要回徐志摩的日记，因为林徽因要看徐志摩到底是不是真的爱过自己。凌叔华就不给，林徽因就委托胡适去找凌叔华说，你把徐志摩的日记拿出来，我们大家这帮老哥们儿要为徐志摩编全集，全集当然包括日记了。凌叔华不得不拿出来，林徽因一翻发现恰恰少了她最想看到的那一本，就是在英国的那一本，就是徐志摩跟林徽因在英国留学的时候在剑桥的那一本。这下就是打死凌叔华她也不肯拿出来，可见里面写的内容表明，徐志摩确实是爱林徽因的。当然凌叔华肯定就要吃这个醋，一直吃到什么地步，一直吃到一九八几年，她在加拿大已经垂垂老矣之时，她最后临终前还在说，我就不拿出来，我就不把徐志摩怎么爱林徽因的这一本日记拿出来，它就跟我一块儿进棺材，我也不让别人知道。

所以徐志摩这个人，简直不知道有什么魅力。我看过一张徐志摩和泰戈尔的合影，找不着徐志摩，因为泰戈尔特别巨大，头发奓着的那样，林徽因娇小倒是没事，徐志摩也特娇小，浙江的江南才子，照片上恨不得看不见徐志摩。

可见追女人最重要的就是会写情书、嘴甜，徐志摩就是特别会写情书，嘴甜，关键是徐志摩还不是假的，他是真的，他每次都是真的，这种人没办法，这种人不是流氓啊，这种人是情种。

我想从我个人的角度来说，徐志摩对当时的白话文诗歌，是起到了重大的作用。应该说在整个民国时期的诗人里，徐志摩是首屈一指的，无论是他的长诗、短诗。虽然新中国成立后一直长期被压制，但请相信一切美好的东西都是永存的，因为徐志摩跟政治毫无关系，就是爱情。所以当政治稍微一松动，徐志摩的诗复出很快，到我上学的时候，大家又人手一本徐志摩的诗，每个人都在读，“我是天空里的一片云 / 偶尔投影在你的波心 / 你不必讶异，更无须欢喜 / 在转瞬间消灭了踪影 / 你我相逢在黑夜的海上 / 你有你的，我有我的，方向 / 你记得也好 / 最好你忘掉 / 在这交会时互放的光亮”。如果对比一下郭沫若写的诗，还是觉得徐志摩伟大，郭沫若有一首诗叫《毛主席，你赛过我的亲爷爷》收在在郭沫若文集里。我会背，“天安门上红旗扬，毛主席画像挂墙上，亿万人民齐声唱，毛主席万岁万万岁，万岁万岁寿无疆，毛主席赛过我亲爷爷”。哈哈，郭沫若写的诗。

我在一个美国人写的回忆录里看到一个小片段，那个美国人在北京遇见徐志摩，他不知道这个人是谁，就看到梅兰芳站在他旁边，梅兰芳一直站着。梅兰芳当时在中国，地位可是崇高的，去外国演出，就代表中国形象，梅老板收入又高，社会地位崇高，但是他在徐志摩旁边站着，在求徐志摩写一出戏，于是这美国人还问这人是谁，怎么那么牛啊？这就是大诗人徐志摩，梅老板正在求徐大诗人，给他写一出新的戏，就可见那个时代，知识分子、文人受到尊重，是多么有地位。梅兰芳相当于今天的一线大影星，好莱坞式的一线大影星，然后在一个文人身边站着，那文人非常有地位，在那儿坐着。你搁今天，那绝对是大明星在那儿坐着，文人在旁边鞠着躬说，我给您写一剧本好不好。可见徐志摩当时的地位，是非常高的。

| 五角大楼竣工 |

1943 年的这一天，正逢二次大战，美苏当时各有上千万的军队，美国是左打日本，右打德国，承担了反法西斯战争最重要的两线作战的任务。为了指挥世界上最强大的军队，指挥世界上最大规模的战争，建起了一个叫五角大楼的建筑，就在 1943 年这一天落成。

它是迄今为止世界上最大的单体办公楼。“911 事件”的时候一架飞机就能把世贸中心一栋大楼撞塌了，可是同样大的一架飞机，而且同样跨海岸飞行的，都是从东岸起飞要飞到西岸，里边装了一百多吨油的这样一架大飞机，撞到五角大楼的时候，五角大楼只削了一个小角，特别小的一个小角。那么大一飞机，跟五角大楼对比起来，就那么小一小角，所以可见五角大楼是多么大的一个建筑。

当然我今天说这个的用意，其实不是在夸五角大楼大，为我国争光的济南市政府大楼，既不指挥最强大的军队，也不指挥最庞大的战争，而指挥一个叫全运会的面子工程，建成了世界上第二的单体办公楼，仅次于五角大楼，这到底是我国的光荣，还是什么？

| Super Bowl举行 |

1967年的这一天很重要啊，对美国人民很重要，在洛杉矶举办了第一届Super Bowl（超级碗）。当时那些队今天依然是大腕儿。当时就是包装工战胜了酋长队。美国其实是很不爱改变的国家，几十年过去了，还是这些队，这个城市还长这样，超级碗还是超级碗。超级碗在美国人民的娱乐生活中是最最重要的一天，每年这一天相当于美国人民的春晚。超级碗这天一定是在礼拜天，大家全部在电视前面看。票要提前很久很久订。

橄榄球在美国是第一运动，是大国球，而且是美国独特的运动，大概只有美国、加拿大有美式足球，其他国家都很少有。排美国前五十名的最富有的体育俱乐部里，三十二支NFL（National Football League国家橄榄球联盟）橄榄球队全部在里头，其次是十六支有钱的棒球队在里面。最后有两支篮球队。篮球中国人那么爱看，美国NBA篮球，只有西岸的湖人队和东岸的凯尔特人队，是美国五十个最富有的体育队中仅有的两支篮球队。但是三十二支NFL美国橄榄球大联盟球队，全部都在前五十名内。所以他们是非常非常受美国人欢迎的。

美国大学里边，最受女生欢迎的人，就是橄榄球队的“Quarterback”四分卫。这一定是一个白人，当然现在开始有点黑人了，之前一定是WASP，就是白种盎格鲁-撒克逊人新教徒，这种白人在美国是一等白人，一定是WASP去做这个四分卫，而且是全校女生的偶像。而且大家心里都盼着他跟啦啦队队长好，因为啦啦队队长也必须是一金发白人大美女，所以这个大学里一定要四分卫跟啦啦队队长好，大家才觉得这个大学好像很正常。终于这件事落定了踏实了。

就业的时候，你去应聘，你只要在大学当过橄榄球队的四分卫，华尔街也好，硅谷也好，就抢你，因为四分卫有强大的组织能力、判断能力、应变能力，在场上四分卫戴着耳机听着总教练指挥，同时自己在现场指挥整个队进攻，有巨大的团队凝聚力跟组织能力，所以这种人是非常非常受欢迎的。

“Super Bowl”就是职业橄榄球里的最大赛事，它有几个最有意思的地方，因为全美国人民都在观看，所以广告是全世界第一贵，30 秒广告费平均高达 380 万美元。这些广告之前都没有播过。所有要在超级碗比赛过程中播的广告，事前都是严格保密的，这就形成了美国一个文化。因为大家在超级碗打完球以后，第二天还要评比谁家的广告拍得最好，所以那些广告都是花巨资拍摄，然后捂着谁都不给看，直到超级碗那天晚上，开始不停地播。

中场休息的演出，就相当于我们春晚压轴，谁在超级碗中场休息演出，谁就是当年美国最大的腕儿。2012 年是麦当娜，说明麦当娜依然还是美国娱乐业一线大明星。2013 年我去了在新奥尔良的 Super Bowl 现场，中场休息登台的是碧昂斯。

另一个有趣的是，一般到那天洛杉矶电影院里放中国电影。都是华人坐在电影院里看电影，老美全在电视机前看超级碗。所以超级碗是美国每年一度最盛大的节日，美国电视年度最高收视率和最贵最贵的广告，以及最红的明星出场，都是在那一天。

1月16日

《晓松说——历史上的今天》来到了 1 月 16 日。1970 年的这一天，中国人民熟悉的卡扎菲成为利比亚总理。再有就是 1979 年的这一天，伊朗国王巴列维出逃。第三，是 1944 年的这一天，艾森豪威尔将军出任欧洲盟军总司令。

| 卡扎菲成为利比亚总理 |

1970 年的 1 月 16 日，卡扎菲成为利比亚总理，我到现在为止都不知道为什么他不把自己弄成元帅，一般的独裁者都会把自己封为元帅，卡扎菲跟一般人不一样，他非把自己弄成上校。上校有什么好的，我也没弄明白。文学作品里最爱写的是长得帅的上尉，很少有人说上校。他到底是为什么呢？不知道。他是一怪人啊。

卡扎菲是伟大领袖毛主席的老粉丝，到什么程度呢？在沙漠上发动了“文化大革命”，所有人都高举一本绿宝书，他喜欢绿的，国旗是绿的，帽子也是绿的，大家都抱着绿色的东西各种欢呼。当然了，最终历史水落石出，他的结局大家都看到了，不管是出于什么样的美好愿望，我猜卡扎菲这个人还真的不是一个特别邪恶的人，他怀着美好的愿望，他怀着美好的想法，来代替全国人民的理想。他自己以为利比亚人民是热爱他的，他自己以为他可以带领利比亚人民思考未来，他自己以为他自己所做的一切都是为了利比亚人民，结果最后他被利比亚人民以处决的方式结束了生命。

从这点看来，无论你是一个什么样的人，你可能不是个坏人，但是在一个独裁的体制下，在这种专制的想法下，脱离了人民，总是以为你代表了人民，最后就会被人民处决。这个严重地提醒了全世界的人，最终的一切还是要交给历史来裁决，人民能思考，人民能选择，人民能决定，人民有手有脚。所以说卡扎菲的这个教训是深刻的。

| 巴列维出逃 |

1979 年，美国人民的一位老朋友，伊朗国王巴列维出逃埃及。在伊朗爆发了伊斯兰革命，人民推翻了巴列维王朝废除了君主立宪制，并从法国迎回了宗教精神领袖霍梅尼。霍梅尼当年在伊朗伟大到就是神的替身，一下就把中东最强大的世俗国家伊朗变成了政教合一的国家。

那个时候的伊朗跟现在的伊朗不一样，现在的伊朗经过了多年的战争，多年美国封锁、禁运等等之后，已经远远没有巴列维国王时代强大。巴列维国王时代的伊朗，是整个中东地区超强的一个国家。甚至比埃及还要强大。当时伊朗是海湾地区唯一能和以色列平起平坐的强大国家。同时，它又是美国最亲密的盟国之一。

亲密到什么程度呢？美国提供给它的最新式的战机是海军舰载机 F14。此战机比美国空军自己拥有的 F15 还要大还要重，是当时美国最先进的战斗机。F14 携带的不死鸟空对空导弹，是当时全世界唯一射程超过百公里的远程空中导弹。当时 F15 和 F16 所携带的导弹都只是中程空中导弹。所以美国把最先进的空中装备 F14 战机以及不死鸟导弹都卖给了伊朗。美国把自己还没装备的先进导弹驱逐舰卖给了伊朗，但是这四艘军舰已经造好正准备开到伊朗的时候，巴列维国王就倒台逃跑了，美国惧怕霍梅尼的狂热宗教革命，于是那四艘军舰就被美国扣下了。

在 1979 年被扣下的军舰，辗转了三十年之后，仍作为美国最先进的武器卖给了中国台湾。而中国台湾也将其当作本地区最先进的武器接收了。当时 1979 年是准备要卖给伊朗的，现在就成了中国台湾“海军”最强大的武器了。

可见当时美国对伊朗好到什么程度。当时伊朗空军军官全在美国学习飞行，所以本来伊朗的军事力量在中东是最强大的，巴列维倒台之后就被削弱了。因为自从霍梅尼上来后，先是军队遭到了大清洗，革命通常伴随着肃反跟清洗，就把伊朗军队里的那些旧军官、飞行员等都清洗了，换上革命卫队的人，但是打仗不怎么经打。

紧接着就爆发了两伊战争，双方打得简直难看极了。全世界看着两个强大的伊斯兰国家以中世纪的范儿在打仗，两边都有百万大军，但是两边从来没有组织过三个师以上的战役，因为没有能力去组织，因为没有职业军官，打得都很笨。虽然伊拉克拿着苏联最先进的武器，伊朗拿着美国最先进的武器，两边打得就像中世纪的堂吉诃德和风车，就差单挑了。

所以从这天开始，伊朗急转直下，从一个现代化的、很强大的中东国家，一下变成充满了浓烈的宗教气氛的、不是那么自由的一个国家，直到今天。伊朗后来变成了美国最大的敌人，有很多不安定的因素在里面，奥斯卡最佳影片 *Argo*（《逃离德黑兰》），就是讲伊朗革命后怎么绑架美国大使馆的外交官，然后美国怎么营救。

| 艾森豪威尔出任欧洲盟军总司令 |

1944 年的 1 月 16 日，艾森豪威尔将军出任欧洲盟军总司令。

我想讲一个很有意思的事情，就是艾森豪威尔将军是一位德裔，大家听这个名字：艾森豪威尔，这名字一听就是德国人的，而且拼起来很长。他是德裔，但是他统帅盟军，打败了他祖上的祖国——当时的纳粹德国，很有意思。更有意思的事情是一战时开赴欧洲战场的美军总司令叫潘兴将军，也是德裔，是他带领美军打败了一战时的德军，而且他还是位六星上将。

美国只出过两位六星上将，就是华盛顿和潘兴。二战出了好几位五星上将，五星上将相当于元帅，但并不叫元帅，不叫 Marshal，因为二战中一位陆军五星上将的名字就是 Marshal（马歇尔），跟元帅一词一样的读音，所以他要叫马歇尔元帅的话就叫成 Marshal Marshal 了，听起来就很怪，所以就不叫 Marshal，就叫五星上将。另外二战太平洋战区总司令尼米兹海军五星上将，也是德裔。所以德国人能征善战这个本事，传到了世界各地，传到了美国。

美国是一个多民族国家，大家各负其责，德裔到这儿就负责能征善战，华裔到这儿就负责能写会算，犹太人到这儿就负责做买卖，爱尔兰人到这儿就负责当官，黑人到这儿就负责打球，等等。所以美国是个很有意思的国家，就是各民族来融合，各自把自己最大的长处亮出来。德裔擅长打仗，所以美国连续几位总司令都是德裔，打败了自己原来的祖国。

当时艾森豪威尔麾下有一支“救火队”，这支“救火队”更神奇，叫 442 团。这个 442 团全由日裔美国人组成，除了军官是白人，因为当时还是比较歧视日裔的。这个 442 团创下了美国两百年战史上最光荣的战绩。这个团从成立到二战胜利的短短三年多的时间里，打遍欧洲无敌手，曾经获得过一万八千枚勋章，七次总统嘉奖令。美军中总统嘉奖令是最珍贵的，442 团获得七次总统嘉奖令，位列美军两百年战史第一名。

第二名是 101 空降师，大家知道二战美国打德国打得最艰苦的一战叫突出部战役，或者叫阿登森林战役。其间 101 师被包围，德国人让他们投降，师长回复“NUTS！”就是不投降！传为美谈。101 空降师才获得了三次总统嘉奖令。大伙想想，在德裔总司令的指挥下，一支日裔军团打遍欧洲无敌手，创下美军战史上最辉煌的纪录。

我说明两点，美国这个国家是很奇怪的国家，移民对其有强大的认同感，移民第一代去时，还能知道自己的祖国。第二代人就坚定地认为自己就是美国人了。所以说如果你今天去问林书豪，你是美国人，还是中国人？中央电视台记者去问了，他说我当然是美国人，我为什么要代表中国？只要在美国生的这一代人，就会有一种强大的热爱和认同感，更不用说几代之后的移民了。所以才会导致连续几位德裔名将率军打败自己祖上的国家，才会导致虽然德国跟日本是同盟国，但是由这支日裔组成的美军部队，会在与德军的战斗中创下最辉煌的战绩。

艾森豪威尔后来当了总统。有一个特别有意思的事要说一句，那就是在美国，无论是共和党，还是民主党，都没有党员证，不是说你入党，你就是这党的人。大家都是临时找一人说，你代表我们去竞选吧。艾森豪威尔是两党都找，这个党也找他说代表我们竞选吧，那个党也找他说代表我们。当然到最后他选择了共和党，去竞选当了美国总统。因为他在二战中间为美国做了巨大的贡献。

| 周作人生日 |

今天又是民国时代重要的作家周作人的生日。大家比较了解的他和鲁迅的关系我就不多讲了。我只讲两个我觉得有点意思的小事。

那时候大家都说，挣美国钱，娶日本老婆，吃中国饭，雇英国管家，是全世界最幸福的人。这个周作人就是娶了一位日本老婆，但是不幸的是这位日本老婆，完全不像传说中的日本老婆那么贤惠，所以不要听信那些谣言啊。

这个日本老婆折磨了周作人一辈子。鲁迅跟周作人，就是周树人跟周作人分家，也是因为这位太太。这个日本太太实在是太能花钱了。鲁迅收入最高的时候一人兼两个教授，一个教授挣三四百大洋，同时给《晨报副刊》写稿子，最高的时候到了千字一百大洋。《晨报副刊》的主编签字的时候，手都哆嗦。在这样的情况下，都被这位日本弟媳负责持家花得精光。

她折磨周作人一辈子，她去世后，周作人在日记写说我觉得我应该很难过的，可是不知道为什么？我心里突然觉得特轻松。这个折磨了他一辈子的人，终于先他而去了，而且是在他们俩很惨的时候。

新中国成立以后，因为周作人有所谓的“汉奸”的嫌疑，一直不得志。当然了，相比被镇压的，周作人还好啊，国家还是一个月给他两百块钱。两百块钱很高了，当时一个工程师才挣三四十块钱，工人挣十几块钱，两百块钱相当于厅局级，但是相对他们习惯那么富裕生活的人来说，其实是很拮据了。

还有一件事，“七七卢沟桥事变”炮声一响，北平的知识分子立刻就全部逃离北平，包括大家熟悉的梅贻琦校长、梁思成、林徽因、金岳霖、傅斯年等等。所有的知识分子，全部离开北平。大家不能上前线，也要为国尽忠守节，大家说好到长沙集合，结果长沙集合一数人头，所有圈里知识分子都到了，就周作人没到。大家就一起给周作人写了封信，意思就是说，大家都到了，你怎么能留在北京，你怎么能当汉奸呢？我们知识分子铁骨铮铮，林徽因后来甚至还说过我要投江那种话，屈原式那种爱国情怀。但是周作人最后回了一封信说，我老婆是日本人，这我应该怎么算？我又怕老婆。背叛我老婆那个祖国，还是背叛我的这个祖国？

所以这个事是一个伦理的事情，我不做任何评论。什么样才能算汉奸？这个留给大家去思考。

1月17日

《晓松说——历史上的今天》来到了 1 月 17 日。首先要讲的是左联五烈士——1931 年 1 月 17 日被捕，大家在中学课文里学过，鲁迅先生的《为了忘却的记念》，就是纪念这五位。下面要讲的是党中央在历史上做了两次大搬家，很巧的是，日期很接近。接下来要讲的是一个喜事，1929 年的今天，大力水手诞生了，可惜大力水手已经很老了，跟我爷爷差不多。然后再讲讲我年少时候的梦中偶像——山口百惠，今天是她的生日，今天也是我觉得非常欣赏的艺术家——金·凯瑞和坂本龙一的生日。

| 左联五烈士被捕 |

大家中学在课文里都学过左联五烈士，他们在 1931 年 1 月 17 日同时被捕。鲁迅先生的那篇《为了忘却的记念》，就是来纪念这五位烈士的。实际上鲁迅先生并不了解这里面的内情，鲁迅先生完全是以一个文艺界艺术大哥的身份在愤怒地抗议政府杀害作家，实际上，这件事情并没有那么简单。

鲁迅先生是党外人士，他不了解，这五位作为党内重要人士为什么被杀。

实际情况是，当时共产国际派来了一个叫米夫的人，这个米夫大权在握，是共产国际驻中国代表团团长。他来沪之后马上就下令召开中央会议，并且不顾在上海的所有共产党领导人，不顾这些中央委员的反对，坚决要求选举王明跟博古担任领导人。当时在中国的这些领导人，这五位烈士中的两位也在里面。他们愤怒抗议，因为这样做完全违反了党的民主程序。那个时候党内斗争还是很激烈的，所有人就走了。

米夫非常气愤，对当时位于莫斯科的第三国际而言，其他国家的党组织只是它领导下的一个支部，是严格的上下级关系。所以即使是这些国家党组织的领导人也必须听从它的命令，接受它的奖惩，包括最严厉的纪律处分。他当时就开了个会，要把持不同意见的这二十多个人全部开除党籍。当然这二十几个人非常愤怒，为了表达抗议，就自己成立了一个叫中共中央非常委员会的组织。在非常时期，他们要跟共产国际派来的太上皇对着干。这里面有一位就是“中共中央非常委员会”的中央委员柔石，还有一位候补中央委员冯铿。然后左翼作家联盟也分裂了，就包括了胡也频、殷夫、柔石，当然还有一部分作家支持另一个党中央。

他们分裂了以后，我不敢说是王明本人，我也不敢说是他们里面的某个人，但是实际上非常明显的是在党内的斗争中被另一派告密了。所以他们在开会的时候，二十余人全部被租界里的巡捕房抓捕了，关在龙华监狱。一下子有这么多党的领导人被抓进监狱，就相当于党中央的半壁江山被抓起来了。

所以说这五位的被害，实际上并不是因为写了什么文章。当时民国对于写作方面还是比较开放的，骂骂政党、骂骂政府都可以，但是对于当时的共产党，国民党非常恨。五烈士被出卖以后，能营救的情况下不营救，最后他们被关了十多天之后，于 1931 年 2 月 7 日在上海被秘密处决了。

| 党中央两次搬家 |

下面讲讲党中央的两次大搬家，都在这几天，这个很有意思。1933 年 1 月 17 日，原在上海的临时中央决定迁往苏区瑞金。1937 年 1 月 13 日，中共中央从保安进驻延安。这个分别来讲一下啊。

1927 年大革命失败以后，蒋介石叛变了革命，开始清党，后来汪精卫也叛变了革命在武汉清党，党中央就转入地下，但是并没有进到苏区去，因为当时苏区还很弱小。共产党人在各地暴动啊起义啊，南昌起义、秋收起义等，但是哪儿都没有做成很大的根据地。再加上党中央当时的知识分子在上海比较聚集，并且非常地依赖共产国际，需要跟共产国际有全面的联系，包括经济上的联系和人员上的联系，在上海比较方便，所以党中央一直在上海坚持了好几年。

但是为什么坚持不下去了呢？有这么几个原因：一个是因为，确实白区白色恐怖非常严重，党中央在上海出了几个大叛徒，多次遭到严重的破坏。大叛徒顾顺章的叛变导致一次党中央大规模被破坏，再比如总书记向忠发叛变等，导致党中央不停地转移。然后是在上海开销也很大，咱们也叫“三公浪费”吧，那时候党中央在上海，上海是远东巴黎，物价高昂，当时我们党中央的收入又不高，除了共产国际补贴一部分，每月大概两万大洋，入不敷出，经济非常紧张。中间曾经让两个小规模的苏区给党中央送金条，一是彭湃的海陆丰根据地，二是毛主席的井冈山根据地。但那也不是长久之计，从井冈山根据地送的金条，由于路上封锁非常残酷，以及一些革命同志的意志不够坚定，揣着金条经常走着走着回家娶媳妇去了，导致这些金条经常送不到上海。再加上上海党中央后来大量启用莫斯科回来的一些海归。这些青年海归在历史上被总结成“二十八个半布尔什维克”，以王明为首的，包括博古、张闻天、王稼祥等大批从苏联留学回来的留学生。海归当然也没有什么不好，海归其实应该从一点点创业开始，但是如果仅仅二十几岁的学生留了学回来，就开始成为党的最高领导，这就是个大问题。当时政策激进，时而右倾，时而“左”倾，因为他们经验都不足。很多时候纸上谈兵，指挥中国的革命，导致受到很大的挫折。总书记先后被捕、叛变等，出现了很多问题。所以到了 1933 年 1 月的时候，党中央在上海，实在是坚持不下去了。

但这个时候，以毛主席为首的江西苏区获得了巨大的发展，尤其是在 1929 年蒋桂战争、1930 年中原大战等军阀混战时期。这些军阀全力以赴地在打内战，无暇剿共，毛主席趁机领导江西苏区获得了极大的发展，已经有了像瑞金这样的县城，已经有了很大一块地方，有了自己的政府，有了税收，有了很严密的政府构架。所以最后党中央决定，从上海搬进苏区。

毛泽东同志当时在苏区已经是党的最高领导人，因为党的中央都在上海，突然间从上海来了党中央，然后来了一大群比毛泽东同志地位还高的党的高级领导人，其实是一大帮年轻海归。但是他们跃跃欲试，到了苏区把毛泽东已经形成的一套完整的东西夺来，然后毛泽东被架空了。党政军都被上海来的海归把持，毛泽东后来回忆有一句话说：当时来鬼都不上门。就是大家都去搞那些激进政策，导致苏区后来在反围剿战斗中慢慢越来越艰苦，后来导致了失败，才导致了长征。但到最后遵义会议，大家都明白了，才重新确立了毛泽东在党内的领导。但是革命永远不是请客吃饭，历史也不是几笔就写完。每一次革命，尤其是大规模的改天换地的革命，都会经历很多反复，起起伏伏。所以这是一次重要的党中央搬家，以后慢慢走上了正轨。

第二次搬家是毛主席已经确立是党的核心以后，1937 年 1 月 13 日，大家想一想这个日子，1936 年就是不到一个月以前的 12 月 12 日，爆发了“西安事变”。“西安事变”实际上达成了三军联防，就是由杨虎城的陕军（我个人一直不喜欢把杨虎城的那支军队叫西北军，西北军是有严格界定的，是以冯玉祥为首的国民军序列，西北军的主力是十三太保。杨虎城这支部队即使叫西北军，也是西北军中的杂牌，应该叫他陕军，不是真正的西北军）、张学良的强大东北军，以及红军，当时达成了三军联防的协议，共同改造国家，共同抗日。这个时候呢，张学良把东北军占领的延安让给了红军，延安当然在陕北算是最富庶的地方。所以党中央从搬进了日后成为革命圣地的延安，之后多年都在延安。在延安，我党从一支弱小的军队，从一派虽然坚强但并不强大的政治势力，最终成为中国历史上、中国政治舞台上举足轻重的、最终改造了国家的党派，缔造了新中国。第二次搬家当时是为了团结抗日，由张学良的东北军把延安让给了红军。实际上，“三军联防”协议没有实现，因为国民党内部也不团结，中央军内部也不团结，还有人想蒋死，所以“西安事变”之后，中央军在何应钦的指挥下开进潼关，准备武力解决。这个时候，我党的政策是坚决停止内战、一致抗日。当张学良护送蒋介石回南京被扣留了以后，东北军尤其是东北军少壮派的军官坚决要求打，因为他们是所谓的家族军队，忠于张个人。于是我党坚定地退出了“三军联防”，红军退回了陕北，导致东北军没有了侧翼。加上东北军爆发了内讧，少壮派军官刺杀了由张学良留在东北的统帅王以哲。王是一个很老成持重的老将，他坚持听张学良的，就是不打，于是被少壮派军官刺杀了。刺杀了以后，东北军群龙无首，加上这时红军的撤出，最终东北军和中央军达成了改编的协议，在整个西北的东北军都接受改编，从那儿之后才达成了全国一致、共同抗战的事实。

这就是党中央的两次搬家，也是我觉得党的历史上最重要的两次搬家，当然最后一次搬家，搬到了北京，这个事就不用讲了，大家在《开国大典》中都看到了，这两次搬家是在我党的革命的历程中重要的转折点。

| 大力水手、山口百惠、金・凯瑞、坂本龙一等生日 |

1929 年 1 月 17 日，深受全世界儿童喜爱的大力水手诞生了。然后是我年少时候的梦中偶像山口百惠，以及几位我非常欣赏的艺术家坂本龙一、金・凯瑞的生日。

大力水手年纪很大了啊，算下来已经有八十多岁了，很老了，但是依然那么健壮，而且依然爱着奥利弗，是伟大的爱情长跑。当时大力水手受欢迎到什么程度？就是菠菜都脱销了。因为他一吃菠菜就肌肉发达，大家都狂吃菠菜。这说明娱乐还是很能深入人心的，尤其在美国这样的国家。大力水手其实应该是女性特别喜欢的好男人，又有力量，又有肌肉，又肯为你拼命，感觉就很可靠的那么一个男人。而且他老婆长得还不是很好看，但是他一直爱着奥利弗，爱了 70 年。他们从 1929 年开始谈恋爱，就从这一天开始，一直谈到 1999 年，两个人终于结婚了。谈了 70 年的恋爱，是一场非常感人的爱情。祝大力水手生日快乐，早生贵子。

1959 年 1 月 17 日，山口百惠诞生了。她是我们整个那个时代最爱的偶像。我说的主要是男生啊，当然女生也爱。山口百惠虽然实际年龄比我大 10 岁，但是在我心里她永远都是那么年轻，我不管变得多老，她永远都是那个样子，19 岁那个样子。

我一说到山口百惠，就找不到词了。我找不出任何一个词来形容她，说她清丽脱俗，还是说她温暖像夕阳一样，我形容不出来她的样子。但是我们那一代人心里都知道，每个人都用自己的方式来形容她，因为她的眼睛，她楚楚动人的样子，是每一个少年心里最纯净的幻想。我应该这样讲，其实每一个少年心里还存在一点色情的幻想，但是跟山口百惠毫无关系。每个少年想起色情的幻想，都不会幻想到山口百惠，山口百惠是每一个人心里那种最纯美、最令人疼爱的好姑娘。即使每一个人都对日本鬼子深恶痛绝，然而山口百惠一来就一下子征服了中国所有的少年。

电视演《血疑》的时候，每一个城市都万人争睹。《血疑》被爱到什么程度？每一个孩子看的时候都会模仿剧情开始问自己的爸妈说，我到底是不是你们亲生的？当然金庸里也写过这个问题，段誉永远爱着自己的妹妹。山口百惠的电视剧《血疑》当时风靡了整个中国，之前她的电影《绝唱》已经上映。在《绝唱》的情节中，她后来去世了，三浦友和跟一个去世的她结婚了。她其实演一个已经去世的人，坐在那里，躺在那里，都让人魂牵梦萦。

山口百惠风靡了整个东亚（包括日本、韩国以及中国的内地与港台）。而且她最好的一个地方，就是她那个年代的文艺圈，是非常非常干净而美好的，女演员们也没有嫁入豪门。不像今天，这个嫁入了豪门，那个又如何如何，感觉是那么势利。他们金童玉女就是相爱了，她一直跟三浦友和演戏，三浦友和又长得非常帅，因此全亚洲人民都热烈地希望他们永远在一起。他们真的是相爱了，而且在一起，一直到现在。

山口百惠没有任何绯闻，而且她一旦嫁人，便遵从日本妇女的传统，放弃了她如日中天的事业，一心相夫教子，当时她才二十几岁。她其实是一个很淡泊名利的人。换句话说，我们看她的每部电影，我们那么爱她，而且她也用时间向我们证明了，她如果不是那么一个淡泊名利的人，便不会有那样人生的经历。我应该说在她退出影坛之后，这么多年过去了，再也没有看见哪一个女生，像山口百惠一样，如春风一般清新脱俗。我突然想到一句可以形容她的歌词，就是“春风再美也比不上你的笑，没见过你的人不会明了”。非常希望她跟三浦友和能幸福地过一生，希望她一生平静而美好，生日快乐，百惠。

金・凯瑞兄弟生日快乐，你给我们带来了无数的欢乐。金・凯瑞代表了美国一种类型的喜剧，叫作动作喜剧。美国喜剧分了很多种，动作喜剧就是靠动作，靠那种很有意思的杂耍，就是金・凯瑞这样的。还有一种喜剧就是说话，比如说像伍迪·艾伦的喜剧。金·凯瑞全是动作喜剧，中国以前都是说话的喜剧，有点像伍迪·艾伦的那种喜剧，但是说话又说不了脏话。2012年的11月份，中国的动作喜剧来了，很像很像金·凯瑞那种套路的动作喜剧，靠动作，靠那种激烈些的东西、说话不是很多很多的喜剧，叫《泰囧》，在中国拿下了12亿人民币票房了。所以金·凯瑞兄弟你放心吧，你的那种喜剧类型在中国已经有了，12亿元票房。我们每一个电影从业人员都想撞死在墙上，但是会努力的啊，金·凯瑞生日快乐。

还有李玟，暴露一下李玟的生日啊，1975年的，李玟美眉生日快乐，祝你幸福。

国立哥，1955年1月17日生日，看过你演的《1942》，非常好看。影片中这些演员，有四川人，有湖北人，居然能把河南话说得这么好。好演员，就是敬业，演什么电影像什么。非常佩服国立哥，生日快乐。

今天还有我崇敬的日本音乐大师坂本龙一出生，当然坂本龙一也说不清是日本的还是美国的，因为他多年在美国发展。

坂本龙一有一次来北京演出，演出商送我们票。我跟郑钧俩人说，不行，为了表达对坂本龙一大师的尊敬，我们不能用送的票。我们俩自己到门口，花了几百块钱，买了一张票进去看了。坂本龙一的音乐会使我深受启发，那就是日本人对艺术的很多感觉是非常有意思的。不是东洋的，也不是很西洋，他有自己独特的一套东西，虽然他弹的都是西洋乐器。

坂本龙一的乐队都是外国人，除了他自己以外，跑到钢琴后面弹那里面的琴弦，我们就在那儿看傻了。坂本龙一不管是做电影音乐，还是做自己的实验音乐，我都觉得在亚洲音乐家里是首屈一指的。我非常崇敬这位音乐大师。1952年生人，祝坂本龙一老师生日快乐。

| 美国颁布《禁酒令》 |

美国在同一天，即1920年的这一天颁布了《禁酒令》，并正式写入了宪法修正案，变成了根本大法。喝酒这件事儿能写入宪法也挺有意思，美国人你问他历史他不知道，问美墨战争他不知道，但一提禁酒令大家都知道。为什么大家都知道禁酒令呢？我觉得禁酒令给后代最大的影响和作用之一就是促进了好莱坞电影的黑帮题材，好莱坞没事儿就拍黑帮片，包括我最喜欢的美国电影之一《美国往事》，也是禁酒令时期的黑帮题材。

我为什么觉得这件事情有意思，因为我觉得这对于美国这样的民主国家来说，是个分水岭——对于民主国家的探索。什么是民主？是不是符合多数人要求的就是民主？是不是多数人的决定就能强加在少数人的头上？民主是不是最后要变成多数人的暴政？多数人的决定是不是最终就可以剥夺少数人的权利？当然，这个探索付出了惨痛的社会代价。

我稍微讲一下为什么当时形成了多数人的暴政，根本原因是当时女性获得了投票权。在民主国家，谁的票数多，政治家就要巴结谁，为了迎合女性投票者，才颁布了《禁酒令》。因为女性都讨厌丈夫喝酒，因为喝酒会花家里很多钱，再有酒后可能会惹很多麻烦，甚至家暴等，所以女性都讨厌丈夫喝酒。为了得到女性投票者的支持，当时将禁酒令列入了国家宪法。从 1920 年 1 月 17 日 0 时，美国宪法第 18 号修正案——禁酒法案（又称“伏尔斯泰得法案”）正式生效。

这天的前一天，全美国喝酒的人们狂欢，因为这天之后所有关于酒的制造、贩运都违法，连聚众喝酒都违法，你要想喝酒只能自己在家喝，连请朋友一起喝都违法。但是你又没地方去弄酒，因为不能制造不能运输，你去哪里弄酒？这一天，美国的一位参议员说了这样一句话：“这一天是美国还存在个人自由的最后一天。”第二天，多数人的暴政就开始实行了。其实喝酒本身不应该算犯法，虽然它可能导致一些不理性的犯法的行为，就像持枪一样，持枪本身并不犯法，但是有一些持枪的人犯了法。

禁酒令下来后所引发的最大的问题就是黑社会势力急剧膨胀。因为当你禁止大量人的正常需求时，就会有暴利产生，而有了暴利就会有黑社会。只要一有了钱，有了暴利的产生，接下来就是贪腐，这个是一脉相承的事情。所以当时警察也加入了，政府也加入了，开始一起贩卖私酒，保护黑社会，等等。当这一系列现象发生后，美国人开始反思，明白原来不是多数人的观点、多数人决定的事情就是对的。少数人的权益和愿望如果不被保护的话，这个国家就不民主，而是多数人的暴政。民主社会更重要的前提叫平等。

所以，在禁酒令实行了十年后，当美国总统罗斯福当选时，他的口号就是“废除禁酒令”。1933 年废除了禁酒令，这是在美国历史上很少出现的一幕，即废除了某条宪法，宪法在美国几乎是不会随便改动的。因为开放了酒禁，当时的黑社会便迅速衰落了，因为没有利益了，谁都可以买酒，从中没有了暴利。没有暴利就没人愿意铤而走险，同样贪腐现象也随之减少。

禁酒令的兴废给美国人民上了生动的一课，什么是自由平等？就是自由在先，尊重每个人的自由，而不是多数人剥夺少数人自由的暴政。虽然最近美国又出现了严重的枪击惨案，二十多个孩子无辜地被打死，但美国人民还是不会禁枪。因为他们从禁酒令的教训里得到了认识，禁枪只会催生更多的暴利、黑社会以及接下来的贪腐，而不是让暴力事件消失。但从美国人民手里收缴枪支是不可能做到的。因为持有枪支是有宪法保护的，也是民族传统、民族文化以及个人应有的权利。美国人民在禁酒令的后期，妇女都主张废除禁酒令。

今天其实大量的美国人并不喜欢枪，但是今天谈到这个禁枪的问题的时候，四分之三的美国人都反对禁枪。因为大量的美国人说虽然我不喜欢枪，但是持有枪支是我的权利。我的权利不能被你因为各种原因而剥夺掉。今天剥夺我持枪的权利，明天就能剥夺我戴眼镜的权利，后天就能剥夺同性恋的权利。一旦开了这个先例，授予政府剥夺我一项权利的先例，带来的伤害就会大大超过那些不常出现的一些枪击惨案的伤害，这叫两害相权取其轻。

美国人民经过禁酒令，到今天已经非常成熟了。当两害相权的时候，大家还是选择权利是第一位，伤害是第二位。当然还有很多的法律、很多的办法来维持这些权利，这就是今天主要讲到的禁酒令的问题。

1月18日

《晓松说——历史上的今天》来到了 1 月 18 日。今天讲两个历史上有意思的事情：一个是 1902 年的 1 月 18 日，高高在上的慈禧太后，代表了高高在上的中国皇权，终于撤下了她垂帘听政的帘子，第一次平等地接见了外国使节，这意味着中国终于平等地加入了世界；第二个是在 1871 年的这一天，普鲁士国王威廉一世在法国巴黎正式登基，成为皇帝，建立了强大的德意志帝国。

| 普鲁士国王登基建立德意志帝国 |

普鲁士是一个非常有意思的国家。这个国家的人生下来就会打仗，几乎德国所有的名将都是普鲁士人。普鲁士有职业军人传统，而且尊重军人到了特别光荣的程度。一战二战时的大部分名将都叫冯什么什么的，冯姓就是普鲁士的军事贵族。

大家看到大批的普鲁士名将从 19 世纪开始打遍天下无敌手。20 世纪以后，德国两次挑战全世界。拿破仑说过一句话，说这普鲁士人，是炮弹孵出来的。

德国长期以来一直分裂成二三百个小国。南面一个比较大的就是奥地利，在这边弄个哈布斯堡王朝，也想统一德国，当然最终被北边的普鲁士统一了。就是因为普鲁士的善战。他们不但有了威廉国王，而且有了大家都知道的铁血宰相俾斯麦。俾斯麦辅佐着威廉国王，合纵连横，东征西讨，最终在法国巴黎凡尔赛宫，登基成为德意志帝国皇帝。

大家学过两篇著名的小说，都是都德写的，都写的是这件事。一个叫《最后一课》，讲普法战争结束以后，由于阿尔萨斯与洛林割让给了德国，于是他最后用法语讲法兰西万岁。都德还有一个小说，叫《柏林之围》。讲一个法国的上校躺在床上，他家里的人就不停地给他伪造报纸，说我们法军节节胜利，包围着柏林，他特别高兴。终于有一天，他听见阅兵的声音，就穿上自己的军服，挂上勋章站在阳台上。突然他看见穿过凯旋门过来的，不是凯旋的法国军队，而是普鲁士军队，头上戴着尖的钢盔，穿过凯旋门阅兵而来，于是大喊一声敌人来了快拿武器，然后死去，讲的也是这件事。

普鲁士当时是远没有法国强大的，结果横扫当时欧洲最强大的法国，不但全歼了法军，而且把好几十万法军全给俘虏了，立下了赫赫战功。终于没有由奥地利统一德国，而是由普鲁士统一了德意志帝国，形成了当时世界上最强大的军事帝国。因为普鲁士本身就是一个非常军国主义的、以军事立国的国家。

德意志帝国成立以后，迅速就成了世界的一个大威胁，因为它又强大，手握大杀器，然后四周又都弱小，除了英国在远处。德国一战时海军都能跟英国媲美，陆军就更是世界无双，一战、二战都是最强的陆军。

最后我想说的是，一统德国的这个普鲁士，现在在哪儿呢？历史开了个大玩笑，整个德意志帝国的统一者，换句话说应该叫德意志帝国的发源地，曾经的普鲁士，不在德国现在的版图。大家如果看世界地图的话，它在波兰的西北以及北边的俄国的一块飞地。大家看这个世界地图觉得很怪啊，这俄国是分俩，一个这么大一俄国，全世界最大的，然后中间隔了乌克兰、白俄罗斯、立陶宛、拉脱维亚、爱沙尼亚，然后这儿冒出一块小俄罗斯。大家如果仔细一看，这个也叫俄罗斯，颜色跟那大的一样。这个地方叫加里宁格勒，这个地方就是当年普鲁士的首府——哥尼斯堡所在地。

怎么成了这样的呢？二战开始的时候，苏德同时瓜分了波兰，二战后苏联就把波兰布格河以东的这一块土地，差不多占波兰快一半的面积，自己留着了。波兰一下子变成一个小瘦国。然后怎么办呢？就把德国的一大块土地，其中包括德国重要的东部工业区，德国维斯瓦河以东的一块，这块土地就是当年的普鲁士，割让给了波兰，补足了波兰，所以波兰还是这么胖，但是在地图上向西平移了一下。然后呢，北边的普鲁士首府哥尼斯堡直接给了苏联，因为当时苏联吞并了爱沙尼亚、立陶宛、拉脱维亚三个国家，所以它跟苏联就连上了。苏联需要更多的沿着波罗的海的土地，于是普鲁士就不存在了，也改名了。大家知道，叫什么什么堡就是德国的地方，叫什么什么格勒就是俄国的地方，所以哥尼斯堡改叫了加里宁格勒。

苏联解体以后，就中间这三个小国独立了，后来白俄罗斯也独立了，于是就把这块地方隔开了，这块地方没法独立。这块地方自古以来就是普鲁士的。当然这块地方是非常敏感的，德国从来不提，德国接受战争的结果，接受历史的排挤，接受民族的惩罚，所以就不谈这件事，谁让你曾经被人欺负过呢，谁让你曾经被人打过呢，那就认了，所以这块土地就成了非常奇怪的一块俄罗斯飞地。再加上波兰的一块土地，就是当时伟大的普鲁士。普鲁士人民承受了巨大的灾难，因为这块土地割让给苏联以后，把生活在土地上的普鲁士人全部赶出家园，让他们长途迁徙，没吃没喝。普鲁士人当时搬到德国，在路上一根美国骆驼牌香烟就能换一天粮食，两根烟就能娶走一姑娘，三根烟就能把一幅名画买走，因为当时德国已经崩溃了，就拿美国烟去买粮食。普鲁士人被赶出了家园，回到了德国的那些土地上，再去重新找地方扎根、生存。所以当年曾经伟大的普鲁士，拿破仑说的这个炮弹孵出来的普鲁士，现在等于就没有了。历史就是这样的荒唐。

| 慈禧第一次撤帘、公开接见外国使节 |

好，下面讲 1902 年 1 月 18 日，慈禧太后第一次撤帘露面，公开接见各国驻华使节。1900 年，慈禧太后还疯了似的跟十一国宣战，收了一群义和团跳大神的各种邪教骗子，以为大家都刀枪不入呢。然后她就被八国联军打跑了，逃跑的路上还吃着窝头。跑回来以后，她开始量中华之物力，结与国之欢心，赔偿了四万万五千万两白银，把曾经是世界上最富的中国给彻底掏空了。从甲午那时候赔了两亿三千万开始，现在又赔了这么多，惨痛的教训让慈禧太后终于认识到，再也不能像她老公一样。

她老公咸丰，当时就是死也不见这些使节，就是因为人家不跪。老是觉得自己是天朝上国，来进贡的得跪，得三拜九叩，但人家来了平等的使节，使节是怎么见国主都有礼数。他祖爷爷乾隆倒是见过，当时英国伯爵马嘎尔尼坚决不跪，说我最多单膝跪，我们在英国单膝跪已经是大礼了，中国礼部说你必须三拜九叩，结果见不着乾隆。怎么办呢？后来礼部从各种规章里发现说，北狩路上是可以单膝跪的，于是就跟英国使节说，你就等在去北狩的路上。乾隆北狩时发现有一个英国使臣，因为这是在路边上嘛，不能让人磕头，于是单膝下跪了，这是符合礼节的。乾隆还抱起了一个英国小孩，跟人聊了会儿，小孩会说中国话。

但是到了咸丰这个不肖的重孙这儿，连这点勇气也没有，咸丰就是打死都不见外国使节，甚至可以出让各种利益，四十多年之后慈禧放弃了她老公当时愚蠢的、闭关的、自大的、引来了无数灾祸的政策，终于把帘子都撩开了，跟世界各国以平等关系接见使节，大家就鞠躬。终于中国第一次和人平等地在一起，所以这一天是很值得纪念的啊。大家也第一次看见慈禧长什么样。

| 北野武、郭德纲、周杰伦生日 |

今天有一些人出生，首先是北野武。所有热爱艺术电影的人都很崇拜的大导演，不但文艺电影搞得很好，而且还亲手提携了一系列中国艺术片导演，包括贾樟柯导演，获得了很多大奖。

北野武导演对中国电影起了很大的作用，他演戏也很好，在崔洋一导演的《血与骨》里甚至演活了朝鲜人。是一位值得崇敬的艺术家。

另外两位，今天都是生日，周杰伦、郭德纲。他们两个几乎同龄啊，看起来不太像同龄，其实差不多大。周杰伦比郭德纲小一点点，都是70后。看起来确实不一样，周杰伦看起来才20多岁的样子，郭德纲看起来这个……那劲儿比我可能还老点。但是这两位我都很喜欢，因为这两位都是开创了他们所在的事业里面的重要的流派，以及向前迈了一大步。

周杰伦开创了一种不照搬西方的饶舌音乐和Hip-pop，而且完全融进了一种他自己的风格，非常有意思。我记过周杰伦歌的谱子，非常复杂，所以周杰伦的歌，你去卡拉OK唱，你只要稍微一唱不对，就变成特别傻的那种，那种傻节奏。他其实就在后十六拍上抢一点，抢一点，就变成周杰伦式的那种，特别好的节奏感。他的搭档方文山，两个人一起开创了华语音乐一个巨大的天地。所以我觉得不好好听歌的那些人，说周杰伦的歌怎么怎么不好听，我觉得他们应该是没有认真地听周杰伦的歌。音乐不是朗诵，它包括了节奏、旋律，周杰伦、方文山在华语音乐的技术上，已经到了非常非常高的地步，非常难模仿。慢歌是他用来流行用的，好听，但是快歌是非常复杂的技术，《双截棍》和《娘子》，都是我自己第一次听到的风格，都傻了。我说，还可以这样啊，哇。

德纲就不用说了，他对中国相声做出了巨大贡献。看着真不像，但是他真有深厚的文化底蕴。他的历史底子非常好，出口成章，大家通过微博都可以看到。他以元曲格式写出来的微博都非常有意思。这两位大才子，杰伦、德纲，生日快乐。

1月19日

《晓松说——历史上的今天》来到了 1 月 19 日，今天先跟大家聊一个伤感的事情，2012 年的今天，伟大的柯达公司，正式向美国政府申请破产保护。很多很多很多年前，1431 年的这一天，郑和最后一次下西洋。1929 年的这一天，中国近代史的一代巨匠，也是我母校清华大学当年的四大导师之一梁启超先生去世。

| 柯达公司申请破产 |

去年的奥斯卡奖，我去了现场，红地毯上走了一圈。让我很伤感的就是，那么多年以来在那儿颁奖的、美丽的柯达剧院改名了，叫好莱坞高地中心 Hollywood and Highland Center。因为那个剧院就在两条街的交叉口，一条街叫作好莱坞大道，一条叫作高地街 Highland Street，所以它就叫两条街的名字，实际上就是一坐标。

好惨啊柯达，当时我心里很难过。这一百年来电影胶片当然柯达是最好的，不光是电影，每一个人、千家万户的相机里的柯达胶片，每一个镜框里的、桌子玻璃板下面压的、相册里的相片，实际上是记录了人类一百年的悲欢离合，记录了人类所有的光荣与梦想，记录人类所有的伤感。伟大的柯达胶片就这么破产了。因为它破产了以后没有钱再去冠名这个剧院，这个剧院从此就改名叫好莱坞高地中心。

柯达胶片实际上是横跨两个艺术。大家知道艺术里，建筑、雕塑、绘画，这个叫空间艺术，凝固在万分之一秒中。然后音乐、舞蹈、诗，包括电影，这叫时间艺术，靠时间的流逝、靠节奏展示艺术。柯达胶片同时做了两件事。因为它的摄影作品，实际上就是空间艺术，它是凝固万分之一秒瞬间的。它相当于建筑雕塑绘画类艺术，但是电影作品又是时间艺术，因为它是靠时间的流逝，靠节奏，所以柯达胶片同时支持了时间和空间两种艺术形式，人类一百年最伟大的艺术。

而且由于它是那么逼近人生，是那么看得清楚人，它实际上在所有的艺术门类里，是最低门槛。它不像音乐要从小练啊，舞蹈从小劈叉，画画从小素描，写诗也从小练。它是每个人拿起机器，拿起镜头，都可以看这个世界。所以我觉得柯达胶片是那么伟大的一家公司，也代表了曾经最辉煌的美国。

美国的大公司越来越少，尤其传统的大公司，一个一个倒掉，先是钢铁企业倒掉了，然后是造船企业倒下了，最后连柯达这样的公司，居然也能倒闭。整个数码照相行业，全部被日本抢了阵地。你虽然在前面历史上起步早，世界上无数最伟大的发明是你的，电灯泡是你发明的，电视机也是你发明的，但是大家看看电灯泡是什么牌子的？电视机是什么牌子的？还有美国的牌子吗？最终今天拿起相机，拿起摄像机，包括现在正在拍我的，都是日本的。日本作为后起之秀追赶，在科技面前稍微一个踉跄，马上就会被撂倒，后面紧接随之而来都是佳能也好、尼康也好、索尼也好，等等。可笑的是数码摄影摄像，还是柯达发明的。

柯达自己发明的东西，埋葬了自己。就是因为美国过去大型的资本垄断企业，都有一种延迟使用新技术的欲望，就包括你到美国去看，美国用 DVD 比中国晚了十多年。他们垄断了市场以后，就不想用新技术。他们想继续垄断整个市场，想慢慢来。但是你一慢慢来就像苹果一样，苹果可能已经研究到 Apple12 了，但是它就不给你一次弄进去，一定要慢慢地 5 啊、5S 啊、6 啊，但是三星不管你了，三星各种新技术都一起弄，苹果也有点晕。

美国当然是在最前沿的，因为它军事技术最发达，军事技术直接导致了民用技术走在最前沿。但是在商用化的过程中，要不要把最好的技术都拿出来给消费者分享，还是你以垄断者的那种态度，藏着掖着新技术，就愿意用这个古老的东西，把这个钱挣够了再来？这一系列的失误导致了美国这些庞然大物一个一个倒下。

今天，美国又转向互联网，至少到现在谷歌是美国的，日本还没有做到在这方面的追赶。但是在科技领域，实际就是一天的差距，不像过去搞工业的时候。在新科技的领域，一天就撂倒你，所以柯达是一个惨重的教训，也是我们心里永远的痛。因为我是一个老派的人，我非常喜欢拍电影的时候听到胶片在转动，不光是我，每一个导演都是。每个导演最后一次用柯达的胶片拍电影，都怀着这种神圣的态度。因为每个人都知道，大家都怀着这种情感，这是我的饭碗，你养活了我，你记录了我所有的情怀。大家都怀着崇敬的心情告别这个转动的胶片。胶片转动是有声音的，那个声音非常好听。

我们唱片公司后来改成音乐公司，我说为什么要改，他们说唱片没有人听，没人会唱，没有人买唱片。我怀着特别难过的心情，看到柯达胶片没了，看到唱片公司改名叫音乐公司，我一直觉得唱片公司改名叫音乐公司，变得单调，不是一个庄严的、光荣的、神圣的艺术。但是没办法，在科技面前，每一个人不管你是多老派的艺术家，都要与时俱进。

| 郑和最后一次下西洋 |

1431 年的这一天，距郑和最辉煌的归来已经过去了十年。1421 年，明朝迁都北京。那一年郑和从海外带回了无数个国王，无数的奇珍异宝，无数的动物，长颈鹿、狮子等等。仅仅过去了十年，1431 年的这一天，郑和率领了一支小舰队，远远不如前六次下西洋的规模。而他自己的身体也远远不如当年那样强壮，但是他依然义无反顾地下了西洋。这次去了之后郑和就再也没有回来。

关于郑和的历史有很多很多的说法，因为大家都没有发现他的尸体在哪里。

每个郑和的墓包括传流下的三宝冢、三宝太监冢等等都是衣冠冢，最多的只有一颗牙。所以郑和到底是怎么逝世的，让大家每个人来判断。

我个人认为，郑和能消耗整个大明王朝四分之一国库，有这么强大的财富支持，跟最信任他的朱棣之间的契约是最重要的。朱棣当然第一希望找到建文帝，因为朱棣是篡位的。一个篡位的皇帝永远在想真皇帝你到底死没死啊，或者抓回来时手里还拿着玉玺吗？全国找不到以后，派郑和下西洋去找，能找到建文帝最好，找不到建文帝也要万国来朝。万国来朝也增加我的合法性。所以郑和就带着这个表面上的任务去了，但实际情况还有一个，我自己判断，是他自己的伟大理想。

郑和原名叫马三保，是个穆斯林，他是色目人，父亲跟爷爷都去过麦加。因为穆斯林去过麦加的人，人名中间会加一个词，表明他去过麦加。郑和是因为跟着朱棣立了功，所以赐姓“郑”，而原来他姓马。大家知道姓马就是穆罕默德，是一个标准的穆斯林姓，到了中原就改姓马。郑和有两米高，非常想去寻找心中的麦加。而且郑和是一个非常执着的人，虽然他是太监，没有正常男人的这个东西，但是我觉得他比正常男人都要执着，他那么多次下西洋，去找麦加。

到第六次回来的时候，他信任的也最信任他的皇帝永乐大帝去世了。满朝文武都向新皇帝进言说，不能再搞这种面子工程了。这种工程消耗国库四分之一，花那么多钱就为了弄几只长颈鹿、狮子？这不行，于是大家就拼命地对新皇帝说不要再干这种事了，兵部官员甚至烧掉了郑和最最珍贵的所有航海记录。当时郑和的航海记录是全世界最先进的，描绘了整个下西洋的情况。郑和的船队还穿过赤道，到过南半球，看到过南十字星。所以他的导航设备、他的航海日志都是最珍贵的，被兵部官员一把火烧掉了。他也是出于爱国忠君，就不想让皇帝被这些东西吸引住，而是去好好治国。这些面子工程都先缓一缓，先让百姓把日子过好。

郑和就坚定不移地给皇帝写信，写了很多年。大家想想，从 1421 年到 1431 年已经快十年了，他写了很多年信。直到每年来朝拜的这些国家，从原来可能几十个上百个，最后变成只有两个了。于是郑和就不停地跟皇帝说，我天朝上国的威望得有，不能说就剩两个国家来朝拜。所以最后皇帝说那好吧，你还去吧，你去出海一次吧，但是他的预算、他的规模已经很小很小了。

郑和最后一次到了印度，在孟买南部的一个地方，下了船拔下自己的牙交给了王景弘。王景弘也是一个色目人，实际郑和舰队主力的指挥官全都是色目人，因为汉人一般不去航海。所以郑和舰队的主要指挥官都是阿拉伯人或者波斯人，都是色目人，他们是从第一次就开始跟着郑和。

当时朱棣非常聪明，早于美国很多很多年就想办法三权分立。郑和手里拿着空白圣旨，因为当时不知道外国有多少个国家，这个国家叫什么，这个国王叫什么，但是他去了之后，得封这个国王，封你为某某国的国王，就写在这个圣旨上。所以郑和有空白圣旨，这是很可怕的。而王景弘拿舰队令旗，就是舰队只听王景弘的命令，不听郑和的。然后御史拿着尚方宝剑，就是代表皇帝看着这两个。

因为当时郑和船上带大量的财富，无数的钱。不然郑和舰队发明的麻将里，怎么会有一万、两万、三万等那么多钱的牌名呢？就因为他船上带了很多钱。麻将又分一饼、二饼，因为郑和舰队是木船，不能生火，所以还带了很多饼当军粮。出海的时候。没事干他们就钓鱼，所以一条、二条。一出海就等东西南北风，所以有东西南北风。麻将这么一个伟大的东西，就是郑和舰队在海上实在太无聊才发明的。

那么在有钱的情况下，你又是色目人，你万一独立了，回到了你的祖国，不回来了怎么办？所以要实行三权分立，让郑和拿空白圣旨，王景弘拿舰队令旗，御史拿尚方宝剑，三个人互相看着才行。

王景弘追随了郑和一辈子几十年，最后在印度郑和拔下自己的牙给王景弘说，回去跟皇帝说我已经死了，所以王景弘带着郑和的牙回来了。因此在正经的郑和墓里就只有他的一颗牙。郑和本人去干吗了？没有历史记载。

我敬佩郑和这种为了信仰可以奋斗一生的人，我猜他一定从那里出发，一路朝着麦加城走去。这是一次走到麦加的遥远路程，比唐僧西天取经，从中国长安走到印度，还要艰难。但是我猜信仰能冲破千山万水，我特别特别希望郑和垂垂老朽，六十多岁、七十岁的郑和最后走到了麦加，摸到了他心中神圣的石柱，实现了一个穆斯林一生的信仰。

这就是郑和第七次下西洋。大家说我意淫也好，还是我的美好愿望也好，反正这就是郑和最后一次下西洋了，他再也没有回来。希望他当时找到了心中的圣地。

| 梁启超去世 |

1929 年 1 月 19 日，中国近代巨匠、思想家、政治家、作家——梁启超先生去世了。梁启超先生去世的时候，年纪并不是很大。为什么去世呢？是因为协和医院的一个医疗事故。协和医院的医生把他照透视的片子看反了，梁先生是肾出了问题，要割掉一个肾，割掉一个肾对于一个正常人来说，没有问题的，但是那个医生拿片子的时候拿反了一看，就开始动手术了，把梁先生那个好的肾割掉了，只剩了一个坏的肾，那这下梁先生就没有办法了。

但是梁先生是一个伟大的人，梁先生是一个爱中国的人，梁先生最后在床前对的他的儿子梁思成和儿媳林徽因讲，不要把我去世是医疗事故这件事，告诉报社告诉全国人民。为什么？因为我们奋斗了这么多年，就是想启迪民智开化民智，想让大家相信科学破除迷信，相信西方的那些现代的科技。如果说我是因为住在协和医院里被西医给治死了，而且我又有这个地位和名声，那么这对中国人民相信真理、相信科学、相信西方的先进技术是有负面作用的。为了不给这个古老的国家再添上这些麻烦，就不要去讲。所以当时没有任何人知道梁先生是因为协和医院的医疗事故去世的。

梁先生是一个伟大的人，今天很难出现像梁先生这种读万卷书行万里路，而且又有深厚思想、学贯中西的人。梁先生在清华时是著名的四大导师之一，这四大导师都是当时非常伟大的大学者。他们是赵元任、梁启超、陈寅恪和王国维。

今天虽然清华是我的母校，我也要说今天的大学里，包括我们清华大学，像那样的四大导师没有了，一大导师也没有。大师，学贯中西的大师，一个都没有。今天你读到了博士，读到了博士后，当了博导，你拿出你的学问来看看，走进你的书房看看，你最多被称为屌丝学匠。屌丝学匠虽然也能称得上博士，虽然屌丝学匠的博士也能找到工作，但是屌丝学匠和那一代伟大的大师是不能比的。

那些大师都有自己完全独立自主清晰的思想，是完全透彻看清楚了人类的历史、人类的时代。那样伟大的大师的时代可惜我没赶上。希望在不久的以后，还能出现像梁先生这样的大师、像四大导师时代那样的大师。今日大学重理轻文，你来上大学就是为了找到一个工作，像职高，像一个职业培训所。怀念梁先生。

梁先生还很会教育孩子。梁先生这些孩子，全都是拿《论语》对照着，都可以对照出来的君子，一个一个君子。而且在解放前和解放后的科学院里，都只有几十名院士，在全国精英集中的科学家院士名单里，只有一对院士是亲兄弟俩，解放前是这样（当时叫中央研究院院士），解放后也是这样，他们就是梁先生的两个儿子，建筑大师梁思成与考古大师梁思永。（解放后梁思永作为中科院考古所副所长，也已具备当学部委员即院士的资格，可惜在评选前就去世了。）梁先生的儿媳妇是民国第一大才女美女林徽因。所以梁先生这一辈子值了。

Today

in History

1月20日

《晓松说——历史上的今天》来到了 1 月 20 日。今天是一个重要的日子，大部分美国总统举行就职典礼的日子。同时在很多很多年前的今天，人类给自己发明了一个叫云霄飞车的好玩意。今天是我挚爱的心中的女神奥黛丽 · 赫本的逝世纪念日。今天还有两位震动世界影坛的大导演出生，一位是意大利大导演费里尼，一位是美国纽约学派大导演大卫 · 林奇。

| 奥黛丽 · 赫本去世 |

在 1993 年的这一天，奥黛丽 · 赫本去世了。那一代好莱坞明星，身上具备的那种巨星风采以及那种无与伦比的气质，不知道为什么在后来的所有演员身上都找不到了。不知道是时代的问题，还是导演的问题，还是演员的问题，我认为是时代的问题。

实际上我们看日本电影，也没有像山口百惠这样的演员了，在中国也没有。那个年代的好莱坞一代巨星，今天不但像赫本这样无比清纯的像女神一样的找不到了，就连男演员也没有像当年格利高里·派克、克拉克·盖博那样的了，也慢慢女里女气的了，而女演员也男性化了。今天的人都趋向中性。像当年赫本那样无比清纯，像梦露那样风情万种，像伊丽莎白·泰勒那样雍容华贵的女演员，现在全没有了。这简直太痛苦了，只能看老电影。

我第一次看到赫本，她在讲德语，当然不是她讲的德语，是配音。德国法律规定所有公映电影必须配音。我在德国还看到过德文配音的《骆驼祥子》。当时我妈妈在德国，给我寄回来了一盘录像带，叫《蒂凡尼的早餐》，我一句也没听懂，配音一直在说德语。但是我完全被她迷住了，看了两遍，这电影讲的什么完全不知道，因为完全没有脑子和血液去分析讲的是什么，就看这个人，完全看傻了。

这就是巨星的魅力，巨星可以弥补很多很多问题。她只要站在那儿就够了，她说的是德语也没问题。我希望在不久的将来，因为我还要去拍电影，不管是中国，还是好莱坞，还能再找到这样的演员。因为这样的演员是人类的宝贝。

| 云霄飞车申请专利 |

1865 年的 1 月 20 日。云霄飞车，这个有意思的东西注册了专利，这个日子我觉得挺有意思。看来人民对娱乐需求还是很强大的。这天虽然美国内战尚未结束，但北方胜利南方失败的大局已定，人们已经开始玩起云霄飞车了，还注册了专利。其实应该把云霄飞车注册成是一种军事专利，怎么飞过去，朝着敌人冲过去。这位叫拉马库斯的发明家，祝你发财。在美国，你只要发明一个东西，一辈子永远有人用的话，你就永远发财。

| 费里尼、大卫·林奇生日 |

费里尼大家都知道，著名的《八又二分之一》等等电影啊。费里尼的电影是拍给艺术金刚看的，一般人真看不懂，而且有时候突然就想说，这是不是皇帝的新装，来忽悠我？但你再仔细一看，嗯，还是大师，就得这样来仔细看。

1946年大卫·林奇出生，纽约学派大导演。我是纽约派导演的粉丝。伍迪·艾伦、大卫·林奇，是我的挚爱。美国电影分为好莱坞电影和纽约派电影，是不一样的，所以不能笼统地叫美国电影，一定要说清楚。

大卫·林奇我最喜欢的几部电影，一部叫《我心狂野》，尼古拉斯·凯奇很年轻的时候演的，非常有热情。尤其到最后他们站到一个汽车顶上，突然唱起了猫王的Love me tender（《温柔地爱我》），转着圈子特别美好，永远记在我的脑海里。这部电影大家一定要看，拍得非常好，包括他拍的一个，很多人当恐怖片看，确实挺恐怖，叫《穆赫兰道》。《穆赫兰道》是一部非常难懂的电影，但是非常有意思。电影是个什么，好莱坞当然告诉你，电影是故事、故事，第三个还是故事。

但是纽约派导演觉得电影干吗非要故事，电影可以是一段时间、一个气氛、一个人，或者其他什么，他们各自做不同的探索吧。所以说，纽约派电影和好莱坞电影非常不一样。大卫·林奇的电影是非常非常有意思的，值得看。《穆赫兰道》我看了很多遍，以至于有一天我开车子在洛杉矶，突然开到卡拉巴萨（Calabasas）那个城市，突然看到穆赫兰道这条马路就在这儿，吓了我一跳，因为那电影很恐怖的啊。大卫·林奇生日快乐。多为我们拍出好电影。

| 奥巴马就职第二任 |

1月20日是美国总统就职日，除非正好赶上一周末，那就再挪一挪。就像今年，奥巴马第二任就职，就挪到21日。但是大部分都是在20日就职。

奥巴马第一次就职，那是美国很多年很多年没有过的那种热情。因为美国人民觉得自己的国家好骄傲，选出一个黑人，突破了曾经美国最大的伤痕——种族歧视。美国终于骄傲地向全世界说，我就是个民主的、自由的、平等的国家。所以那一天的就职仪式，是很感动人的，无数黑人在下面哭，不光黑人啊，少数民族都在哭，包括亚裔都在那儿哭，觉得我为这个国家骄傲。我们华人也有两位出席了。就职仪式上，有一个华人一直带奥巴马的那俩闺女，他是奥巴马的同学，后来是“办公厅主任”什么的，另外一位是华人之光马友友，他在就职典礼上拉了好听的大提琴，这个大家都记忆犹新。

我来讲一个有意思的小事情，就是总统就职时都手按着一本《圣经》在宣誓。大概除了肯尼迪总统是信天主教以外，他们美国总统绝大部分，几乎每一个总统都信美国最大的宗教，叫基督教新教，所以都按着一本《圣经》宣誓。按着一本《圣经》宣誓，对总统本人来说，当然他觉得虔诚，我的誓言嘛，就要说给上帝听。但是在美国这么一个平等的国家，造成一个很大的困惑，有很多人去上诉这件事，就一直诉，还有诉到最高法院的，诉什么呢？就是平等。我是一佛教徒，我也选了你，我投了票，我是一穆斯林，我也选了你，我不信神，我信科学，我也选了你，你为什么要按着一本基督教新教《圣经》宣誓呢？你违背了美国历史上平等的宣言，你怎么平等对你的选民呢？你应该有一个宗教就按一个，你按着基督教的《圣经》，你还得按着《金刚经》，你还得按着《古兰经》，你应该按这么厚一摞。因为美国人民对自己的权利非常敏感，尤其对于平等是非常敏感的。

但是最后永远赢不了，为什么呢？因为最高法院的大法官说得非常有意思，美国国家立国就是因为宗教迫害，所以在美国立国之初的时候，宪法清楚地写着，在任何时候这个国家不能设立一个国教，不能设立一种宗教，而歧视别的宗教，这是美国天生的胸怀。

对总统手按《圣经》宣誓，大法官是这么说的，这是总统作为一个个人的自由，他可以按着他父亲的日记宣誓，也可以按着《哈利·波特》宣誓，也可以按着任何一本对他有意义的书宣誓。但并没有规定，总统就职时你一定要按什么样的书宣誓，这是总统个人自由。在美国第一原则就是自由。

其实自由跟平等，大家清楚地想一想，不是大家顺口就说平等自由吗？自由平等是一种平行共存的关系吗？不是的，有自由就没平等。我有自由，种族歧视就是一种自由，我有歧视你的自由。平等就没自由，咱俩都得一样，咱俩一样，自由在哪里？所以在任何一个西方民主国家，怎么权衡自由和平等，包括后来怎么权衡民主，都要有长时间的积累，才能决定这个国家的风格。什么叫这个国家的风格，就是在美国，首先是自由。平等跟自由一旦冲突，先选自由，这就是美国立国的原则。所以总统个人的自由是第一被保护的。所以每次你不管怎么告，你都告不赢，平等不能伤害自由。

但在欧洲的很多国家，平等会放在前面，为什么呢？是欧洲人民心里一块大阴影，而且欧洲还有强大的宗教，欧洲有宗教、贵族等等，所以欧洲人民首先希望的是平等，平等会排在自由前面。

美国很少有天主教大教堂，美国人民首先要的就是自由。你再多人投票，你也不能剥夺我少数民族的权利。然后自由永远排第一，这就是美国这个国家有意思的一方面。其实每个国家都一样，每个国家都有自己的需求、自己的原则。

❶月❷❶日

《晓松说——历史上的今天》来到了 1 月 21 日，今天要讲的两件事都与朝鲜有关：一件是 1968 年的这一天，朝鲜组织三十一名“义士”去刺杀朴正熙；再有就是 1951 年的这一天，中国人民志愿军空军首次在朝鲜战场上参加实战。

| 刺杀朴正熙 |

我小的时候，我妈给我猜过一谜语，特别逗，说脸朝东，打一个政治人物。我想了半天，这什么人啊，脸朝东，我妈说朴正熙（瓢正西）。因为北方人管后脑勺叫瓢啊，所以打架打破了头叫开瓢。

朴正熙，就是当时的韩国总统。当时我们不管它叫韩国，建交以后叫韩国，在我小时候管它叫南朝鲜。各种南朝鲜匪帮的小人书很多很多，其中有一个在小人书上特别狰狞的跟中国台湾的蒋匪帮一样的那种人，就是朴正熙。当然他本人确实是一个军事独裁者啊，有关他本人，我们到他去世的那一天再具体聊。

1968 年当时的北朝鲜，突然一拍脑门，就认为朴正熙很讨厌，要刺杀他。

刺杀这种事，在中国是不太多的，当然在其他国家，在日本、韩国经常这样，西方也有刺杀这种传统。通常刺杀的派一两个刺客就够了。一战前刺杀斐迪南大公派了九个人，这已经很多了。

朝鲜这次刺杀应该算是全世界刺杀史上最多的刺客，派了31个最精英的、全部少尉以上的军官，很多人直接就是特种兵连长，然后集合起来去刺杀朴正熙。这些人刺杀也不像其他人刺杀，刺杀肯定得埋伏在那儿，可是他们化装成韩国军队直接就钻过去了。两边两百万大军对峙的这条“三八线”，居然就被他们穿成韩国衣服混过去了。可见内战是很容易的，就像我们那个时候海峡两岸经常就过去了或者过来了。这31人穿着韩国军队衣服就过去了，过去以后还一直走到汉城，走了这么两三天。

汉城其实离“三八线”很近的，只有几十公里，远程大炮就可以打到。1968年，朝鲜已经有了170那种远程火炮，能够打到汉城，但是没开炮，派了31人。这帮哥们儿非常巧妙、神出鬼没地到了汉城市中心还没被发现。最后有两个英勇的警察去盘查他们，结果他们一说话就露馅了。

虽然北朝鲜、南朝鲜，还有我们的延边朝鲜族自治州，是同一个民族，但是他们其实是有口音之分的，就像我们和香港、台湾口音不同。我们能听出来，他们也一样。北朝鲜口音是很容易听出来的，警察一盘查，就觉得不太对，然后这帮人开始紧张，一紧张就开始露出马脚来了，然后南朝鲜警察还是挺英勇的，就开始死乞白赖地盘查，就不让走。他们非要走，这俩警察还跟着，等了几辆公共汽车。这几辆公共汽车都写着青瓦的，就是开往青瓦台。他们当时其实离青瓦台已经非常非常近了，青瓦台就是韩国总统府了，就相当于白宫、中南海。在这个时候，他们由于过度紧张，公共汽车在那儿，他们就想上车，又有人堵在那儿，他们就认为这车上不是普通的乘客，可能是南朝鲜的军队，他们就开始开枪。那两个警察真英勇，对方都是朝鲜特种兵精英，一个普通的汉城巡警竟然就敢夺枪，拿其中一个特种兵当人盾，开始跟这边特种兵精英对射，这俩警察一直坚持到青瓦台总统卫队赶到。

北朝鲜特种兵是非常能打的，其实他们就31个人，一直打到美韩联军出动两个师，最后经过各种激战，一直打了十来天才把这事弄完。最后结果是31名北朝鲜特种兵军官，29名被击毙，1名被俘，1名逃了回去。逃回去的这一名是非常厉害，因为当时整个南朝鲜北部已经开始大搜索，其实 20 多人都想逃，可是路上都被击毙了。这哥们儿一直最后穿过“三八线”，一手拿肠子，一手拿枪，最后冲回了北朝鲜。

这个刺杀的故事，就是小人书上写的故事。这位逃回去的军官由于英勇战斗，最后受到格外的重用，后来当了朝鲜人民军大将。大将在朝鲜人民军里级别非常高，再往上就是副帅了，副帅已经到了党和国家领导人的程度。这些特种兵军官都是忠诚的共产党员，或者叫朝鲜劳动党员。

但被俘的这名特种兵改信了基督教，而且成为一名虔诚的牧师，一直在韩国传教，变成一个洗涤人们心灵的人，完全是和平主义者。这位逃回了北朝鲜的人当了大将，2009 年还带代表团访问了汉城（即现在的首尔）。而这位当了牧师的，其实在当年特种部队里是他的上司，还想跟他见一面。但是朝韩两国现在还处在那种战争状态，对韩国来说是战争状态，因为韩国迄今未在停战协议上签字。以至于这哥们儿见不着那位军中的朝哥，很令人唏嘘。

经过残酷战斗的男人，会向两个方向发展。一种就是发展成战神，就是他经过残酷战斗以后，丧失人性然后成为野兽战神。但是还有一种人，经过残酷战斗以后，突然对生命的意义、对人生有了新的感悟，居然变成一牧师，变成一个和平主义者。这两位当时的朝哥最终走了完全不同的人生道路。我特别希望有一天，朝韩两国能平静下来，大家脱下军装，坐下来喝一杯茶，吃一点泡菜。本是同根生，相煎何太急。

这一次虽然没有刺杀成朴正熙，但是北朝鲜继续不屈不挠地刺杀他。过了六年，终于把朴正熙的夫人，就是韩国的第一夫人，刺杀了。

朴正熙是个铁血军人。实际上，李承晚政府的大部分高级领导人都是当年在日本关东军服役的朝鲜军官。所以朴正熙非常有那种日本旧军队铁血的劲儿，以至于他正在演讲时，他老婆被刺杀了，他都不为所动，而是继续讲下去。讲完了之后他才去看一眼自己的老婆。

朴正熙虽然是个独裁的总统，但是他执政期间，韩国的经济飞快地发展，最终跻身亚洲四小龙，再加上他太太被北朝鲜刺杀，所以韩国人民对朴正熙还是有一定感情的。虽然韩国是一个民主的发达国家，但妇女地位还是相当低，因为是亚洲国家的传统嘛。一个妇女地位相当低相当低的亚洲国家里，全国人民因为对朴正熙和他夫人的感情，最终能选举他们的女儿朴槿惠成为韩国现在的新的总统。

她当选的时候我还在洛杉矶参加一个派对。在这个派对上，有一些韩裔美国人都很惊奇地说，我们韩国那么重男轻女的地方，还能选一位女总统吗？因为在日本也没有女首相，我国也没有。我国最多有过女副总理吴仪，但是也没有最高领导人。其实在韩国，如果朴槿惠不是朴正熙的女儿，她的母亲没有被北朝鲜刺杀过，她也很难当选。就是说，大家还是对这一家人有感情。

| 中国人民志愿军空军在朝鲜战场上首次参加实战 |

下面这件事跟朝韩战争、跟朝鲜半岛有重大关系，就是相煎太急的那一次战争。对 1950 年开始的这场朝鲜战争的看法，现在连我们的历史教科书也改过来了。原来写的是叫“南朝鲜匪军悍然侵略北朝鲜”，现在我们的历史书改叫“1950 年 6 月 25 日朝鲜战争爆发”，不再说是南朝鲜侵略北朝鲜了。实际上是北朝鲜率先发起了进攻，因为第二天就把汉城占领了。一个蓄意许久侵略别人的国家，开战第二天自己的首都就被对方占领，这不太合理吧？不管谁发动的吧，反正“本是同根生，相煎何太急”。

可是那个时候南北朝鲜已经身不由己。因为它们分别代表了东方的社会主义阵营和西方的资本主义阵营，这场战争不久就演变成十九国一起在狭小的朝鲜半岛大打出手，其中代表西方的有十六国，由美国率领。代表东方的就是朝、中、苏这三国一起。苏联也没有正式宣布要出兵朝鲜。苏军也没有公布要过来到朝鲜。当时我们跟苏军、苏联谈的时候就说，咱们都是共产党国家，我们一起拼了。怎么拼呢？我出人你出钱，但是我的人只能在地上，因为我没有空军。空军可不是临时能训练出来的。苏联最后说，那我们出空军。

所以这一天，1951 年的 1 月 21 日，中国人民志愿军空军在朝鲜战场上首次参加实战，实际上涂着中国人民志愿军机徽的，穿着中国人民志愿军军服的飞行员，绝大部分都是苏联空军。

当时苏联空军这样做也是为了不引发更大的战争。如果朝鲜引发了第三次世界大战，甚至是核战争，那就非常可怕了。所以苏联有严格规定，第一要穿着中国人民志愿军军服。其实这个也合理，也是志愿军嘛。大家都是志愿军，就跟当年国际纵队穿着志愿军的军服，一起保卫马德里一样。

而且，所有苏联飞行员驾驶的战斗机都不能越过“三九线”向南。大家知道“三八线”是南北朝鲜的分界线，“三九线”就再向北了，“三七线”却是我们打到的最南线，“三九线”当然不是联合国军打到的最北线，联合国军一直打到鸭绿江。所以不过“三九线”的意思，就是掩护志愿军后方不被轰炸。因为大家知道，美军的空军太过强大，从鸭绿江开始一路到“三八线”全部被覆盖。

当时入朝的志愿军在美国空军的威胁下惨到什么地步？就是一个军过江以后立即就分散成连行军。当时彭总给中央军委的报告说，整个志愿军九个军，只有二十辆卡车还能开，因为只要有车动，马上就被美国空军轰炸。志愿军一个军要分散成连行军，而且没有任何补给，所有的东西都得背在自己身上，每个人还背两发炮弹。所有背在自己身上的粮食，吃到“三八线”就已经吃完了。所以我们打仗总是很被动，因为必须到“三八线”集合起来再进攻，部队走到“三八线”至少得花一个礼拜，那个时候粮食已经吃完了。而且集合起来时人已经少一半，因为你只要连队一行军就被轰炸。然后路上还不能生火，因为你一生火做饭，马上又被轰炸。吃凉的、吃冰、吃雪，非常艰苦，伤员也很难处理。因为在长途行军中，伤员没办法安置，那么零下几十摄氏度的天，很残酷。

到了“三八线”时集合起来的部队，能有多少是多少，立即就得冲锋，立即就得投入战斗。所以在这个时候，苏联空军来掩护我军的后方，是非常重要的。苏联空军一开始想以轮战的方式，就像我们后来跟越南的老山战役似的，全军都上去练练。苏军就把各种各样的空军师都派来轮战。但是美军强大的空军，尤其有很多海军陆战队飞行员，是非常精锐的，航母上起飞的空军飞行员也很精锐，都是参加过二战的老飞行员。

苏军的空军在二战的时候，实际上跟德国打的时候素质就不如德国部队，其实也不如美国部队。但是苏联飞机比美国飞机要稍微好一点，那个时候美国武器其实并没有质量上的优势，只有数量上的优势。因为米格 –15 实际上是比美国最先进的战斗机 F–86 还要先进一点，尤其是武器。米格 –15 有 37 毫米这么大的机炮，23 毫米炮还有两门，一发炮弹就击落你。美国的 F–86 只有六挺机枪，装在飞机翅膀上，但没有机炮。所以尽管志愿军的飞机经常被美机打得全身都是枪眼，机油也一路飘洒，但仍然能够安全地降落。我们自己的飞行员非常年轻，就是飞了几次就上了，我们大肆宣传的王海啊等等几位飞行员确实击落过美军的王牌飞行员，但其实在空战中被美军打得很“失落”。

大家知道美军的王牌飞行员和其他国家的不一样。美国击落五架的战绩就是王牌飞行员，因为美军参战飞机太多了，通常都以数量优势打敌人，苏军的第一王牌飞行员击落过六十二架敌机。美军因为太多飞机上来，敌人一共没几个，所以击落五架敌机就是王牌飞行员。

我们确实击落过一两个美国王牌飞行员。但是我们自己损失也是挺大的。麦道公司一直是美国的主力战斗机生产商，因为我是大军迷，常去各种军工厂啊军展啊，我曾经在麦道公司看到过宣传资料，说本公司的战斗机，在朝鲜战场上对中苏战绩是 1:14。就是每击落 14 架中苏空军战斗机，自己被击落一架，所以可见当时的这个损失是很惨重的。其实我方记录也没有说，击落了几架美军飞机，我们自己损失几架战斗机。

所以后来苏联空军发现美国已经知道自己参战了，美国其实也心照不宣，他知道那飞机里面坐着的是谁。因为当时的空战经常接近到距离只有几百米才开炮，所以在这么近的距离能看见你的脸。所以他已经看见了，但是美国也不说，就是说美苏双方都心照不宣，就是反正我知道是你，但是我也不说，要说了怎么办呢？咱们就扔原子弹吧，所以大家就算了。

苏联觉得很丢人，说我强大的苏联空军，怎么能这么窝囊，最后一直到把拱卫莫斯科的库宾卡空军基地的近卫第三师（苏联的部队只要前边有“近卫”两字那都是二战时候的功勋部队）调到了朝鲜前线。这个时候确实跟美国打成了一比一，因为苏联的王牌飞行员，跟美国王牌飞行员，还是能打的。大家都是参加过二战的身经百战的老兵。

所以在整个朝鲜战争期间，苏联空军牺牲了几百位飞行员，也埋在了北朝鲜，跟志愿军墓地是在一起的。其实是中苏朝三个社会主义国家共同保卫了北朝鲜，使得社会主义在朝鲜半岛还占有半壁江山。

1月22日

《晓松说——历史上的今天》来到了 1 月 22 日。今天跟大家讲两件事：一件事是 1901 年的这一天，英国历史上最伟大的维多利亚女王终于坚持熬过了新世纪，却在新世纪刚刚来临就去世了；再有就是 1948 年的这一天，第一批日本赔偿中国的战争物资，相当于战争赔款到达了上海。这件事情很多人都不知道，所以来跟大家仔细聊聊。

| 维多利亚女王去世 |

即使对欧洲的历史不是很了解的人，对维多利亚女王也都有耳闻，尤其对维多利亚这一字眼。因为大家经常说，这是维多利亚式的帽子，这是维多利亚式的建筑，但是那个“维多利亚的秘密”内衣跟维多利亚女王没什么大关系，哈哈。

维多利亚女王时代，为什么那么多建筑、时尚，其实就是因为她在位的时候是英国最强盛的时候。那个时候英国领导世界，英国成为“日不落帝国”，就是在维多利亚女王执政的时候。维多利亚女王是英国有史以来，无论男的女的都算上，国王里面执政时间最长的，长达六十多年。她比康熙皇帝和乾隆皇帝执政的时间都长，乾隆跟康熙是六十年和六十一年，维多利亚女王是六十四年，这是在人类历史上都很少见的。

她们家好像有长寿基因，因为现在这个伊丽莎白女王又活了很多很多年了，连大儿子都老成这样了，孙子威廉王子都已经谢顶了，他奶奶还在世。英国历史上的国王都没有活这么长的时间的，但是这些女王，不知道怎么回事，都活得特别长。

维多利亚女王向中国人民犯下过罪行。在她执政期间，英法联军火烧了圆明园。当然不光对中国啊，英国的“日不落帝国”实际上是世界各国人民的灾难，包括印度人民，包括非洲和各国人民。它到处掠夺，当然也把欧洲的工业文明等等，包括服装跟建筑，传递到了世界各地。

但是我想说一个我觉得很有意思的事情，就是这个维多利亚女王，她其实是欧洲的“贾母”。为什么这么说呢？贾母姓什么呢？姓史，贾母就是跟四大家庭联姻，史家啊、王家啊、薛家啊、贾家啊等等，最后弄的全部都是她家里人。维多利亚女王比贾母还厉害，她生了一大堆孩子，一共有九个之多，然后恩泽全欧洲。以至于到了一战开战的时候最逗，要开战的时候，英国国王是维多利亚女王的孙子，亲孙子啊，德国皇帝是维多利亚女王的亲外孙子，俄国沙皇是维多利亚女王的亲孙女婿。你看这个是什么关系，互相叫表哥表姐，相当于林黛玉、贾宝玉和薛宝钗的关系。大家宣战后一看原来都是一家子。维多利亚女王还有个女儿嫁了希腊国王，又生了希腊的亲王。德国还没统一的时候，又分成了很多大公国，她的女儿还嫁给几个大公国的大公等等。所以导致了欧洲各国帝王全是维多利亚女王的孩子。但这些孩子还不争气，互相乱打一通。

维多利亚女王本人是有血友病的，因为把闺女们嫁了欧洲各个国王，导致这个血友病在欧洲贵族皇室蔓延，为消灭贵族起到了很大的作用。欧洲贵族就是因为大家乱通婚一气，导致血友病疯狂流传，然后死了很多人。欧洲皇室乱到什么地步？卡米拉女公爵，大家知道，就是查尔斯王子后来的老婆。戴安娜王妃去世前查尔斯王子就已经跟了卡米拉。她第一次见查尔斯王子的时候，跟查尔斯王子这样说，你虽然不认识我，但是我告诉你，如果从我爸这儿算那我是你姑姑。如果从我妈这儿算，我是你表姐，可见这个通婚已经乱到连辈分都乱了。

一战宣战的时候，英国王室发现自己的姓氏是一个德国姓氏，就觉得很痛苦，因为英国跟德国打仗。其实维多利亚女王就是在德国长大的，她的德语比英语还好，英国王室为了不跟德国人姓一个姓，最后自己改名姓了温莎。他们也不知道姓什么了，说咱姓什么呀，后来一看咱住这地方叫温莎堡，就是 Windsor castle，于是他们就把自己改姓温莎了。所以英国王室现在的姓是一战的时候才改的。

今天只讲维多利亚女王，欧洲还有很多有意思的皇帝、国王，我在前年有一段非常时期没事干，坐在一个阴暗的屋子里，每天在读《大英百科全书》。这个《大英百科全书》是按字母分的，其中 A 字母开头的内容就特别厚，因为 A 开头的国王、公爵太多了，亚当几世、亚历山大几世等等，很有意思，有机会再仔细给大家讲。

| 第一批日本战争赔偿物资抵达上海 |

1948 年的 1 月 22 日，第一批日本战争赔偿的物资到达上海。各国战争赔款，真正能给钱的是不多的啊。一般打败了说明都已经没了，战争资源都枯竭了才会败。德国打到最后也是崩溃了，什么钱也没有了。德国最后一马克，第二天变成一亿马克，通货膨胀成这样，日本也是。

除了旧中国，一个国家在还特别富有的情况下被打败了，那是极少数的。中国给人家赔款的时候，给二亿两白银现金，再赎辽东半岛给三千万两现金，然后赔给八国联军四亿五千万，连利息也给你。

日本、德国赔款都给不出钱，就拆东西吧。德国赔款是拆铁路、拆工厂，一战之后法国拆德国东西的时候特别厉害，就导致仇恨。二战以后苏联就不说了，苏联不光是东西都拆走了，连女的都强奸一遍。那也没办法，因为你败了，你到我苏联干了些什么，我到你德国土地上就干什么。日本当时差不多已被美国炸平了，那也得拆。一些纺织品机器等等拆了一千八百五十吨，当作赔偿中国的战争赔款的第一部分。

物资运达上海后，举行了盛大的接收仪式。我们赔了人家那么多年，赔这赔那。一战我们是战胜国啊，不但没有赔到任何东西，还把青岛给了日本。所以这是第一次扬眉吐气地接收了战败国的赔偿。当时在日本国民党政府还有权占领，但是准备去日本的六十七师被英勇的解放军部队歼灭了，然后一直就没去成东京。

赔款还是来了，而且大家都分好了，一些爱国资本家在战争中用了自己仅有的钱和技术，迁到大后方继续建工厂。支持抗战的这些爱国资本家，也都有清单，你的纱厂被人摧毁了，你的纱厂被打烂了，赔偿你这些、你那些。那时候赔款不光是给政府的，民间的也有赔款。结果这居然成了最后一批，本来有很多的物资源源不断地抵达中国，结果由于中国内战越来越激烈，这个日子是1948年1月22日，就在这一年的秋天三大战役就开始了。辽沈战役开始后，紧接着就是摧枯拉朽一般，把国民党军队大批大批歼灭。麦克阿瑟是当时盟军驻日本的最高统帅。当时他就认为继续向中国赔款的话，会不会落到共产党手里？中国在战乱期间还是暂停吧。麦克阿瑟五星上将下令暂停向中国运送日本的赔偿物资。当时日本的一切都是由美国这位麦帅来决定，日本还没有什么权力。

这一停就终成永诀，就再也没有来，一直到现在也没有来。因为停下来以后，紧接着中国就发生了天翻地覆的变化——新中国成立了，还有一部分人就去了台湾。

1950年召开旧金山会议。《旧金山和约》里留下了一些很要命的事，其中一件事就是钓鱼岛的归属在《旧金山和约》里没有说清楚，另一件事就是在台湾的国民党政府放弃了赔偿。因为日本偷奸耍滑说我是要赔给台湾这个政府还是赔给北京这个政府呢？

所以中国不统一，咱且不说军事上花了多少，两岸人民的血汗钱都被这些偷奸耍滑的国家给挣走了。日本当时就利用了这个，偷奸耍滑说那到底你们说赔给谁？一旦这个问题变成主权问题、谁是正统的问题，对蒋来说损失更大。为了不再牵扯这个问题，蒋就说那我们不要了。

到了1972年，中日谈建交问题的时候，我们也很大方。我们一直都很大方，一直都不要这个不要那个，一直支援这个支援那个，不管国家是什么样的，反正政府有钱。我们也不要了，于是就没了。中国牺牲了三百八十万军人，总共牺牲了三千五百万人，整个中国打成一摊烂泥。全国人民忍辱负重抗战八年的所有的代价，就区区一千八百五十吨，也就是这样子。和清政府当年一甩手赔日本完全不同，日本当年一年的政府财政收入几百万两，一赔就两亿三千万两。后来赔八国联军四亿五千万两，分得最多的就是日本。而且其他国家都还回来很多，比如美国用赔款建清华大学啊等等，日本是一分钱没还回来，全都要了。

所以其实我认为不光应该要找日本要战争赔款，还要把甲午战争两亿三千万两要回来，还要把庚子赔款这个四亿五千万两要回来，可是我们什么也没要回来，就要了这一千八百五十吨，全国人民的鲜血就这样子白流了。

日本当时也觉得有愧啊，人毕竟还不是禽兽。总体来说日本还是进展成了一个民主国家。原则还是要有的，日本心里觉得有愧，所以从建交开始大概到去年，一直在给中国大批的无息贷款和低息贷款，迄今大约有三百亿美元。就是说赔款不要了，我每年给你多少钱，帮助政府贷款，一直到中国经济超过了日本，成为世界第二的时候，才最终停了下来。心中愧疚转成了数十年的援助和无息的、低息的贷款帮助中国的建设。

我希望这些成为历史，历史需要铭记，但是仇恨需要忘记。希望中日两国以后再也不会出现互相要打要杀，你赔我、我赔你。第一件大事，就是我们要和平下去。

|梁羽生去世|

影响了我们一代少年的梁羽生先生在2009年的这一天去世了。在我们年少的时候都有武侠情结，所以到了我们长大以后，就连我这样的文弱书生也拍了个武侠电影叫《大武生》。每个华人导演不管在哪儿长大，都有拍武侠电影的梦，因为大家都是看着这些人的书长大的。

“武侠小说三剑客”——金庸先生、古龙先生、梁羽生先生，这三位的书，影响了我们一代少年。我们那一代少年，直到今天，感觉不管在什么环境下，都有点那种勇武的精神，比打电子游戏长大的少年要彪悍很多。我们那一代女生，从小看琼瑶跟三毛，所以也特别能爱。所以那一代男生女生还挺好，男生彪悍勇武，女生还挺能爱。

梁羽生先生写的小说，几乎都拍成过电影。梁先生的小说有一特点，就是他那些人物历史上都有，真是把历史上的一些人物给武侠化了。古龙写的人物，就是古龙先生编的，所以名字特别神奇，叫什么楚留香之类。金庸先生介于梁先生与古龙先生中间，把这些混一块儿。比如说康熙年间有韦小宝没有，郭靖黄蓉历史上是有的，但是黄蓉她爸是不是黄药师啊，这事就不一定了，尤其欧阳峰有没有就不知道。

但是梁先生用的全是历史人物，看梁先生的书还能当历史看。梁先生非常儒雅，他很有情趣。纪念梁先生，是他影响我们长大。

而且这三位都在香港。当年香港弹丸之地，撑住了中华文化的电影文学音乐，真的是值得骄傲。这些人一直在香港，也没有什么大学请他们当教授，他们都是靠在报纸上写稿，写出了影响一代人的作品，不像大作家、大教授坐家里书房里慢慢写。因为香港是一个商业社会，他们每天忙得跟鬼似的，每天写一千字连载小说，有的时候写得都乱了，前面人都已经死了都忘了。

他们给我们的民族留下了中华武侠文化，不但留下那些书，也留下了最骄傲的电影类型，也是全世界到现在最认可的中国电影类别，就是武侠电影。武侠电影就是从金庸、古龙、梁羽生写的这些小说中诞生的。所以纪念梁先生。

❶月❷❸日

《晓松说——历史上的今天》来到了1月23日。1368年的这一天，明朝成立了。再有就是1973年的1月23日，美国联邦最高法院裁决妇女有堕胎权，这是美国历史上划时代的一件事。

| 明朝建立 |

明朝是个什么朝代，大家各有说法。我个人认为，明朝是古代这十几个朝代以来，我最不好意思说的一个朝代，最臊眉耷眼。我把明朝总结成一个“三无”朝代：无明君，无名将，无名士。

无名士，没有大名士，没有大文豪，没有大知识分子。知识分子明朝当然有了，知识分子还挺有特点，但是没有值得标榜的大文人。你看《古文观止》也好，唐宋八大家也好，各种光辉的名字在那儿，唐朝李白、杜甫、白居易等等。宋朝也有一大片，清朝也有一大堆。明朝没有，明朝最出名的大文人，留下点诗词的就是唐伯虎。

唐伯虎跟之前的这些大名士不太一样，学习挺好，因各种离奇的原因也没考上功名。他真正出名其实是因为周星驰先生。他实际上跟那些唐宋大师差得远，咱且不说苏轼、李白啊，更不能比。无明君，我猜大家没什么争议，因为确实这些皇帝从开创明朝的朱元璋开始，一直到崇祯，真是说不出几个。毛主席诗里也写过，“唐宗宋祖，秦皇汉武”。从来没人说出一明朝皇帝来当一个标榜。

我个人觉得明朝这个朱家有点毛病。到底是什么病啊，这得找精神病之类的专家去问问，要么就是残暴嗜杀，要么就是蔫了吧唧在宫里待着，二十多年不出宫，谁都不认识，要么就天天玩木匠之类的雕虫小技。

总而言之，这些皇帝没一个有雄才大略的，即使在明朝自己的历史上看来，永乐还算是有点作为的，但基本上比较昏庸，没干出什么大事，既没在海外扬了国威，也没把人民搞得很好，是一个很穷的朝代。不像宋朝之富有，政府一年的收入上亿，最高的时候一亿五千万两，当时全世界百分之九十的财富都在宋朝。明朝最高一年也就一千五百万两，很穷很穷。直到清朝才出了几个明君，有了康乾盛世。

无名将，大家都知道啊，明朝到了内忧外患的时候，全是一帮文人在指挥打仗，这边打清兵的袁崇焕，一文人，那边打李自成的是洪承畴，一文人，没有名将。

当然肯定有人来辩驳啊，就算有个戚继光，首先他不算什么大将，国与国之间的大战或者几十万人的大战一次也没有，只剿灭一些海盗。剿灭倭寇实际上是后来给他脸上贴了很多金，戚继光消灭的所谓倭寇，有点儿像后来抗日战争时期的伪军，就是中国人，是沿海地区活不下去的渔民，只不过当时海盗的基地设在海外。日本尚武，也有一些浪人被海盗雇用打架，实际上主要的倭寇就是我国渔民，所以戚继光最多也就消灭了海盗。明朝历史上的名将，是跟历朝都不能比的。

明朝“三无”而且穷，并且“两多”。最可怕的首先就是多太监。中国历史上最有名的太监，一大半都是明朝产的。

人人都能数出来的坏太监，当然是魏忠贤，历史上最坏的一个坏太监。太监快当皇上了，就到这个地步，还要给他建生祠，活着的时候，就已经给他建祠堂了，这是大坏蛋。

另一个大坏蛋、大贪官是大太监刘瑾，我跟冯唐两个人同时以刘瑾为题材都写过一个作品。我写的是一个剧本，他写的小说。刘瑾位列世界有史以来富豪榜前十名，可见他贪成什么样。刚才说了，明朝并不是一个很富有的朝代，跟前面的宋朝、后面的清朝，都不能比。但是刘瑾居然贪到富可敌国，统计出来的钱在世界历史上仅次于某一教皇，排在前几名。

还有王振，土木堡战役就是由他指挥的，结果皇帝也叫外族俘虏了。

好太监也有，有史以来最有名的好太监郑和，也是明朝的大太监。所以这一朝代，皇帝没名，将领没名，文人没名，太监最有名。

还有就是著名的大美女们，明朝比较多。每到男人都特别懦弱的这种朝代，美女就出现了。陈圆圆、柳如是、董小宛等等著名的大美女都是明朝的，而且都挺倒霉的，遇人不淑。以至于后来文人还写了《桃花扇》。《桃花扇》很有代表性，就是李香君跟错了人，跟了这个侯方域。侯方域当汉奸，李香君没办法只好殉节。

柳如是跟了钱谦益，当时清兵入侵，柳如是倒是比他有气节，要一起投江殉国。钱谦益摸了摸水，说水太凉，现在不是投江的时候。董小宛也很倒霉，跟了大花花公子冒辟疆。冒辟疆也跟陈圆圆好过。

董小宛大美女又有钱，自己赎身跟了他，结果被他大老婆、二老婆欺负，她每天只能站在墙角，要大老婆跟二老婆都同意了，才能坐下。后来清兵来了，家道中落，董小宛去挖野菜做豆腐，一个人养着这一大家子。她自己从青楼带出的东西，连首饰都变卖光来养着这一家子，二十八岁就被累死了，极其倒霉。

由于明朝最后又腐败又懦弱，被外族打断了中华民族最后仅剩的文明。清朝来了以后导致整个国家保守，从一个世界最强的国家变得衰败不堪直到灭亡。所以明朝相当于是一个败家子，我大汉民族延续了千年的光荣，被明朝败家败光了。这就是明朝，我眼中的明朝，欢迎大家讨论。

| 美国联邦最高法院判决妇女有堕胎权 |

再有就是 1973 年这一天，美国联邦最高法院判决妇女有堕胎权。这在美国是非常非常重要的。

1973年是美国历史上最激荡的时候，美国历史上很少爆发大规模的革命、抗议。美国立国的时候是比较开明的、公正的，所以基本上美国人民是热爱国家的。

美国人民一直崇敬军队、军人，到今天我在美国住的那个城市，最重要的中央大道两边的电线杆上，都挂着那个城市参军的人的名字。

美国是个清教徒国家，原来是很保守很保守的。欧洲是很开放的，美国很保守，性观念也很保守，一直不让堕胎，同性恋也受到歧视。美国不让堕胎，所以性上不能胡来，因为一旦怀孕了就得生。但是二十世纪六十年代中期，避孕药研制成功，一下子就解放了。所以妇女不担心怀孕了，她们一解放，男人也解放。全世界每个国家性解放都是妇女先解放，男人也跟着解放，如果女人不解放，男人自己解放了没用。

年轻人开始性开放，就是各种各样革命的最直接诱因。大家看法国的五月风暴也好，我国民国时期的很多革命也好，与男女关系混乱有很大关系的。美国一代年轻人开始性开放，导致了大规模激进的学生运动，当时是美国有史以来难以想象的开放，现在美国也没那么开放。

到八十年代开始，美国又基本回归到比较保守的状态，以好莱坞为代表，信上帝、信传统、家庭价值又受到了尊重。但是在那个时候，由于避孕药的成功商业运用，导致了美国反战大革命，一直延续到1973年，最终美国最高法院判决妇女有堕胎权。这段革命差不多到这个时候就结束了。从六十年代中期避孕药的研制成功，到1973年的这一天，是美国历史上最激进的年代。

美国最重要的两件大事件——禁酒令和反越战革命，都跟妇女权利有关系。所以这一天是非常值得纪念的一天，也是在美国历史上重要的时刻，可见妇女的力量是强大的。

| 达利去世 |

1989年的这一天，画家达利去世了。达利的画相信大家都看过，达利的真迹都来中国展览过，他的画需要很多解读才能明白。我觉得他的画代表了二十世纪人类，越来越荒诞，进入一个很大的迷茫。

我的理解是这样的，就是原来人们有很多信仰，其实最重要的是很多人在心里是信科学的，相信科学能让人类前进，能让人类更文明。在很多很多年前，在很远古的时代，是艺术引领科学往前跑。艺术先把全部都解释了，太阳是什么，星星是什么。科学跟上来慢慢解释，太阳不是你说的那样，太阳是一堆核聚变，月亮是地球的卫星，等等。

等科学超过了艺术，尤其是工业革命以后，科学一直在引领着艺术往前跑。人类本来给予科学重大的信赖，结果到了二十世纪，科学毁灭了人类大量美好的东西，科学导致了大规模的战争，导致了各种各样的灾难。人类突然就发现有问题，这个时候艺术又追上来了，突然超过了科学，又开始解释这些科学没能解释的问题、科学没能办到的事情。

那个时候艺术爆发了一个巨大的能量，其中在绘画领域，像毕加索、达利他们那些画派，其实就是经过了科学的惨痛的教训跟洗礼之后，人类对自己的重新认识。

你说解构性的认识也好，你说存在主义的认识也好，但是真的你要看到人类那个时候的悲伤，尤其是两次大战之间，二战之后等等，一会儿“垮掉的一代”，一会儿“流放归来的人们”。在迷茫的时代，这些艺术家，这些大师，引领了人类，重新解释了这些迷茫，然后你看到了这些作品。

我自己很喜欢达利的画，那是人类经过那些颠沛流离之后，重新对自己的认识。但是重新认识自己的时候，已经不是在镜子里看到的自己了，已经是从那样的镜像里看到的支离破碎的世界和支离破碎的人性。

1月24日

《晓松说——历史上的今天》来到了1月24日。1965年的这一天，丘吉尔逝世。1848年的这一天，在加州北部，现在叫旧金山的这个地方，发现了金山，对美国历史以及对美国的西岸，有重大推动意义。再有就是我非常喜欢的日本导演，岩井俊二出生。

| 丘吉尔去世 |

首先来说说丘吉尔，这个人当然有争议啊。他是被社会主义国家痛恨的一位坚定的反共的保守的政治家。作为个人来讲，他代表了绵延了数百年的英国贵族最后的荣耀，因为那之后英国渐渐进入多元化时代。皇家、贵族已经不再是严肃的事情，而成了花边新闻。除了偶尔王子大婚的时候，大家来英国看一看。

丘吉尔的时代以及他本人，几乎集英国贵族所有的优点、缺点、特点于一身。所有人想起丘吉尔，就是长得特别像Bulldog（斗牛犬）的、叼着一根大雪茄的形象，但是年轻时候他其实长得无比帅。在网上应该能搜到，丘吉尔年轻的时候参加布尔战争期间的一张戎装照，英姿飒爽，非常挺拔。

他在布尔战争时被俘过。这是英国贵族一向的传统，英国贵族永远在战争里冲在最前面。不光是丘吉尔，英国在两次大战中，二十到二十二岁的青年男子，伤亡率差不多占到百分之十，很大了，但是同龄的英国贵族的伤亡率是百分之五十，一半贵族青年牺牲在战场，而平民只占百分之十。这就是英国贵族一直以来的光荣传统，到现在还是贵族参军，王子也在前线。

丘吉尔代表的就是那样的贵族，被俘过，当过陆军，当过海军部长。一个人单枪匹马，带领一个虽然没落但是依然光荣的国家的军队战斗。当时法国已经投降，欧洲几乎全被占领，英国整个国家士气低落，觉得法国那么强大的陆军，一个月就被德国横扫了，我们怎么对抗呢？每到战争时期，领袖的意义是非常重要的，中国也一样，美国也一样，每个国家都一样。战争年代必须有那种伟大的统帅站出来，鼓舞全国人民士气。那个时候英国统帅就是丘吉尔，因为国王在英国其实已经只是个象征意义了。大家看过电影《国王的演讲》，国王就上去演讲一下，但国王还是一结巴。国王的演讲，远远不如丘吉尔那些传世的伟大演讲。丘吉尔的口才第一好，他的演讲都有视频有录音，大家可以拿出来看看。丘吉尔在英国国会那篇传世的伟大演讲，很多人都可以背出来，“用我们的血，用我们的汗水，用我们的泪水、辛劳，在沙滩上抵抗敌人，在山岛上抵抗敌人，在乡村抵抗敌人，在城市抵抗敌人。我们要战斗，我们是光荣的英国”。这个演讲极大振奋了英国的人心，当时英国每天都要被轰炸，每天都得灯光管制、宵禁，到夜里根本就什么也没有，伸手不见五指。当时苏联美国两个最强大的国家都没参战。处在那么低落的士气中，丘吉尔单枪匹马带领英国捍卫了正义。最后苏联也参战了，美国也参战了。英国也作为盟国的重要组成部分，三大最重要的强国，一起打败了德国。

有意思的是英国人民的民主传统。丘吉尔真是带领人民打了胜仗，却在选举中败给了工党，一个叫艾德礼，比他小很多的人。这给当时很多民主国家上了一课。丘吉尔虽然被选下去了，他还不服输，到晚年的时候，他违背了自己年轻的时候发表的“老人不该当政”的言论又去参选执政。实际上大家都这样，每个人年轻的时候说这说那说一堆事，到老的时候自己都给吃回去了，要不就是记忆力不好全忘了。丘吉尔在七老八十的时候又去竞选，还又选上了。“是非成败转头空，青山依旧在，几度夕阳红。”

丘吉尔代表了伟人时代的那种伟大的领袖和统帅，但是最后也随风逝去了。今天的哪一个国家也都很少再出现这种强大的、有主义的、有名言的人物。他不但是一个打过仗的人，一个治过国的人，并且他的文笔还很好。大部分政治家都是秘书写东西，但丘吉尔文笔非常好的。他的《二战回忆录》一直都是各种二战回忆录中写得最漂亮的，并且以这本书获得了诺贝尔文学奖，这是一个非常让人尊敬的成就。所以我说他代表了文武双全、有坚定政治信念和理想的英国贵族政治家。

| 旧金山发现金矿 |

下面说一下 1848 年，一个木匠突然在现在的旧金山发现了金矿，大批人开拓新边疆，无数的人涌向加州，包括很多华人。金山发现以后，导致了大量的人涌来。人来了怎么办呢？美国是一个“私有财产神圣不可侵犯的国家”，但是在这种情况下美国政府也没办法，法院也没办法，警察也没办法了。因为美国规定，你只要买了房子，这块地永远归你，并且这块地下面几百米深的东西都归你。这下面不管是挖出了油、挖出矿、挖出什么都是你的，私有财产神圣不可侵犯。但那时候有点太吓人了，这下面发现大金矿，那不管了，大家都来了，美国人民再守法，这时候也拼了，都带着枪跑来了。美国也没镖局，警察也管不了，所以最后大家就把这块地抢了。这木匠去诉讼了半天，法院判了也没用，也没人执行，最后就不了了之，变成了这个新边疆的共同财富。

这些新移民，勇敢地拿着枪冲到那个地方，现在美国的英文里，专门有一个词，就管这些人叫 Forty-niner，就是英语 49 后面加 er，就是 1849 年勇于开拓的淘金者，就是勇于开拓新领域的人。

发财在美国是一件光荣的事，旧金山到现在有一支强大的橄榄球队，咱们翻译成“旧金山 49 人队”。其实我个人觉得不对，我还跟体育记者讲过，我说就应该翻成“旧金山淘金者队”。就像东岸有一支篮球队，叫“费城 76 人队”，翻成“费城 76 人队”都不知道什么意思，以为这个队有 76 个人，5 个人在场上打，71 个人在底下替补。其实不是，因为 76ers 在美语里，就是指“建国先贤”。因为 1776 年时，由各个殖民地来的这些先贤齐聚费城，签署了《独立宣言》，后来还是这些人，为美国制定了一直到今天美国都在用的根本大法。所以我觉得这不应该叫“费城 76 人队”，应该叫“费城建国先贤队”。美国因为历史短，特别喜欢在某年份后面加 er，来纪念某一种人。

旧金山发现了金矿这一天，直接导致西岸大繁荣，导致千军万马涌向了加州，导致加州就算没有了金矿，大家还是用自己的双手建起了这个美国第一富强的州。加州是美国最富最强的州，加州一个州的 GDP 占到美国六分之一。加州一个州的 GDP 长时间排在全世界前三名，但现在被日本、中国超过去了。加州一个州的 GDP 长时间跟整个德国差不多。虽然说没有金矿，但加州集中了美国最强大的工农业。全世界人民都知道的硅谷就在北加州，好莱坞在南加州，农业也是美国最强大的。这都是从这位木匠发现了金矿开始，产生了伟大的加州，也是我现在居住的地方，我很喜欢，阳光充沛，每个人见人都像阳光一样地笑。

| 岩井俊二出生 |

1963 年的这一天，岩井俊二导演出生。我非常喜欢也是中国影迷最熟悉的几位日本导演之一。岩井俊二代表了日本年轻一代最优秀的艺术片导演。我很喜欢他的理由就是，他原来是一位音乐制作人，后来成为一位优秀的导演，所以一直是我的榜样。

说到岩井俊二的作品，当然大家都喜欢《情书》《燕尾蝶》，我个人最喜欢的叫《梦旅人》，是因为电影的结尾实在太让我震撼了。在一部正常电影里，女主角死的话且要死一阵子呢。日本自己的电影也一样，山口百惠每次都要垂死半天才能死。但是岩井俊二的风格却极为干脆淋漓。影片中两主人公因为对生活绝望，到了一个灯塔上。然后两个人拿着一把枪说，咱俩一块儿自杀，咱俩就离开这个世界，这样就永远相爱了。于是这个女孩就拿起了枪。开始我以为且要演一阵子呢，说两句话什么的，我有几句话跟你说什么，我爱你，等等。谁料到那女人拿过枪来二话不说，就“砰”一枪自杀了。那个女主角一直穿着一身黑色羽毛的衣服，她那一枪，满天的黑羽毛飞起来。因为岩井俊二代表了一种艺术电影流派——表现主义，不是那种现实主义电影。然后那个男的拿过枪疯狂射击天空，最后打向自己时没子弹了，就抱着她，电影就结束了。两个人想一起死而不可得，生活就绝望到这个地步。那个结尾给了我极大震撼，就是说可以这么勇敢。俊二兄，生日快乐。

Today

in History

1月25日

《晓松说——历史上的今天》来到了 1 月 25 日。1949 年的今天，娱乐了全世界人民的美剧最大奖，即美国电视界的奥斯卡奖——艾美奖第一次颁发，这是一件欢乐的事情。再有就是 1981 年的这一天，林彪、江青反革命集团被判决。

| 第一届艾美奖颁发 |

1949 年的 1 月 25 日在洛杉矶颁发了第一次艾美奖。洛杉矶是一个非常美好的城市，奥斯卡奖也是在这里颁发，艾美奖也在这里颁发，因为它是好莱坞的大本营。音乐方面最大的奖——格莱美奖也大部分在洛杉矶颁发，还有一个美国重要的戏剧和音乐剧的大奖，叫托尼奖，有的时候在纽约，但大多时候也是在洛杉矶。所以说洛杉矶集中了美国电影、电视、音乐、戏剧等最重要的奖，是最重要的文化艺术基地。我很热爱洛杉矶，长期生活在那儿，每年都跑去看这些颁奖，非常享受。

有一个现象就是我们国家的电视剧好像要比电影粗制滥造一点，当然了，咱的电影精品也不多。但是美国电视业空前强大，美国的电视剧是毫不逊色于电影的。因为都是好莱坞拍的。美国电视剧强大到什么地步？它在播出的时间上都和电影分庭抗争。或者说美国整个娱乐业协调比较好，电视跟电影是不同季播出的。

最明显就是暑期大电视剧都不上，上的全是大电影。每到春末的时候，所有的电视台全是电影的广告。电影有两个档，一个是暑期，一个就是圣诞档，都是大电影、大制作，各种大腕大明星来演。然后电视剧在秋季上，所以每当到暑期快结尾的时候，你就看路边所有的广告都换了，都换成某某电视剧的宣传。要差不多持续十三周，然后接下来又马上迎来电影的圣诞档，一直持续到新年后，等到春季的时候又开始上春季档电视剧。也就是说，在美国，电视剧占春季档和秋季档，电影占夏季档和冬季档，整个娱乐工业配合得特别好。

春季档电影能拿两千多万美金就可能是周票房冠军，因为是电影淡季，都是小电影。等到暑假一来，大家都关了电视，开车出门看电影，所以暑期档上来第一周你拿一亿美金票房也得不了冠军，因为大片全砸在暑期档开始上。

制作上也是，他们三百万美元拍一集电视剧不算高，两千万美金一集的电视剧也有，甚至有更高的。我还认识一个这样的电视剧制作人叫 John Milius（约翰·米利厄斯），拍过最贵的一个电视剧叫《罗马》。大家看那个辉煌场面完全可以放大荧幕上，演员、场景、战俘、军船、战斗等等丝毫不逊于电影。他同时也是一个好编剧，我有幸在他筹备一部大戏《成吉思汗》的时候帮他做过一次历史顾问。

而且现在美国很多的大导演都开始拍电视剧，包括像马丁·西科塞斯、大卫·芬奇等等，年年上去都得比画两下。而且马丁·西科塞斯在 2011 年得了艾美奖，2012 年也拿了艾美奖。这个在中国很难得，你很难想象张艺谋、陈凯歌拍电视剧拍成什么样。

但是中国电视剧演员片酬非常高，远超过电影，一线的演员演电视剧八十万、一百万元一集。中国的电视剧制作周期三天一集，相当于三天就赚八十到一百万元。但是像八十到一百万元这种级别的演员在中国电影中的片酬也就一两百万元，可是电影得拍两个月。美国的电视剧演员虽然也很优秀，但是他们片酬不如电影演员高。在美国，电影演员动辄三千万美金一部戏，电视剧演员一集最高大概一两百万美金。而且美国的电视剧都是用胶片拍，所有的灯火、道具、场景都很讲究，也是大场面什么都有，几乎跟电影没什么区别，所以能吸引来大导演、大演员。我在电视里看到达斯汀·霍夫曼，吓我一跳，我说这是什么电影啊，看了半天才知道是电视剧，说明电视剧在美国毫不被歧视，是非常强大的产业，自己独占了艾美奖大奖。艾美奖在美国的影响力，一点儿也不弱于奥斯卡。

艾美奖的体制也特有意思。艾美奖是秋天颁的，可是卖剧是在四五月份卖的。有一次我在洛杉矶正好赶上，我看见中国来了十几个网站和公司来买美剧，很感慨中国现在多强大，这放以前都不能想象。以前我们买不起，就是哆哆嗦嗦来了也是买两个人家早播过、老掉牙的，现在都买应季的剧了，而且是连老剧加新剧一股脑儿买下来。现在中国代表团到那儿，不管是搜狐网的、优酷网的还是乐视网的等等，全都被奉为上宾。然后谈判的时候我在旁边看，有时我还帮人当当翻译。我们中国代表团很牛的，就是那种寸步不让，不干拉倒，因为我买你最热的当季电视剧，而且他这么卖等于就是让你赌。其实跟电影是一样的，奥斯卡电影都是前一年上映过的，然后等到一旦得了奥斯卡奖，它会重新再上映，挣很多钱。电视剧也是，它要本土先放一下，然后让你赌，就是你买的这个看看最后能不能拿艾美奖，要是拿了，你就是赚了，赚很多很多钱，就是看你敢不敢赌。这里得表扬一下搜狐网站，他们的眼光极准，搜狐的美剧采购团队里是一帮曾在美国读书的海归，对美剧特了解，所以搜狐基本上都押对了。像《绝命毒师》等等最后都拿了艾美奖。

美国的娱乐业强大到从整个产业布局到一点点很小的节奏，都是千锤百炼，这是非常可贵的。2008 年的时候，一个名叫 AMC 的小台脱颖而出，因为之前的所有艾美奖都被美国的四大电视网、六大电影公司紧紧攥着，其中好几家是同一个老板，结果遇到 AMC 之后，情况为之大变。以前 AMC 就是一小台，我在美国的时候很喜欢看 AMC，里面有很多有意思的独立的小电影、电视剧，成本也不高，也没有四大电视网播，最多时也就两百万人看它的电视剧，谁也没料到 2008 年它的《广告狂人》一片竟然横扫整个艾美奖。那个片子其实是讲美国二十世纪六十年代的事情，弥漫着浓郁的怀旧感伤，很不主流，我极喜欢。

我是个随大流的人，最近爱看的美剧就是《国土安全》，我推荐大家去看。

《国土安全》在2012年的艾美奖里得了四项最重要的大奖，其中有最佳编剧奖。最佳编剧在艾美奖里远超过在奥斯卡里的地位，因为电视剧编剧第一，而电影呢大家认为是导演第一，可见电视剧编剧非常重要。它得了最佳剧集、最佳编剧、最佳男主角、最佳女主角，把四项最重要的奖全拿下来了。我觉得完全是众望所归，因为两位演员演得实在太好了。它那每一集都可以上大银幕，拍得丝丝入扣，题材也非常好，讽刺政府讽刺总统的，刻画得入木三分。

《绝命毒师》我觉得是神级的美剧，以前在美剧里很少见到这种类型的。我觉得《绝命毒师》编剧的水平都能当大作家，因为他写的完全就是魔幻现实主义，在现实生活中绝不可能发生的，可是你怎么看又都觉得是在说现实里的事儿，非常神奇。

美国好莱坞电影还是很保守的，遵循那些原则，因为海外市场超过一半，面对不同的地域、民族、宗教，不敢造次。但是电视剧因为主要是本土市场，敢于突破，已经向前走了一大步。

2011年《生活大爆炸》的谢耳朵也得了演员奖。原来我特别喜欢看《生活大爆炸》，是因为自己就是理工科出身，上学的时候我就一天到晚拿各种化学来形容爱情，谈恋爱也跟人家讲化学道理，说咱俩硫酸铜易合难解，然后说咱俩就是氢和氧，一碰就变水，要分解起来就得用高压电，电离也分不开，等等，所以我看《生活大爆炸》时对一帮科学狂人特别喜欢。但是现在这个“谢耳朵”，我就觉得一直都那样，没什么变化，所以觉得没什么意思。如果要学英文的话，《生活大爆炸》是特别有意思的。

在这儿还要表扬一下我们的字幕组，翻译得好极了，经常有时候我听那原文没笑，看着这翻译我乐了，翻得太逗了。一会儿还看到什么“元芳，你怎么看”等等各种各样最现代最时髦的词，而且他们非常懂美国本土的文化，那些俚语都翻得极准确，特别有意思，远比那些在电影院里看到的直译片好多了。我经常在电影院里看到正经引进的好莱坞电影字幕翻译得错误百出。如打着打着仗，却跑出来一句“快给我俩杂志”，“Magazine”首先是弹匣的意思，其次才是杂志，结果这哥们儿翻译成打着打着说来俩杂志，我说这杂志能杀死人吗？但是在好的美剧字幕组里，几乎从来不出这种错误，而且翻译得特别有意思。

我觉得我们引进的片子，当然现在是放开了好多，但原来只是一家引进，而且还是国有的，就比较保守，永远找一些所谓的翻译家来翻译，他们没在国外生活过，英语底子很深，翻译莎士比亚行，但翻译美国现代的这些东西，我觉得有很大问题。其实我们应该把那些好莱坞电影也去找那些字幕组翻，人家翻得非常好，最开始字幕组其实翻译的是一些盗版的剧，量非常大，所以就是锻炼了字幕组，翻译出来就特别漂亮。我个人当然坚决抵制盗版，但对美剧字幕组的翻译，我还是特别喜欢。因为人家确实翻译得好，很多人可以拿这个去学英文。

最后，再把美剧怎么卖说一下。它不但要赌艾美奖，它签的合同都是那种叫两集对赌收视率，就是说我先买你两集，如果收视率到了对赌的这条线，自动就把你剩下的十集买了。所以美剧全都砸出整部电视剧一半预算来拍头两集，让人一放收视率有了，就立马能卖出剩下的。这做法也符合戏剧原理，戏剧原理就是你要先用一种氛围或者叫你的制作把大家吸引过来，让人一直往下看，开始关心起人物的命运来，只要观众关心起片中人物的命运，那么你就不用花那么多钱了。所以，他们请马丁·西科塞斯这种大导演来导，其实也都是导头两集，头两集一卖，后边就好办了。美国尤其那种大规模多季电视剧，很少一个导演导一整个电视剧的，你仔细看电视剧后头，经常是这两集这个人编的，这个人导，这个人制作，等到后面就变了。我在那儿经常碰见这种情况，说你干吗去，人家说我突然接到一任务，有两集某某戏归我了，我得去弄。所以美剧不像电影，电影是完全的导演艺术，以导演为中心，电视剧实际上还是大规模工业生产的制作人制度。

|林彪、江青反革命集团粉碎|

1981 年的这一天，最高人民法院特别法庭对林彪、江青反革命集团 10 名主犯，在进行了正义的审判后，做出了最后的判决。

林彪和江青是完全不搭界的两个集团，在“文化大革命”开始后，两边其实一直在斗争。林彪集团是军人集团，都是各总部的首长或者军种的首长，他是希望能够多控制军队一点，而且做得很低调，很秘密地进行。然后江青他们那一派就是越闹越好，恨不得把你们这些老将老帅全闹下来才好，所以江青集团和林彪的集团就一直在斗争。林彪集团倒台得比较早。林彪在 1971 年 9 月 13 日就死了。林彪等人在我党我军建立新中国的整个过程中是立过大功的。但功是功、过是过，后来的事是后来的事。但“四人帮”功是真没立过，跟林彪集团还是有区别的，因此在判决书上“四人帮”的判决是非常严重的，林彪集团没有判成那么严重的罪行。

因为我们家当初被迫害过，所以我那时候对判决“四人帮”的印象还是特别深的，有几个细节印象特别深刻。一个就是江青特别猖狂，站起来就喊“这是毛主席说的”，大家就开始犹豫一下，有些尴尬。张春桥永远一语不发，特别老奸巨猾，张春桥就是在“四人帮”的漫画里被人画成狗头军师那样的。姚文元永远是在那儿喷着口水。

1976 年“四人帮”后的某天，我第一次对这个世界感到荒诞。因为我一出门，我家门前那条弄堂完全不认识了，因为整个世界被漫画给糊住了，没有一寸空地儿，有“美女蛇江青”“狗头军师张春桥”“哇哇喷着那唾沫的姚文元手里拿一根大笔”，人民的铁拳特别大，人民“铛”一个铁拳，“四人帮”就倒下了。可是就在这之前一个礼拜，电视上还用那种很慢很庄严的速度念着他们的名字，结果突然就变成这样，我当时都傻了。我觉得这个世界好奇怪，所以我长大以后变成自由主义者，甚至快变成一个无政府主义者，就是因为目睹这些事后我觉得好荒谬，看不明白。

张春桥当时在那儿坐着，这时候来了一个跟我们家有很大关系的人上去做证，叫蒯大富，因为他当时在清华武斗的时候是红卫兵井冈山派的头。我父亲、母亲都是比较保守的 414 派，蒯大富那一派很激进，蒯大富本人也是个极为广场性格那么一人，他上去了后就连说带比画，特别激昂，然后说：“1967 年某月某日，突然来了一辆黑色的汽车，来到了清华园接我，汽车去了哪里呢？汽车开进了中南海，我刚下车，就看到一个人从对面桥那边向我走来，那个是谁呢？就是他——张春桥！”然后就瞪着眼睛指着张春桥，我当时都看傻了，我们家人就在那儿乐，说蒯大富一贯就这样，那时候红卫兵的头儿都这样，今天也有一个词给他们，叫愤青。后来蒯大富自己也被判了，好像被判了几年，现在已经出来了，后来自己下海经商去了。

当时蒯大富就是那么指着张春桥，但张春桥根本就没抬眼看他。那个场面非常有意思，后来看电影、做导演，其实对人的理解慢慢才会真的清晰起来，我长大了才理解为什么张春桥是那样的，江青为什么会那样，王洪文为什么那样。王洪文特别老实，后来王洪文跟林彪集团的吴法宪关一块儿，大概是一个套间的两个屋子，他们俩共用一个公共卫生间，王洪文每天帮吴法宪洗衣服。按说在被抓起来之前，王洪文地位远高于吴法宪，吴法宪只是空军一中将，王洪文是副主席，快成党的第三把手了。但是人性很有意思，当你身居高位的时候一个样子，当大家都成了阶下囚的时候本性就都出来了。吴法宪毕竟是从红军时期就开始一直领军，毕竟是身经百战的老将，虽然大家都是阶下囚，但是吴法宪往那儿一坐依然是老将那种风范。王洪文是复员军人纺织厂保卫干部出身，只是在“文化大革命”开始以后成为造反派的典型，突然间从一个工人给拔到了国家的高层领导人，以至于有他很多接见外宾的笑话。换句话说，时代造就人，时代也毁人，如果没有那个时代，王洪文其实就是一个老实工人，所以他一到监狱里，就恢复了老实工人的样子，就每天帮着吴法宪老将洗衣服，在生活中照顾他。在后来的回忆录里看到还是很温暖的，当然，他们对中国人民犯下的罪行是不可饶恕的。

那次审判也是拨乱反正的一个重要的里程碑，也是中国从此昂首挺胸走向改革开放重要的里程碑，所以那是一次历史性的大转折，年轻人如果不了解的话，可以去看看当时的资料。那个时候我就陪着家里人看电视看着这些，今天回想起来，原来那就是在目击历史。

|罗伯特·彭斯出生|

1759年，罗伯特·彭斯出生。这个人是干吗的呢？就是写了一首歌，叫《友谊地久天长》，全世界人民都会唱。他唯一倒霉的地方就是没赶上版税制度，如果那时就有版税制度，这个人简直快成世界首富了，因为这首歌在全世界到处被唱，现在全世界版税最高收入的是写《生日快乐》的那个人，他的孙子每天没事干雇着一堆律师在全世界收钱，每年收无数钱。

这首歌《友谊地久天长》在西方传唱的频率，完全不低于《生日快乐》，因为西方的任何一个聚会，都会唱这歌。我从小就会唱，虽然不知道什么意思，后来长大了才知道，它有很多古英文在里面，名字 Auld Lang Syne（《友谊地久天长》）也是一句古英文。

苏格兰的音乐尤其是这种古民谣都无比好听，它随着《魂断蓝桥》最后风靡世界，那时候全世界都熟悉这首苏格兰民歌。全中国人民熟悉的“长亭外，古道边，芳草碧连天”这首《送别》，也是苏格兰民歌的旋律，是由我们民国大才子李叔同——后来叫弘一法师，由他填的词。还有就是在另一部非常优秀的电影叫《毕业生》里面，保罗·西蒙翻唱出来的叫 Scarborough Fair（《斯卡布罗集市》），也是我最热爱的，也是全世界最熟悉的苏格兰民歌。以至于我在国外每次看到路边有临时搭起来的白色帐篷都非常惆怅，我年轻的时候还是很善感多愁的。

甚至在后来的很多年里，我其实照着各种歌词里面的地名去一一寻找。我小时候或者我长大以后听过的每首歌里面的地名，我几乎都去过，包括我六七岁的时候学黑管吹的第一首曲子叫《重归苏莲托》，里面提到的是意大利一个特小的小镇，在南部，我都找到过。但是始终没找到 Scarborough，因为它是很久远的苏格兰民歌。如果哪个人有心在海边盖一个市场的话，一定要把它的名字叫作“Scarborough Fair”。

我最爱这首歌最后一句：“She once was a true love of mine”（她曾是我的真爱），每一个人长大的时候对爱情的那种憧憬，就是我们长大的时候最迷惑的一件事。年轻的时候每当唱起这首歌，心里充满了向往。我上大学在清华第一次登台的时候，三个同学一起唱了这首歌，他们唱，我和音和配乐，还得了个第一名，当时奖品是一本《雪莱诗集》，那是一个白衣胜雪的美好年代，得了第一名会发《雪莱诗集》。

我去年回到母校去看歌手大奖赛，得第一名发手机，而且还要念出手机的名字，因为是赞助商。很遗憾那个单纯的时代过去了，但是所有这些美好的旋律，包括这位大师写的《友谊地久天长》，一直陪伴着人们。音乐是人们最好的而且最不过时的朋友。

1月26日

《晓松说——历史上的今天》来到了1月26日。首先是1291年，元世祖命令郭守敬开凿通惠河，建成了大运河最后一段。第二，今天是方文山，文山兄的生日，他是我非常尊敬的大词人。第三，中国历史上的大词人陆游在今天逝世。

元世祖下令开凿通惠河

1291年的这一天，元朝皇帝元世祖命令郭守敬开凿通惠河。现在在北京开车，长安街每次堵的时候，就开一条道——通惠河北路。通惠河北路就是沿着通惠河的一条公路。通惠河开凿了以后，大运河就正式通到了北京皇城根，通到了皇帝的脚下。

这件事对国家很重要，中国的两个东西分别代表了外交和内政，长城是外交，运河是内政。

古代的路是非常难走的。在有运河之前，皇帝最讨厌出门坐车，当时既没有减震系统，连充气轮胎减震都没有，也没柏油路，所以皇上要坐车出门，垫八床被子都不行，因为颠簸得厉害。所以水运是最好的，运量最大，而且速度也快，皇帝也很高兴。原来在有运河之前，皇帝都懒得出门，出门最多骑个马打个猎，要不然坐着车颠啊颠，到最后就一点儿兴趣都没有了。而且皇帝要豪华，车再怎么豪华也没法儿两室一厅啊，最多就是一小屋在里头，皇上抱俩妃子，最多也就俩。所以皇上最喜欢的就是这运河，有了运河以后，才有了后来的皇上下江南啊，才能把江南的东西运到北方，才能建故宫、圆明园等等。

皇上一出游，好几层大船一上去，可就豪华了，然后船里有女子、太监，除了水手，皇上最讨厌的就是有男人，尤其是强壮的男人上船。皇上的船一出动，全都靠两岸拉纤，所以运河两岸都是那种纤夫。皇上一出动是非常劳民伤财的，两边一路拉纤拉到江南。但是总的来说，这个国家通了，皇上下江南不光是玩儿，皇上能了解到这个国家，而且最重要的是运输。

在运河之前啊，中国没办法，虽然集权是中央的，但最简单的税收都没法集中到京城去。没办法大规模集中到京城，或者分配到中国各地，预算也很难做，各地怎么样也搞不清楚，非常混乱。虽然大帝国一个朝代接一个朝代，但是直到有了运河，南方的税收才真正能到北方。那时候著名的漕运最多的时候能运几百万两银子到北方，粮食也能运到北方。

过去没有运河的时候，一旦饥荒，关中大饥，皇上也没吃的。所以后来首都慢慢就到了河边，最后就到了北京，因为运河到这儿。到元朝的时候，把通惠河通了，就通到通州运河，就上了船，沿着运河一路上淮河、长江南下。所以郭守敬开始开凿通惠河这一天，对我们这么大一个国家，是非常重要的一天。

丨方文山生日丨

我看到有人说，中国现在写歌词的人，香港有个林夕，台湾有个方文山，大陆有个某某某，就是说鄙人。我确实也写了些作品啊，以前的就不说了。但是方文山是台湾现在最好的作词人，而且他开创了一种非常好的作词风格。

过去的流行歌特别简单，就是我爱你，你爱我，除了你，就是我，写到没得写了，还怎么爱啊？但是方文山是大规模地开发了一种题材，用第三人称写别人的事儿，他成就了周杰伦。如果没有方文山，周杰伦跟陶喆的水平是差不多的，流行，节奏感。陶喆还好一点儿，对美国黑人音乐还有更多研究。周杰伦有一种很好的节奏感，但是如没有方文山的《娘子》《双截棍》《威廉古堡》《忍者》《止战之殇》等等这些，如果只是周杰伦自己，也还是我爱你、你爱我。

方文山不但古典底子特别好，最有名的是他押的韵轻灵漂亮。很少见到今天的人，拿起笔来押韵的时候，不着痕迹就押了，就是《双截棍》最后那一套，简直漂亮极了，风生水起，哼哼哈嘿，飞檐走壁，等等。不创作的人，可能感受少一点儿，创作的人首先感到就是要自由，一下子在他那儿看到了一种自由的创作，就是以《双截棍》为首。一到不是方文山写词的时候，周杰伦的歌一下子降了好多，有方文山在的时候，整个词曲都到了非常自由的地步。

他不但给周杰伦写词，给很多很多人写的东西都非常好，开创了一种抛开你和我、描绘世界上各种各样的东西的一个先例。方文山还有一点好，他跟我同龄，但是其实他的心态特别年轻，你看方文山写的东西，大量的是那种游戏心态，他不管是写古代的东西，写西方的东西，写这样的一个广场，那样的一个古堡，写日本的文化，听了以后都觉得是一种年轻人在玩游戏的心态。

用深厚的古典底子，又不用非常拘束的而用现在年轻人那种心态，方文山对整个华语流行音乐的贡献是非常之大，也是我非常尊敬的。虽然有人说大陆有我，台湾有他，香港有林夕，但是我觉得，他们还是比我要好。

| 陆游去世 |

1210年，宋朝大词人陆游去世。陆游我就不多讲了啊，大家课文里已经都学过，“王师北定中原日，家祭无忘告乃翁”。在我们的一切都以政治为导向的课文里，他被说成是一个爱国的人。其实大家都是爱国的，我也没看到有哪个文人不爱国，但陆游专门被说成爱国主义诗人。

他的爱情很倒霉，好的文人可能经常会遇到这种创伤，才会写出“红酥手，黄縢酒，满城春色宫墙柳”这种伤感的词。

有一个要提出来的，就是陆游留下的一万多首词，其实是中国古代文人里最多的，但是如果把乾隆皇帝也算上，这就不是最多的。乾隆皇帝有一瘾，就是到处题一副对联，写一首诗，乾隆皇帝留下四万多首诗，但是我只能背出来俩对联，“塞外黄花恰似金钉钉地，京中白塔犹如银钻钻天”，所以乾隆皇帝虽然是留下四万多首诗排第一，陆游排第二，但是那是因为他是皇帝。真正由人民因为热爱这些作品而把它流传下来的，最多的就是陆游。

| 盛田昭夫出生 |

我很少讲到商人企业，对历史的兴趣都在于文人墨客、英雄美人。商人我本来不是特别想讲，但是索尼的创始人盛田昭夫出生还是值得说说的。有关索尼我就不多说了，各种成功学的书里都讲了很多。我来讲一个文化上的事情，就是今天全世界人听到索尼的时候，已经很少有人感觉到这是一个日本牌子，感觉就是一个带着非常浓烈的美国印记的、一个全世界的牌子。

这是一个挺有意思的事，索尼最开始其实并没有想进军文化，只是在电视这个专业系统的领域里做了很大的努力，民用的 Walkman（随身听）、MD（迷你光盘）等等。

当时索尼出台了一整套电视制式，叫 Betacam（广播级）制式，现在全世界所有电视台用的都是 Betacam 制式。但是当时有一个大的竞争对手松下出台了另外一套电视制式叫 M2，老电视人都还记得。中国有个电视台，当年就引进过 M2 制式。M2 的带子，都比索尼的 Betacam 要小，互相是不兼容的。就是索尼那个带子松下这儿看不了，松下的在索尼这儿也看不了。这种叫系统性的竞争，你死我活，不能共存。因为电视台互相是要交流节目啊，你拍了在这儿播，我得卖给他，所以全世界的电视台只能用一个制式。

当时这个 Betacam 制式跟 M2 进行了激烈的竞争。它们是日本两个巨头，松下当时在整个电视播出设备中，包括摄像机等等这些领域还是非常厉害的。索尼怎么打倒它呢？索尼想了一个特别有意思的招儿。我去卖我的机器，你去卖你的机器，有的电视台买我的，有的电视台买你的，我干脆直接把全世界最大的电视台之一给买了，让它用我的制式，那全世界其他的都得用了。所以索尼一把就把美国最强大的电视网哥伦比亚电视台买了，还买了好莱坞最元老的哥伦比亚制片厂，然后还有美国最重要的唱片公司哥伦比亚唱片。相当于来了一个日本企业，把美国最重要的文化旗帜给一把买下了。这在美国引起了轩然大波，国会都在讨论。

索尼由此形成了这么一个良性循环，彻底打败了松下。哥伦比亚开始用了Betacam制式以后，其他各个电视网都用，主要的美国电视网用了，全世界都得用美国电视网的这些新闻啊节目啊。中国当年买了松下M2制式的电视台，完全就血本无归，只能当废品卖了。所以它通过买了这个哥伦比亚电视台，把它的Betacam制式在全球垄断化了，现在全球到哪个地方看、哪个电视台用的都是索尼的机器。

但是他没想到的一个副产品，就是由于他买了这个电影公司，买了这个唱片公司，而且这个电影公司出产的电影，始终都是美国最好的电影之一。索尼电影一直都在美国好莱坞，不管当年六大还是现在四大里，都是很厉害的。而且后来原来的六大之一的MGM大狮子米高梅破产的时候，它又把米高梅收进来了，所以它一下子使索尼旗下有了哥伦比亚电影公司，有了米高梅电影公司，还有了一个哥伦比亚三星，它成了好莱坞的一个巨头。

作为唱片公司，索尼一直签有流行音乐之王迈克尔·杰克逊的合约，在全球拥有最多的歌迷。索尼不停地出产电影，不停地出产唱片，都打着索尼的招牌。1998年索尼因为横扫世界的两首歌，超越华纳，成为世界第一唱片公司。席琳·迪翁唱的《我心永恒》，还有那年世界杯瑞奇·马丁唱的那首《生命之杯》。当时中国索尼唱片总部墙上挂着一个全球总部发来的贺电，说“大家庆祝一下，因为索尼今天出色的成就，我们超越华纳，成为第一大唱片公司”。这两首歌都跟日本没关系，原来是为了做设备而买了世界最大的电影公司唱片公司，慢慢因为它自己出产的内容，成功地成为一家世界级的文化公司。

全世界人看到索尼，再也不会想到日本。这是索尼最成功的地方，未来中国那么多企业，开始踏上走向全球舞台的这条路，索尼的路是非常值得借鉴的。松下原来是跟索尼旗鼓相当的大公司，同时也因此一下把松下这个领域都打掉了。松下在这个领域完全没有了。现在中国企业越来越大，不能光生产一些产品去卖，而是要变成一个有文化旗帜的品牌。

1月27日

《晓松说——历史上的今天》来到了1月27日。首先是一个悲伤的事情，1142年的这一天，中国历史上最坏的大坏蛋之一——秦桧，以“莫须有”的罪名，在临安大理寺杀害了岳飞。第二个就是在1944年，机械化时代最长、最惨烈的围城战——列宁格勒战役胜利结束。第三就是在1841年的这一天清朝向英国宣战，中华民族永记在心的——第一次鸦片战争开始了。

| 岳飞被杀害 |

1142年的这一天，中国历史上记载的最坏的大坏蛋之一——秦桧，以“莫须有”的罪名，杀害了岳飞。当然了，实际上秦桧上面还有一个宋高宗，如果没有宋高宗下令，秦桧是害不死岳飞的。所以很多时候大家要清楚，奸臣背后一定有个坏皇帝。不像各种电视剧里演的，皇帝特好，大臣都特坏，这怎么可能呢？一个好皇帝下面，怎么会容许有这样的大奸臣呢？他们俩联手害死了民族英雄岳飞。

历史是公正的，杭州的岳王庙，岳飞供在那里，然后下面跪着俩小铁人，

“青山有幸埋忠骨，白铁无辜铸佞臣”，永远在那里被人唾弃。岳飞是每个人心目中的精忠报国大英雄，连岳母、岳云都栩栩如生。在我个人的观念里，历史分三种：一种叫家族史，每个国家写自己的历史，每个党派写自己的资料，大家都往好里说，往自己脸上贴金。第二种叫真的历史，真的历史是扑朔迷离的，没人能说自己证明某段历史真相，只能说大家试图靠近真相。再有一种叫剧场史，岳飞其实已经属于剧场史，人民因为自己对真善美的追求，对英雄人物的追求，不断地把历史上的一些人物在剧场里美化再美化，把各种美好的愿望集于一身。

宋朝是个苦难的朝代，中华民族一直做拼死的斗争，包括内部斗争。所以宋朝出了很多剧场史的人物，包括包公、杨家将等等。

其实包公很多案子也不是他断的，也没真的杀过陈驸马，而且就算有个陈世美，陈世美也不是死刑的罪，其实是个重婚罪。包公被列进了剧场史，越说越神。

岳飞也是属于剧场史，慢慢地在剧场里被人们赋予很多美好的东西。当初小时候听刘兰芳讲的《岳飞传》，岳飞就是一个高大完美的形象。实际上的岳飞，当然首先是一个民族英雄、爱国将领，当然他不是唯一的，在岳飞时代，包括韩世忠、张浚、吴玠、吴璘等等，有一批汉人的优秀将领。宋军先后在黄天荡、和尚原、顺昌、郾城等地大败金兵，保住了秦岭淮河以南的大片国土，依靠的就是这些民族英雄。

但是，岳飞没有后来的剧场史讲得那么神奇。首先，真实的历史上，岳飞背上是没有刺上“精忠报国”这四个字的，人们永远对于英雄的出身有很大的愿望，他一定是有一个很好的家庭教育才这样。《满江红》不知道是不是岳飞写的，有几个证据还有点意思。比如在里面写到“驾长车，踏破贺兰山缺”，贺兰山是在西北，和当时岳飞抗战的燕山不是一码事，应该说“驾长车，踏破燕山缺”，才是岳飞的真实写照。实际上是在汉朝的时候打匈奴才打到贺兰山去的。

我也愿意相信岳飞是一个文武全才的人。还有《武穆遗书》是不是岳飞写的？还都有存疑之处。岳飞最被歌颂的朱仙镇战役，实际上也并不是一个大的战役，包括我们在评书里经常讲到的大破金兀术的“拐子马”重装骑兵。后来经过历史学家的考证，在一个以轻骑兵为主的游牧民族里，不可能出现把马连起来这样的事情，这是大家为了歌颂岳飞的战果，怀着巨大的善意在剧场里慢慢夸出来的，包括八大锤什么等等都是一些美好的想象。实际上，真正的打仗，每人抡俩大锤子上去，是很少的，应该是不能存在的。但是无论如何岳飞，是一位民族英雄，他用他自己的岳家军帮助我们，在中华民族最危难的时候，和其他将领站出来，和外族做了殊死的斗争，让我们汉民族的王朝又延续了很多年，感谢岳飞。

| 第一次鸦片战争开始 |

讲到这个时候，我觉得中华民族怎么那么心酸呢？不停地要讲到中华民族的苦难，岳飞也好，靖康之耻也好，现在又讲到鸦片战争。我们这个古老国家真的是经历了一次一次的灾难，但是我们仍顽强地生存了下来，今天还是屹立在世界之前列。要非常感谢，每当国难时就有那么多勇敢的人站出来。

1841 年的这一天，永记在中华民族历史上。鸦片战争大家都知道，我就不详细讲了。就讲几件小事。

当鸦片战争开始的时候，在英国议会里爆发了巨大的争论。争论的是两个前提，一个呢，确实不是很正义。英国议会里很多议员都是贵族，说我们怎么能为了几个走私犯去出动大英帝国海军，这些人走私毒品，我们为他去开战好像不太光荣，因为大英帝国始终都是那种文明的国家。虽然在殖民时期做了很多见不得人的事情，但是表面上还都认为自己是最文明的国家。这个其实是小事儿，想打仗永远都有借口，法西斯侵略都能找出借口。

更重要的是英国的议会在激烈地辩论说，中国是这么强大一个国家，当时中国的 GDP 远远超过英国，依然排在世界第一，是经济上最强大的国家。咱们就贸然跟一个这么强大的国家去打仗，咱行吗？

那个时候通信各方面不发达，没有人知道中国什么样。这个时候站出来一个议员，力排众议，舌战群儒，告诉大家我们能开战，我们能打败中国。为什么呢？因为他来过中国。他怎么来过中国呢？大家知道，第一次英国使团来华的时候，就是马嘎尔尼公爵于 1793 年来的时候，发生了很大的争议。我们要三拜九叩、双膝跪地，英国使团坚决不同意，只能单膝跪，跟礼部争吵了半年多。直到最后礼部说，可以趁皇帝北狩在路上的时候单膝跪，我们的礼节里有这么一项。所以马戈尔尼最后是在乾隆北狩的时候，英国使团突然出现在路上，那就觐见一下，于是单膝跪行了这个礼。

这个时候马嘎尔尼的使团里带了一个小孩儿，这个小孩儿，不是马嘎尔尼的孩子，也不知道是谁的孩子，来的时候呢不大。由于小孩儿学语言很快，马嘎尔尼使团见不到乾隆，一直在北京待着，这个小孩儿天天在街上跟人聊天，就学会了中文，于是觐见乾隆的时候，小孩儿在旁边还说两句话，甚至快当翻译了。乾隆特别高兴，说你看，我天朝上国的文化多有意思，蛮夷之国来的小孩儿，都会说中国话，还把他叫过来，抱到了腿上，而且还赏他东西。

要按中国话说这小孩儿就是白眼狼，乾隆对他那么好，还抱到腿上赏他东西，他最后回到英国，当了议员的时候，他说我跟着去过中国，就是因为下跪这件事，我了解了中国。凡是逼着别人下跪的国家，一定很容易给别人跪下，就是这样一个虚荣的、好面子的、一个大的古老的中国，所以我们打它没问题。

就因为这件事，大家相信了他，英国向中国宣战，最终不幸被他言中：中国在那么强大、那么富有的情况下，三下两下就被打败了，而且是屈辱地跪下了。赔钱对于一个主权国家来说，一分钱跟一亿两银子没区别，就等于是下跪了，而且还割让土地。割让土地这种屈辱，在世界各国的战争史上，那都是到了底线的屈辱，除了亡国以外。从此中国开始进入漫长的苦难的时期。

一个民族不能说我曾经给你跪下，你就必须给我跪下，那你有一天还是会再被别人打败。我觉得一个民族，包括一个人，都要学会怎么跟别人平等相处。一个民族要平等地跟世界其他民族相处，一个人也要学会不卑不亢，而不是又卑又亢。

| 列宁格勒战役结束 |

1944 年的今天，机械化时代最长最惨烈的围城战——列宁格勒战役胜利结束。在过去的冷兵器时代，一打好几年都很正常。说围城围几年，包括特洛伊，这个很正常。但是到了大规模的热兵器时代，到了机械化时代打仗的时候，那是非常残酷的，围城是要开大炮的，飞机是要轰炸的。在这样的情况下，一个城市英勇地坚持了 900 多天。这在现代战争史上，是没有过的，世界各国都没有过。

英勇的列宁格勒人民，在远离后方的情况下抗争，因为当时这边已经打到莫斯科了，跟列宁格勒已经完全断开了。只有冬天的时候因为全结冰，能由一点水路运一点东西进去，但是杯水车薪。列宁格勒的人民在没有食物、没有武器、没有取暖、没有煤、没有电的情况下坚持了 900 多天，将近三年，永不投降，一直坚持战斗。

在苏联打仗，冬天的取暖是非常非常重要的，要不然那零下好几十摄氏度是活不下去的。列宁格勒人民一直在这种残酷的情况下坚持。就在这么严酷的环境下，苏联最伟大的作曲家肖斯塔科维奇创作了《第七交响曲》，列宁格勒的交响乐团依然坚持演奏，演奏成员一个一个饿死，更不要说老百姓饿殍遍野。

在这种情况下，坦克厂还在生产坦克，炮弹厂还在生产炮弹，男男女女还在前线挖战壕，英勇的苏联红军还在坚持。当时德国已经把能生产的最大的大炮，800 毫米口径的大炮啊，一颗炮弹一吨多重，都调到前线向列宁格勒轰击。冬天的时候用冰车在冰上运尸体和伤员，德国炮兵一直向湖上开炮，把这些冰打碎。最后到 1944 年的这一天，由于苏联红军大反攻，就是苏联红军十次大反攻，其中就包括最终解放了列宁格勒。列宁格勒战役是反法西斯战争中一次惨胜，但是非常英勇。法西斯是赢不了的。不管你们有多强大的军队，你们有多强大的武器，在正义面前，法西斯是永远战胜不了的。

1月28日

《晓松说——历史上的今天》来到了1月28日。1932年的这一天，“一·二八”战役开始了，抗日战争正式打响了这一枪。1956年的这一天，我国正式实行简化字。而1986年的这一天是个悲剧，人类探索太空的“挑战者”号航天飞机失事。

|“一·二八”抗战|

下面我们首先来说“一·二八”抗战。仅仅在“一·二八”的几个月前，刚发生了“九一八”，日本侵占东北的国耻。1931年的“九一八”，日军几乎是不费吹灰之力，区区那么点人，占领了整个东北，然后把东北军留在东北的最强大的武器如几百架飞机、坦克等等都缴获了，全国人民非常愤怒。

大家平常看北方人性格特别火暴，觉得打仗的时候北方人肯定特别善战，但实际是历朝历代真正打起仗来时，几乎都是南方人坚持在打。蒙古人来的时候，日本人来的时候，都是南方军队在打。

蒋介石的不抵抗让所有人都满腔愤懑，尤其是军人。军人都是有血性的，随时准备跟日本痛痛快快干一仗。这个时候日本人又跑到上海来，撞上了南方的广东军队，就是粤军的十九路军。这支军队的前身原来参加过我党的南昌起义。南昌起义时的主力部队是国军的一个军加三个师，贺龙的一个军，叶挺的一个师，周士第的一个师，还有就是蔡廷锴指挥的这个第十师。但是起义军撤离南昌，南下广东潮汕的途中，第十师师长蔡廷锴革命意志不够坚定，带着第十师中途开小差溜走了。后来这个师就慢慢地成长为十九路军，成为广东粤军的一支主力部队。当时这个部队在上海打日军特别英勇，开始的时候单枪匹马就跟日军干，干着干着全国人民受鼓舞掀起了支援的热潮，包括上海的黑社会都去帮助十九路军。于是在全国人民的怒吼声中，中央军也派出了第五军。第五军是当时中央军最强大、装备最精锐的部队，也上了上海前线。

所以说蒋介石不是不抗日。他是在还没到全面抗日的时候，在全国人民的呼声中就把自己手中最精锐部队派到了前线。当时这支部队是由中央军的张治中将军亲自指挥的。张治中是蒋介石八大金刚中最受信任的主将之一,一直都带领蒋介石最精锐的部队。所以张治中将军也是新中国成立以后“中央军”留在大陆的最高将领。张将军的女儿和我在洛杉矶很熟,她家里一直挂着一张当时叫“三人停战小组”的照片，即美国的马歇尔上将、周恩来和张治中。这是当时内战时期在延安拍的。当时张是国民党代表，周恩来是共产党代表。因此说在与日军作战时蒋介石确实派张将军带着中央军的精锐部队上了前线抗敌，但是中央军当时更多的主力其实是在剿共。我觉得这是民族之殇，攘外必先安内，当时国共确实还在内战。

日本人在这之前几乎没败过，所以很嚣张，而且当时我方属于孤军奋战，所以后来被日本从后面包抄了。但我个人觉得“一・二八”抗战实际上是一场不能说是打输了的战役，因为当时确实挫败了日军“四个小时占领上海闸北”的狂妄野心。“一・二八”抗战的重要意义，就是激励了全国人民的斗志和信心，而且让全国人民、全世界人民看到了日军并非那么不可战胜。我们的两个军都能跟日军在上海坚持那么久，逼得日军三易主帅四次增兵，接下来才出现了之后的长城抗战。长城抗战时中央军也上了前线，当然还有各地方部队。《大刀进行曲》这首歌，“大刀向鬼子们的头上砍去……”，就是长城抗战时在西北军中诞生的。

| 开始实行简体汉字 |

1956 年我们通过了《简化字总表》，开始实行简体汉字。事实上简化字到今天仍有无数的争论，很多文化人、知识分子都不喜欢简化字，尤其是书法家。大家知道中国古代书法讲究结构，所以笔画越少其实越难写，笔画多写出来才好看。我个人觉得，简化字体笔画我完全支持，尤其是现在到了电脑时代，我们简化了笔画之后，方便了大量的人，比如计算机五笔。再有就是原来的字笔画太多，写起来很累人也很耗时间。所以简化笔画我是觉得更方便实用了。但我不大赞同合并字，因为有些字原来有自己的意思，一合并后我们就看不出来是什么意思了，比如皇后的“後”跟后面的“后”并成一个字了，大家可能觉得意思就是皇后排在皇帝后面，其实根本不是这个意思，原来的“後”本身就是君的意思，皇后母仪天下，与皇帝并列。再比如说，我写《同桌的你》时，我肯定是写给姑娘的，所以我特别想写女字旁的“妳”，但是现在都简化了，通用的只有这个你。你说我怀念的肯定是一位青春美好的姑娘吧，我又不是怀念坐我旁边的大老爷们儿。再比如原来用来形容牲畜的“牠”变成了“它”，生命没了，你就看不出它是指畜生的意思。合并字我觉得不大好，丢失了很多字原本的意思。

英文吸收大量法语的时候，也做了很多合并，法语词汇比英文多得多，所以法语写东西的时候很细致。原本很长一段时期里，很多世界性的条约都用法语写，因为词汇多就可以把意思分得很精确。法语词本身分成阴格、阳格，但到英文以后就简化成不分阴阳格了，等英文再到了美国，又合并简化了很多东西，美国人懒得分那么多。可是大家看到一个什么现象呢？最强大的英语是由好莱坞电影和美剧诞生出来的，这说明文字简化对于少数精英来讲确实觉得不方便，但对老百姓来说很方便，大众接受，大众支持，所以美式英文成了大家今天的共用语。我觉得这点其实值得我们思考一下，虽然大家都说美国没文化，但美国确实强大，因为他们是实用至上，剔除那些没有用的、复杂的东西。

| 美国“挑战者”号航天飞机失事 |

1986 年的这一天发生了一件非常悲伤的事情，美国“挑战者”号航天飞机失事。我当时正在看直播。那时候航天飞机上天还是挺新鲜的事儿，不像后来一会儿发一个，所以当时在美国很受关注，全程直播，包括准备阶段就已经在直播了。

我记得特别清楚的是当时“挑战者”号里面有一个小学女教师，长得还很好看，她的学生都来送她，她还发表了段讲话，大概就是很高兴很骄傲之类的，说她的学生们都停了课在电视机前看直播，她觉得很光荣，等等，然后里根总统也发表祝福。之后大家就在那儿看着，看发射出去了大家都很兴奋、很高兴，有拍照的有欢呼的，结果突然间就在眼前爆炸了。当时我正在电视机前看，结果就看到电视里的记者、市民、媒体……所有人惊叫，所有人都慌了，喊的喊，哭的哭。当时我 17 岁，我坐电视前也跟着哭，因为我想起那个女老师觉得她太可怜了，而且想想她是在她所有的学生注视下发生了这样的事情。

在我的观念里，殉职是航天员的职责之一，就像牺牲是军人的职责一样，你就是肩负人类探索太空的重任，你就是要做好为科学探索牺牲的准备，但那个年轻的女教师真是太不幸了。应该说不管是哪一国的人，宇宙是属于全人类的，太空是属于全人类的，那些为了探索太空、探索宇宙而勇敢牺牲了的先驱，都值得我们尊重敬仰。

1月29日

《晓松说——历史上的今天》来到了1月29日。1953年的今天邓丽君出生了，那是我年少时最大的偶像之一，而且在我心里邓丽君从来没有去世，所以我不要在她去世的那天来纪念，要在她出生的那一天来讲她。第二就是1979年的这一天揭开了中美的蜜月期。第三就是1886年的这一天，奔驰汽车正式申请到了用汽油做燃料的汽车专利，这其实就是第一辆汽车的专利。

| 邓丽君出生 |

1953年的今天，一个叫邓丽君的姑娘出生了，她在整个华人音乐史上占到了最重要的地位。在她之前，华人就没有什么自己的流行音乐。解放前的周璇等等，那时有一大批，当时产量还挺大，有七八千首之多，但那其实还不能完全叫现代流行音乐，还是有很多江南小调民歌。中间也不知道怎么断了那么多年，总而言之，华人第一个自己的巨星是邓丽君，这是当之无愧的。

前一阵子我到拉斯韦加斯去给席琳·迪翁录音的时候，就在酒店里看到一张珍贵的照片，是第一次有一个亚洲人在拉斯韦加斯登台。拉斯韦加斯是美国最重要的舞台之一，邓丽君在1983年照了那张照片，在一群西方人中间邓丽君有华人那种甜美、纯洁、娴静，像一朵淡淡的兰花一样开放。当时四天的演出票提前全部卖光，一张都不剩，把演出商吓着了。整个西海岸的华人，全都奔赴拉斯韦加斯去看她演出，从那个时候开始，拉斯韦加斯才有了华人音乐人、亚洲音乐去演出这个习惯，到现在还有。现在华人的大明星都在那儿登过台啊，我还在那儿看过刘谦的魔术表演，此事说明了那个时候邓丽君在全世界华人心目中的地位。

听到邓丽君的歌对我们大陆长大的孩子来说震撼更大，因为在那之前我们大陆还没有自己的流行音乐，我们之前都听苏联歌曲、越南歌曲、阿尔巴尼亚歌曲。从小我妈拍着我唱摇篮曲，印尼歌曲，“宝贝，你爸爸参加游击队，打击敌人呀我的宝贝”，我居然是听着印尼歌曲长大的。我爸爸只会唱一首流行歌，也是印尼的歌，“风儿呀吹动我的船帆”。

我们那时候只能唱亚非拉以及苏联老大哥的歌，没听过流行音乐，尤其没有听过中国人唱流行音乐，中国人都是在台上唱那种特辉煌的歌曲，要不然就是“边疆的泉水，清又纯”这种少数民族民歌。

以前都没有听过有人味的歌，邓丽君唱的不是伟大的祖国，不是伟大的党，不是伟大人物，是我们自己。原来我们还会被歌唱，就是说我们也值得歌唱吗？我们这些螺丝钉也值得歌唱吗？我们在受教育的时候被告知你们都是螺丝钉。但是邓丽君连陪我去买菜都唱了，“我到市场来买菜，你从迎面来……但愿有你在身旁，陪我去买菜”，这些都唱到歌里。

那个时候亚非拉歌曲是有一点点爱情在里面的，所有年轻人都疯狂地唱，我还记得古巴歌曲《鸽子》，就最后两句唱到什么亲爱的小鸽子我要随你去远方。有“亲爱的”这三个字，今天年轻人都不能想象，那个时候年轻人听到“亲爱的”三字都疯了。那时候我们家被打倒没钱，偷偷摸摸印点歌本，就印上南斯拉夫的歌曲《深深的海洋》、古巴的《鸽子》、苏联的《一条小路》等等。我妈写的谱子，我一到天黑就跑到学校门口偷偷去卖，一下就卖没了。所以当邓丽君来的时候，开始真歌唱爱情的时候，大家全疯了，当然了也“毒害”了我们一代青少年，因为邓丽君，当然也因为同时代的琼瑶、三毛等等。

那一代人无比相信爱情，已经不仅仅是相信爱情，爱情成了一种信仰，是人生中最重要的东西，不像今天觉得爱情是财富。今天我一哥们儿离婚了，大家问他，说你为什么娶新的人，是因为她特别有钱吗？他说不是。她家里特别有背景吗？他说不是。她长得特好看吗？他也说不是。哦！那是爱情！大家说。可那时候不是，那时候首先问你是不是特别爱，在那个时代爱情是第一选项，现在爱情是最后选项，已经是这样的时代了。

我们那个时代，邓丽君“毒害”了我们一生。邓丽君的所有歌，对爱情之忠贞之相信到了那种地步，实际上传递给大家一个信念，就是说这个世上有那么一个人，那人就是你命中注定的伴侣。

记得少年时的一天我到潭柘寺去，回来没有末班车了。潭柘寺在离北京很远的郊区的山里，我就开始翻山越岭，走路走到门头沟。我以前没有去过农村，不知道夜里天气那么凉，我一个人在山冈上走了很久很久，有好几个小时。我正好带了一个录放机，里面有一盒磁带，走到山顶上突然看见满天繁星，太灿烂了。这时候邓丽君正好唱起《千言万语》，我就不走了，躺在山顶上吹着山风，看着星空，听着邓丽君，当时就恨不得把自己献给爱情。

邓丽君之后的今天，就已经很少有那样纯洁的爱情了。王菲的歌是说我了解这是什么东西，我知道爱情是个什么玩意，我也了解你们这些臭男人，我也了解生活什么样，可是我还爱你。王菲的这种爱情是勇敢的爱情。我不认为这就是冥冥之中世界上唯一的一个，我了解你们什么样，爱情什么样，可是我还爱着你们，勇敢爱你们，是后来的爱情观、世界观。邓丽君时期就是你是天你是地，你是我的一生，美好极了。

而且旋律特别好听，邓丽君主要都用的日本旋律，她专门有一个大系列就叫“岛国情歌”，她也唱过日语歌。日本旋律特别好听，我个人总结是因为日语词太长了，光写一我爱你，就“私はあなたを愛して”，就这么长，唱两句才说完，所以日语歌唱了半天，其实也没突出什么内容，导致他就得把旋律写得特好，所以日本歌曲很有旋律感。亚洲本身就是重旋律啊，非洲人重节奏，欧洲人重和声。所以大量好听的旋律被填进各种各样至情至性的纯洁到极致的歌词，后来不停地被翻唱。

我曾经听过翻唱邓丽君的最好听的一张唱片，推荐给大家听，就是邓丽君去世之后一个月出版的，叫《告别的摇滚》，是由大陆最好的五支摇滚乐队翻唱的。因为听过很多女生翻唱邓丽君，但是唱得比邓丽君好的很少很少。邓丽君非常非常经典，以至于当时大陆地区的大量女生都在学邓丽君。但是男生用摇滚嗓唱出邓丽君的那些歌简直太好听了，尤其是由郑钧、黑豹、臧天朔、轮回、唐朝一起唱的《夜色》，完全唱成了一个动人心魄的摇滚歌曲。我还记得臧天朔在那里边唱《路边野花不要采》特别有意思，他们翻唱了邓丽君 10 首经典歌曲，那张唱片是我听到的最好的一张翻唱，大家一定要去听听。

邓丽君影响了我们整整一代人。她之后各种叫天后、天王的有很多很多，但是能像邓丽君一样被全世界华人共同热爱的，几乎没有，也没有人有这么多的作品让大家不停地翻唱。邓丽君被翻唱之多，流行 R&B 的时候拿 R&B 翻唱，流行摇滚了用摇滚翻唱邓丽君。

当时中国刚刚改革开放，外面的风刚吹进来的时候，邓丽君在我们这一代，就是“忽如一夜春风来，千树万树梨花开”。我始终记得我年少的时候，风吹开领口，相信爱情的那种感受，而且那个时候邓丽君还是被禁止的。我记得很久以后，我都已经在流行音乐界成名了去电台做节目，电台还是跟我讲，有几个人你不能说，不能提邓丽君，不能提迈克尔·杰克逊，反正有各种各样的原因吧。今天被删个微博什么的，大家有时候还有一些不满意。你要想想那个时候，邓丽君都不让听，到电台不许说邓丽君三个字。靡靡之音的意思就是会柔软你们的斗志，人本来应该为了祖国时刻准备去战斗，然后一听那个就迷离。其实也没有迷离，台湾在那个时代依然是健康向上的。

我觉得一个大遗憾就是邓丽君终生没有来到大陆，当然可能跟她的个人政治信仰有关。她出身于国民党将领的家庭。千千万万热爱她的大陆歌迷，始终没有能听到她一场演唱会，这是一个深深的遗憾。

纪念邓丽君。

| 邓小平第一次访美 |

1979 年的这一天，邓小平访问美国，这是一次划时代的访问。首先我们的领导人之前就没访问过美国。邓小平当时还不是最高国家领导人，是以副总理的身份访美，但是全世界都已经知道邓小平会带领中国人民向前走了，所以美国是以接待国家元首的礼节接待了邓小平。

那个时候的世界跟今天不一样，还是冷战时期。全世界有一个强大的势力就是以苏联为首的华约东方国家集团，上万枚核弹头瞄准了全世界每一个城市。所以当时如何共同对抗苏联，是中美最重要的话题。美国跟苏联当然是对抗，我们跟苏联也在珍宝岛干了两天。苏联屯兵百万在中苏边界。当时我们的一切军事也都是指向北方，就是为了防苏联。我们的军工工业，都搬到贵州、四川等三线地区，就是为了远离前线。所以中美找到了一个巨大的共同利益，就是共同对抗苏联。

在那个时候，邓小平访问美国启动了中美长达整整十年的蜜月期。那个时候美国不但不禁运武器，最先进的武器都可以卖给中国。当时还记得美国最先进的炮瞄雷达——就是你打一发炮弹，马上测你三个点，知道炮位，你炮弹没落地就能开炮反击的——都卖给中国了，而且用在了我们后来的老山前线。也包括各种先进的发动机啊飞机啊等等。

到今天为止，我军研制的太行、昆仑这个系列的最先进的发动机，即将装备我们的歼10B，装备我们航空母舰的歼-15，即将装备我们的歼-20，这些发动机的原型还是在那个时期，就是二十世纪八十年代美英出口给我们的发动机。我们一直拿那个在仿制，到现在差不多快仿制成功了，但是已经过了好多年。说明那个时候美国卖给我们的是最先进的。

两国在各方面都进入了蜜月期，不光是军事，在外交、工业、农业等等各方面，都得到了美国大量的帮助。我们也回馈给美国我们的善意，各方面大家是协调行动。八十年代在里根的领导下，美国终于度过了反越战、革命、性解放等等那些混乱时期，重新恢复了美国的光荣。中国是在邓小平带领下，大踏步向前进。那个时代是一个美好的时代，是个黄金年代，到今天也还怀念两个伟大的民族，两个伟大的国家的蜜月期。

但是我相信未来会有更好的关系，因为中美是世界上最重要的两个国家，今后还是会协调起来。我去过世界上大部分的国家，只有在美国，华人能做到州长、部长和参议员。美国帮助过中国很多，包括我的母校清华大学，包括协和医院，也是美国帮助建立的。不过最重要的是美国帮助我们打败了日本，我们终于取得了对外的胜利，美国起到了最大的作用，所以我觉得中美两国，一定还会在未来共同合作让世界更美好。

| 奔驰获得了世界上第一辆汽油做燃料汽车的专利 |

1886 年奔驰获得了世界上第一辆汽油做燃料的汽车的专利，所以相当于这是第一辆汽车，不烧汽油的车，就不能叫汽车了。

之前汽车烧什么的都有，比如民国时期有烧劈柴的、烧煤球的汽车，因为那个时候我们中国不产油，美孚石油很贵。我还看到过很多抗战期间逃难的回忆录，那个时候又被封锁，更没有油进来。抗战逃难的时候，包括梁思成、林徽因等等很多大知识分子，最后都搭那种烧劈柴的车。两边挂着特别特别大的布包装劈柴用，其实那一大包柴，走不了多远，而且开得很慢。

德国各方面的工业技术都非常好，到今天为止都是世界工业的高峰。德国的东西，德国的各种牌子，代表了质量，代表了设计，代表了现代化。

奔驰后来改名叫梅赛德斯 - 奔驰，是奥地利驻德总领事女儿的名字。在美国管这个车就叫梅赛德斯，就没有人管它叫奔驰，在美国说我买了辆梅赛德斯，就是奔驰的意思。在台湾管它叫平治，大量地出现在琼瑶小说里。琼瑶的男主角永远是高富帅，高富帅家里就得有平治。所以每次琼瑶小说一翻开，他就开了一辆平治汽车，在香港叫宾士。

但是我觉得我们翻译得最好，叫奔驰，信达雅都有，又合它的发音，又有飞驰的感觉，是一辆好的汽车，是一个好的名字。我们翻译了很多好名字，都很好听啊。雪铁龙听起来好厉害，雪佛兰听起来好高级，其实在美国是最农民的一种车，但是我们翻译得都很好听。

1月30日

《晓松说——历史上的今天》来到了1月30日。2001年的1月30日，华人赵小兰出任了美国劳工部长，那个时候，是华人在美国政界做到的最高成就。第二是1948年的今天，印度人民的伟大领袖——圣雄甘地被刺杀。第三是1914年的这一天，好莱坞建起了第一个制片厂。

| 赵小兰出任美国劳工部长 |

2001年1月30日，杰出的华人女性赵小兰出任美国政府劳工部长，成为美国首任华人女部长。首先，在美国做部长是很不容易的，因为美国没有那么多部。我国有好几十个部，特别多。可是美国一共就十来个部，最多的时候也就十二三个部长，所以每个部都很大，部长地位很高。

我自己坚定地认为，在全世界，对中国、对华人最友好的是美国。美国是一个开放、包容的国家，各个民族在美国都能实现美国梦。美国梦就是不管你从哪儿来，不管你想怎么样，你只要奋斗，你只要努力，就可以成功。全世界大概也只有美国能让华人做部长。华人还曾经做过参议员，参议员在美国的地位非常高。众议员也有很多华人。

所以我有时候非常不理解，为什么大家在网上说美国天天在欺负我们，这是一个很大的误解。美国对华人、对中国，有史以来都非常友好，包括明天要讲到的美国帮助中国建立燕京大学，包括我的母校清华大学，包括中国最好的医院协和、华西，都是美国帮助中国建立的，还帮助中国战胜了日本，帮助中国抵抗了苏联。

整个美国的社会对华人是非常欢迎的。在很久以前，出现过歧视华人的案例，但是那个时代，还有歧视白人的，歧视黑人的，歧视各种人，歧视过各个种族，但是现在美国对华人的态度是非常好的。

华人在美国叫作“Model minority”（榜样少数民族），在美国各个少数民族中华人是最受欢迎的。因为华人有三个关键比率都是第一。首先犯罪率最低，在美国所有种族里华人犯罪率最低，华人是非常勤勉奋斗的一个民族。第二，是离婚率最低，在中国可能会高，因为那么多男的、女的、小三等等，但是在美国就那点华人，还是好好过吧，别离婚。美国非常适合家庭生活，而且华人出生率很低，因为华人奋斗，不能生那么多孩子。在美国你看到出生率最高的是西裔的美国人，就是墨西哥人，一堆孩子。然后美国白人，大家看过那些影星就知道，生不出那么多，还得领养几个，一堆孩子。很少见到华人带着一堆孩子。第三，华人教育水平最高。华人受教育率超过犹太人，是美国第一高，差不多有半数受过高等教育，接近百分之五十。

华人的智商跟犹太人并列第一高，但是华人有一个问题啊，就是华人那么高智商没几个得诺贝尔奖，就那么数得出来的几个。做了民主党政府部长的朱棣文得过诺贝尔奖。犹太人跟华人智商一样高，人数一样多，犹太人在美国得了 139 个诺贝尔奖，华人一共得了还没犹太人零头多，不知道为什么。

全世界范围内，华人在美国地位是最高的一个。赵小兰做过劳工部长。劳工部在美国十来个部里大概排在中游。朱棣文做过的能源部长已经很靠前了。因为美国所有核能的东西，都是由能源部来掌握的，掌握着美国的命脉。骆家辉曾经做过商务部长，商务部在美国是很大的部啊。他之前做过华盛顿州州长，华盛顿可是美国西岸大州之一，微软、波音、星巴克都在华盛顿州。骆家辉当选华盛顿州州长的那个演讲，振奋了美国人民。他说“我们家从中国来，一万里路大概走了一个月，然后我从我们家走到这个州长办公室，走了四十年，这就是美国梦”，我觉得说得特别好。他后来做商务部长，商务部在美国仅次于国务院和国防部。美国没有外交部，国务院相当于外交部。所以美国第一部就是国务院、外交部长就是国务卿，接下来就是国防部长和商务部长。骆家辉从华盛顿州州长最后做到美国商务部长再到驻华大使。因为中国是非常重要的国家，驻华大使仅次于国务卿在外交部的位置，再往前走一步就是国务卿了，像驻华、驻俄都是比较大的。我们也一样，我们驻美大使，相当于部长。

所以美国对华人、对中国始终都是非常友好的，有些时候是政府政见不同，而不是对中国有什么意见，对中国人民更是没什么意见。

| 圣雄甘地被刺杀身亡 |

1948年的这一天，印度人民的偶像，印度人民的灵魂，现代印度的创立者——圣雄甘地逝世。

他是一个伟大的人。大家可以看一个电影叫《甘地传》，得了八个奥斯卡奖，领袖人物传记得奥斯卡奖很不容易。甘地一生可以浓缩成两句话：第一，印度要独立，第二，坚决非暴力，这个是非常好的。因为好多国家独立把国家打得稀烂，甚至有些国家内战互相夺权都把国家打得稀烂。但是他坚定认为，印度就是大家的国家，而不是我的。他率领的独立运动特别简单，就是坚持在街头非暴力抗议，每天都被英国警察打。不可思议，大家也不还手，每天被打得头破血流，还曾经被英国人拿机关枪扫射过、屠杀过。不管你怎么办，我们是坚决要独立，民族要独立，国家要独立，但是就是非暴力，就是挨打，全世界没有这样独立的。有经过战争独立的，有经过议会独立的，有经过经济斗争独立的，但是说靠每天在街头挨打独立的，没有一个。最后英国人手也打软了，实在受不了了。

首先，甘地是个伟大的人，印度民族是一个非常平和、信仰宗教的民族。有些国家说我们战胜了印度。战胜了印度不算，因为印度人民就是不尚武，也不爱打架。既不尚武也不善战，还没打赢过任何国家，这么一个百分之七八十吃素的民族，他怎么能善战，打着仗还都祈祷。

当时英国最后一任总督蒙巴顿伯爵，就是现在女王老公他叔叔，最后给印度一个独立方案，让印度和巴基斯坦分别独立，巴基斯坦还分成了两块，这边有一个西巴基斯坦，那边还有一块东巴基斯坦，就是现在大家看到的地图上的孟加拉。然后还有一块克什米尔就不管了。英国当然有很多伟大的地方，但是我想说老牌帝国衰弱的时候心里不平衡，各种小阴暗，英国人本来就有点儿阴，不像在美国所有人见面都打招呼微笑。

所以英国留给印度一个非常大的障碍，它独立了以后马上就乱了。因为这边印度教教徒与穆斯林互相仇杀，一塌糊涂。甘地每天都绝食，刚刚对付完英国人，又要对付国内的这些乱七八糟的事情。甘地需要整个印度都团结在一起，结果他不是叫穆斯林给刺杀了，而是被印度教教徒给刺杀了。

很像后来非常想要跟阿拉伯国家和解的以色列总理拉宾。拉宾是以色列一个非常伟大的领袖，他希望和解，他不像现在这些领袖都特别短视而强硬，结果他被犹太人给刺杀了。所以宗教给民族造成的仇恨是非常难调解的，最难解决的就是这个。甘地这么多年，英国人也没刺杀了，穆斯林没杀了，最后却被印度教教徒杀了，是一件非常非常伤感的事情。

印度人民到今天，永远怀念着甘地，他在印度的地位比孙中山先生在中国的地位还要高，因为他真是一手缔造了独立，成为印度人民最伟大的先行者和偶像。

纪念甘地，今天的人类已经非常少见像甘地这样的人类之光。

|好莱坞成立第一个电影片厂|

1911 年的这一天，一个叫塞西尔的人，在好莱坞这个地方，成立第一个拍电影的片厂，于是乎好莱坞开始拍电影了。

好莱坞最开始都是犹太人，华纳兄弟都是犹太人。华纳兄弟原来是放电影的，因为犹太人世世代代在欧洲不能拥有土地，所以犹太人不会种地，其他什么都会，他们就租俩放映机，到处给人放电影，大盒子上抠一小眼儿，投个五分钱就可以看的那种。后来没的放了，华纳哥俩说咱们自己拍点吧。其他的也都是犹太人。米高梅是三个人中俩犹太人，迪士尼也是犹太人。

他们为什么都跑到好莱坞来呢？其实是因为南加州不下雨，那个时候的电影完全靠天吃饭。拍电影你看到的只是我说我爱你和你说我爱你，中间隔俩小时，拍半天我说我爱你，然后再调过来冲着你说，结果突然下雨了就连不上了，所以那时拍电影一定要一直有晴天。好莱坞晴天的日子特别多，日照特别长，已经过了回归线，只有雨季跟旱季，雨季很短，大概就是十二月底到一月底。洛杉矶就没有人卖伞，永远蓝天白云，我本来多愁善感的，结果到了洛杉矶这个地方生活了几年，变得很开朗。在洛杉矶每天一睁开眼大太阳，人们一见面都打招呼。所以好莱坞拍电影完全是因为这个天气原因，因为那个时候灯很小，不像现在拍戏，二十四小时开着大灯，直接可以模仿所有的阳光、月光。

所以那时候好莱坞开始迅速崛起，到了二十世纪三十年代就已经享誉全世界。好莱坞统治世界影坛，并不是说美国有多厉害。因为其实是把全世界人聚过来了，来到好莱坞的是全世界各国的导演。最开始大家看到的好莱坞大明星，大都不是美国人，都是欧洲人，北欧人，包括英国人，导演也是全世界来的。大部分导演都是一张口说一口特别怪的英文，美国人、德国人，还有哈萨克斯坦导演来拍电影，后来还有华人导演吴宇森拍的电影，华人导演李安，等等。所以好莱坞并不是说美国有多牛，它建起一个平台，有完善的体制，以及美国自由的空气，大家都为了实现美国梦。美国梦是什么呢？我以我自己的经验总结一下，美国梦就是把自己卖个好价钱，这就是美国梦。因为百分之九十的人，自己高看了自己，你努力把高看的自己实现了，这就是简单的美国梦。我希望我们的中国梦也简单一点，在中国如果每人能把自己卖一个好价钱，那就好了。

1月31日

《晓松说——历史上的今天》来到了 1 月 31 日。1949 年的这一天，北平和平解放，解放军大军举行了入城仪式。1916 年的这一天，民国时代一所非常优秀的第一流大学——燕京大学成立。

|北平和平解放|

北平和平解放在各种各样的影视作品中都讲了无数了，我不讲大家都耳熟能详的那些事，比如傅作义的女儿傅冬菊是中共地下党员等等。

很多国民党高级将领的女儿，都是中共地下党员。女生的革命激情通常都比男生高，不但高官的女儿比较激进，倾向于共产党。教授们的孩子也一样，当时清华两位大教授梁思成和林徽因本来也比较动摇，可是他们的女儿突然参军了，回到家里跟爸妈说我参加解放军，北大也不念了，教授们都吓一跳。教授们当时还没有弄清楚是怎么回事，但是年轻人已经很激进了，都参军。那个时候，共产党带来了很多清新的空气，激励一代年轻人革命。

我讲几件北平和平解放过程中有意思的小事情，是我从各种回忆录里看来的。傅作义还是比较仗义的，他是为了北平不被毁坏，为了这个国家不被打烂，虽然最后还是背了卖主求荣的骂名。包括傅作义在内的所有留在大陆的国民党将领，在台湾历史书中都叫卖主求荣，除了张治中以外。讲到张将军的时候，我再去给大家讲为什么。

傅先生觉得自己应该成为一个仗义的人，所以就在怀仁堂开了个会，把驻北平的所有师级以上军官全部都召集起来说：我傅某人决定和平解放，想跟我投共的没问题，我保证大家生命安全，保证大家原官原职。但是我不连累大家，要想回南京的，我在东单有两架飞机，我傅某人负责飞机送走。就一个条件，不许回部队去煽动说不投降。

李文跟石觉两位兵团司令说，我们都不是晋绥军，也不是傅先生的部下，我们是黄埔军校的学生，我们是中央军，是蒋先生的人，所以恳请傅先生送我们回南京。因为实际北平解放，包括平津战役的国民党主力部队分了两部分，一部分是晋绥军，三十五军、一零几编号的军都是傅作义自己的部队，还有两个兵团是中央军，这两个兵团司令就是李文跟石觉，都是黄埔的学生，所以他俩要求走，傅作义说没问题，马上送你上飞机回南京。

李文特别有意思，回到南京以后，成都战役时他又带了一个兵团。成都战役消灭国民军比淮海战役还多，消灭了七十多万国民党军，说明大部分没怎么打，有的起义，有的投诚，有的解散。当时一野、二野大军合围成都，最后就一个兵团坚持打，就是由李文率领的部队，李文是一个特别死硬的军人。打到最后，国民党已经没有中央政府在大陆了，也没有银行发军饷。蒋走的时候给每个兵团司令一口袋金豆当军饷，说我走了，大家坚持。李文拿着一口袋金豆继续打，直到最后被俘，俘虏他的解放军战士说这口袋里什么东西，给扔了。他捡起来说不行，说这是国家财产，不管内战怎么样打，这些是人民的血汗钱，不要去浪费，要交给你们首长，说完以后就跟着走。走着走着他又跑了，一路跑到越南，在越南又找了条渔船，到了台北。到台北蒋接见他的时候，蒋都哭了，说李文实在太忠勇。

另一个小细节，其中有一个起义部队的师长是南开毕业的，当时和平解放以后，所有的傅系军队就留在北平了。二十多万人被改编成解放军，给每个师派了一个我党的政委，然后全军开赴西北。因为我们也不需要这么多军队上前线去打，当时四野就有百万大军，所以国民党起义部队就都开赴西北，其实就是大家看到的现在的各个生产建设兵团，任务就是修铁路、种粮食。过嘉峪关的时候，这位师长把一支钢笔送给了我党派到那个师的政委，说我不走了，我解甲归田。当年我投笔从戎，从南开大学参加北伐，就是为了救这个国家。现在我们失败了，我也不想当军人，我回家去教书，你们把国家建设好。这是我的钢笔，给你留作纪念。这是那位政委的回忆录，在嘉峪关这位国民党军的师长就回家了，后来下场不知道。我估计他回家也不能很清闲地教书，因为当过国民党军师长，后来各种运动，估计迫害得不善。但是这个细节令我很感动，历史谁对谁错，都是最上面的政治问题。作为双方的军人来说都没有错，军人就是执行命令、保家卫国，所以军人是无罪的。

最后一个细节，当年我党做了另一手准备，请了梁思成、林徽因两位先生标注北平的古建筑，并且表示说攻城之日牺牲再多，也要保护古建筑。梁先生、林先生听了非常感动，并因为这件事，率领大批清华教授没有去台湾。傅先生也是为了保护北京，人民不能生灵涂炭，宁可个人背着骂名，最后没有战斗就献出了这座伟大的古城。国共两党前辈用那么多鲜血跟生命，保卫下来北平后来叫北京的建筑，后来在不同的历史时期因为不同的运动毁灭了一大半，让人非常难受。

| 燕京大学成立 |

1916 年北京不叫北平而叫北京。很多朋友说，你的电影《大武生》里面说错了，为什么民国时候说这是北京呢？其实不是民国了就叫北平，直到北伐胜利以后，国民政府定都南京，在 1928 年才改名叫北平。我拍电影讲述时代在这之前，所以就叫北京。1916 年，由北京著名的三所教会大学合并成了燕京大学。老北京人都知道，这三所学校两所是美国人帮着建的，一所是英国帮着建的，一个叫汇文、一个贝满、一个叫协和。协和是女校，汇文、贝满都是教会大学。那些教会还建了中学，这三所教会大学合并成了燕京大学以后，汇文中学、贝满中学都还存在，而且在北京是非常好的学校。现在大家不太熟悉教会大学。教会大学首先有充足的资金，因为教会有大量的善款，募捐也很容易。第二教会大学在世界各国都有一整套办学办法、办学的宗旨，办一个大学不用太摸索，搬过来就好了。燕京大学刚成立的时候有点乱，因为三所都是好大学，大家互相有点不太对付，于是来了一个德高望重的校长。三年之后，这个学校正式成立。

一个有校格的、有风骨的、好的一流大学，一定要依靠一个一流的校长。就像我的母校清华大学，原来并不是一流大学，叫留美预备学堂，就是因为梅贻琦梅校长一手把清华从一个留美预备学堂提升成一所中国一流的大学。燕京大学也是来了一位校长叫司徒雷登，这哥们儿是个美国人，在中国待的时间比在美国多得多，用他自己的话来说，他“是一个中国人，多于是一个美国人”。司徒雷登是一个非常出色的校长，当时司徒雷登做校长时的燕大，和梅校长做校长时的清华，以及蔡元培做校长时的北大其实是齐名的。

燕大办成了一流的大学，而且燕大因为资金更充足，还建了一个非常非常美的校园，就是现在的北大。原来北大不在燕园而在城里，沙滩那儿有几个红楼就是北大。燕大校园很美。大家觉得北大校园就是中式，因为它是国立大学。清华是美国人办的，所以清华建筑就是西式的。其实就弄错了，因为北大现在占的是燕大的校园，燕大也是美国人办的，而且校园里那些中式建筑是美国人设计的，他们觉得中国传统建筑很美。

北大沙滩原址一出门就是天安门广场，所以很容易革命，清华得跑好几十里地才能革命，所以北大老当先锋。燕大办成了一个文、理、工、法、医综合的大学，而且综合大学综合到还有音乐系。我对所有办音乐系的大学都很有好感。燕大还有军事系，一个系相当于军校一样，就是很全面的一个大学。当时燕大的教学水平是中国一流的。

当时哈佛大学要跟中国一个对等大学建一个研究院，当时叫学社，想招研究生，那个合办学校就是燕大。燕大跟哈佛成立了哈佛燕京学社，用了美国一个大企业家留下来的遗产，就非常有钱。于是哈佛燕京学社成立以后，燕京大学的教授集体涨了工资，工资比其他大学都高。燕大培养出很多很多杰出的学生，有冰心、红学泰斗周汝昌、外交家黄华等等。

司徒雷登从燕大成立开始一直做校长，做到了1945年。之后司徒雷登突然就任美国驻华大使。司徒雷登本人对中国充满了感情，所以当国民党南京政府代总统李宗仁已经搬到广州去的时候，跟我党最友好的苏联都把大使馆搬去了广州，唯独美国大使馆没从南京搬走。司徒雷登向美国国务院汇报，美国国务院也说咱不急，咱看看新中国什么样，看看跟新中国能不能聊聊。于是司徒雷登就在南京等着，南京解放，我方还派了他的学生黄华等几个人看望他、跟他聊天。

当时发生了一起意外事件，一个营长认为帝国主义是坏人，看见美国旗还挂在这里，贸然进去大使馆捣了一通乱，结果导致严重的外交事件。谁也不知道这是营长自己干的，美国就认为这是我党的政策，于是美国也撤走了。本来美国大使馆留在南京准备跟我党好好聊聊，大使和外交政策不但亲华而且还比较亲共。那个时候美国国务院非常不喜欢蒋介石，对共产党还有点感情，抗战期间还老想把援助中国的物资给共产党一点等等。结果被一营长瞎闹，就搞砸了。

毛主席干脆就势写了一篇《别了，司徒雷登》，向苏联表明我们跟美国坚决没啥好谈，坚决跟老大哥在一起。司徒雷登做了很多年校长，对燕大有最最决定性的贡献，虽然中间有时候他回趟美国，也有几位代过校长，包括我们梅校长的弟弟梅贻宝也代理过燕大的校长。那个年代经常出精英家族，一家子都是大学校长，现在已经很难有这种精英家族了。

总而言之，燕大作为一流大学迎来了新中国。新中国成立了以后，首先就不许外国人在中国建学校了，收为国有，到了1952年院系调整的时候被彻底拆成两半。

1952年的院系调整是对中国高等教育最大的一次伤害，主要是我个人感觉有很多伤害，因为一下子把我们清华女生都弄走了，导致清华变成一个女生特别少的学校。清华原来是一个有文、理、工、法等等非常综合的大学。清华国学院是中国最顶尖的文学院，国学院有王国维、梁启超、赵元任、陈寅恪四大导师，结果我们一边倒投向苏联以后，教育也学苏联。

苏联的教育体制就是不办综合大学，而是办专科大学，工科大学就是工科大学，文科大学就是文科大学，法律就是法律，医学就是医学。我们学苏联，结果一下子就把全国所有的综合大学全部拆散，清华是八个系调整出去办八大学院。我外婆当时就是清华的航空学教授，就变成北航教授了，参与创建了北航。清华法律系和其他大学法律系一起并成政法学院。清华北大的冶金系和其他大学相关专业一起并成钢铁学院。就是清华北大的各个系都并成了八大学院，就是变成了专业学院。清华把大量文科给了北大，北大把工科给了清华，于是清华变成一个女生特别少的学校，北大变成女生特别多、男生特别少的一个学校，失调非常严重。然后这个燕大，作为一个一流大学，彻底被拆成两半，燕大的整个文科并进北大，燕大的所有工科并进清华。燕大也有一部分和清华北大重复的系，一起并进了那八大学院。燕大不但文科系并进了北大，连剩下的校园也被北大占了。北大从红楼搬出来，搬到燕园。校园给了北大，文科给了北大，教授给了北大，学生也给了北大。

实际上，民国时期的北大跟燕大，共同组成了今天的北大。好不容易熬了那么多年的一所伟大的大学，从此消失了。燕大的校训是“因自由，得真理，以服务”。大学不该是一个职业培训班，不是为了毕业找一工作，大学是让国家相信真理的最后阵地。

Today
in History

2月

2月1日

《晓松说——历史上的今天》来到了2月1日。今天是两位大作家的忌日，分别是中国伟大的曹雪芹和英国的玛丽·雪莱。还是一位优秀的演员克拉克·盖博的生日。

| 曹雪芹去世 |

红学界对于曹雪芹到底什么时候去世是有争论的，因为他最后穷困潦倒、孤苦伶仃。所以有各种传说，有一个说法是说在1764年2月1日，曹雪芹病逝了。

曹雪芹一辈子就写了《红楼梦》这一本书，之后才有了“红学”。因为一本书而产生了一门学科，这个现象恐怕在全世界都是独一无二的。《红楼梦》这本书是集文学、历史、生活、诗歌等各种各样的东西于一身的集大成者。《红楼梦》我从小就看，最近没事拿手机版还看一看，每个不同的年龄段看《红楼梦》都会有完全不同的感受。我都到这个岁数了，才真正地感受到它的语言特别有意思。

小时候看《红楼梦》主要是看谈恋爱，后来有一阵子看《红楼梦》主要是看人家怎么过日子，穿什么衣服、用什么东西，因为人在一定年龄的时候有了一定的物欲。曹雪芹如果不是生在大富大贵之家，他绝不可能写出这样的小说，你不但得见过猪跑，还得吃过猪肉，要不然你绝对写不了每个人怎么吃饭，每顿饭上什么菜，屋里摆什么东西，穿什么衣服。

唯一可惜的就是后边的四十回没了，但是一定是写过的，因为有人看过，至少脂砚斋看过的。脂砚斋到底是跟曹雪芹什么关系？我个人觉得就是一生的爱侣。当然红学界有很多很多解释，但我个人就是这么认为的。所以脂砚斋批《红楼梦》的时候其中多次写到了说这是一个伏笔，草蛇灰线，伏延千里，其实后面怎么怎么样，说明她已经看过后面，但是不幸找不着了。但是我觉得伟大的作品就得这样，伟大的人性得这样，就得残缺，不残缺它就没这么伟大。

《红楼梦》现在通行的这个版本，高鹗还是很聪明地看到了一些地方，非常有才华。高鹗续写《红楼梦》用的时间特别短，实际上是路过这个地方，然后没盘缠了，把这书续了就给点钱，他就看了一下前八十回，写了后四十回，挣点钱走了。那时候写小说并不是一个高贵的事情，不像现在还能获诺贝尔文学奖，那时候考功名才是高贵的。当然，很多人批评高鹗续得不好，我个人觉得至少有几个地方还是挺有意思的。

曹雪芹是我非常热爱的一个人，而且我觉得，一个人能有这样的人生经历，而且将自己人生的起起落落，付出的各种代价，以非常辽阔平静的口吻写成这样是非常不易的事情。曹雪芹的才学肯定毋庸置疑，看他的文章就知道，可贵的是他的这个心态，就是虽然他没落了，但他不是以丧家子弟的态度来写《红楼梦》，而是以一个平和客观的角度、以一种超脱的态度写这些起起落落、荣辱兴衰。一个人只有完全活明白了，在这个世界上已经完全遗世独立了，才能写出这样的作品。《红楼梦》之后再也没有这么伟大的作品出现了。

我个人认为《金瓶梅》还是写得挺好的，虽然也不知道到底是谁写的，《金瓶梅》的一大成就就是，从这一类小说你会看到中国过去非常包容，你从这些作品里看到过去同性恋是非常开放的，完全不受歧视。这跟西方是反的，西方过去同性恋严重受到歧视，因为西方是宗教社会，同性恋还得判刑，但是过去中国其实非常开放。

《红楼梦》里面也有双性恋，到现在反而保守了，大家开始歧视同性恋。人家研究红学，我也研究，因为我不太理解的就是他一个月才给那些大小姐二两银子用钱，你说大富二代怎么才能拿二两银子呢？所以我就想办法拿当时的生活和现在比对，从别的地方、别的资料里比对，然后我估摸着二两银子相当于现在五千元钱左右，要么怎么够那些小姐少爷花，而且还得养俩丫鬟。当然有好多历史学家比如吴思先生用米价比对得出二两银子值不了几百块人民币，但我觉得那时米的重要性和现在不可同日而语，因此光比对米价不完全合理。

感谢曹雪芹写了这个伟大的作品，影响了一代又一代人，同时陪伴了我们孤寂的青春。

| 玛丽·雪莱去世 |

玛丽·雪莱，也是另类大作家。一个作家创造了一个人物，这个人物成为这一类型的代言，很少有人能做到。玛丽·雪莱创造了弗兰肯斯坦——“Frankenstein”，“Frankenstein”在英文里代表了一大类型文学戏剧电影，就是科学怪人，科学怪人要毁灭世界、毁灭人类，这个类型的名字就叫“Frankenstein”。从前这个名字就相当于坏的犹太人，那个时候大家一写到科学怪人就是犹太人，犹太人要毁灭世界，因为犹太人出了很多科学家，像爱因斯坦等等，当然爱因斯坦肯定不是为了毁灭世界的。

玛丽·雪莱是小三出身，等来等去终于等到了雪莱的前妻去世了，才跟雪莱在一起。她嫁给雪莱，她妹妹跟了拜伦，于是才有了《弗兰肯斯坦》的诞生。雪莱、玛丽·雪莱以及她妹妹，和拜伦、拜伦的私人医生，他们一起在一个湖边待了好长时间，在一起吟诗作对。《红楼梦》里头，最影响我们家的就是里面的联诗作句，从小就是“一夜北风紧”开始联句，然后每次联到我爸那儿就联不下去了，我爸文学底子不够。他们几个不光一块联诗，而且大家一块写小说，大家闲得没事干，夜里讲恐怖故事吓唬人玩，他们就一起写恐怖故事。结果当时最不著名的人成功了，那两位大作家雪莱和拜伦写得倒一般，倒是玛丽·雪莱跟那个医生都写了特别有意思的恐怖小说，其中玛丽·雪莱写的就是这个"Frankenstein"，流传百年到今天，成为一大类型。

后来雪莱在海上翻船死了，雪莱死后，全靠玛丽·雪莱一个人写小说持家，那个时候完全不像今天，版权还没有那么被重视，小说家很辛苦很辛苦。她就靠写小说养自己还有孩子，还得了一种非常严重的病，晚年比较痛苦，但是有过绽放美丽的青春，和雪莱这样的大才子在一起，我觉得还是美好的一生。

| 克拉克·盖博出生 |

下面说说 1901 年出生的一位大帅哥克拉克·盖博。他演的那些好莱坞电影，今天看还是特好看，比如前一阵我重新看《飘》，从剧作到摄影、美术、演员的表演等，各方面简直好得不行，现在的电影大部分明显赶不上那会儿的经典。

我重看《飘》的时候非常感慨，因为我小时候看的是中文版配音，后来看的是带字幕版的，但那时候英文不够好，就没仔细听那英文是怎么说的。这回我又看了遍《飘》，哎哟，给我笑死了。在美国生活之后，听得懂口音，就发现一帮特别高贵的演员，结果在电影里说特别浓重的南部佐治亚州口音，也不是痞，就是有点"村儿"，不上档次的那种。就像看《阿甘正传》里头，那阿甘说一口特别有趣的亚拉巴马州的口音。所以演员真的是非常厉害，他们明显是对电影里的人物仔细研究过的，包括讲台词时应该体现出来的口音问题都仔细研究过，而且说得特别自然。费雯·丽这种说纯正英国口音的演员，结果说一口南部口音，特别有意思。

那个年代的电影明星，风采卓然，只要往银幕上一站，他不管演什么，你盯着他仔细看，他往那儿一站，就一切都有了，故事怎么编都对，他干什么都有意思。克拉克·盖博就属于那一代男演员里最有气质的一位，那种气质到今天已经都没有了。今天我们流行“演技派”或者“偶像派”，但那个年代好莱坞的大明星没有演技派偶像派之分，男的帅，女的漂亮，而且都演得特别好。那个年代的明星是真正的 Movie star（电影明星），今天都是些 Celebrity（名人）。怀念黄金年代的好莱坞，怀念那些黄金年代的大明星。克拉克·盖博最后和玛丽莲·梦露演了一部电影《格格不入的人》，但是这部电影没拍完他就去世了，导致我就对这部电影念念不忘，因为非常想看这两个人在一起。玛丽莲·梦露那么风情万种的一个女人，现在也再没有这样的女明星了。

2月2日

《晓松说——历史上的今天》来到了2月2日。1421年的2月2日，明朝正式迁都北京，就在那一年，紫禁城的建成竣工和明长城的初步形成几乎同时完成，所以是中华民族伟大的一年。1943年的2月2日斯大林格勒战役结束，被围德军正式向苏军投降，是二战转折点的最重要的战役。

| 明朝正式迁都北京 |

1421年的2月2日，明朝正式迁都北京，在这之前，北京几乎没有做过汉人大王朝的首都，只有金人和蒙古人。对于蒙古人来说，北京在正中间，北边、西边都是他的，南边也是他的。汉人政权之前基本上建在关中，洛阳、开封、南京等等。最初明朝的首都是南京，为什么搬到北京来了呢？因为永乐大帝朱棣实际是篡位的。朱元璋的这些儿子里面，最能打的就是永乐大帝朱棣，朱棣孔武有力，头脑冷静，早年的时候就跟随傅友德南征北战，在云南还收了一个色目人小孩当太监，就是郑和。当时很残酷，明军攻克云南以后，把云南所有的蒙古人、色目人，十岁以上的男的全部斩首，十岁以下全部阉割，女的为奴，当年你们蒙古人怎么对我们的，我们就怎么对你们。郑和那年正好十岁，再大一点就没有郑和下西洋这事儿了，他也被阉割了，然后就跟了朱棣，跟着出去南征北战。郑和有两米高，色目人都非常高。色目人其实有的是波斯人，有的是阿拉伯人，郑和就是这么一个。

朱棣特别能打，最后打到南京去，把合法皇帝建文帝，就是朱棣的侄子给赶跑了。其实他没想赶跑侄子，他想逮着建文帝，结果没逮着，跑了。跑了以后他心里就很慌，觉得南京这个地儿不能多待，再加上明朝的知识分子又很忠贞，还出现了像方孝孺这种铮铮铁骨的人，就是不跟从你，死活骂你，所以他心里想，就别在南京待了。因为他是燕王，北京就是燕地，朱棣回到自己的封地，所以就把朝廷迁到北京来了。在这之前大兴土木，因为汉人政权要到北京来，这可不是在汉人的中心地带了，就已经相当于汉人的边疆了，所以迁都北京有两件事要干，第一要修砌长城，增强防御，要不然这首都就在边疆边儿上多可怕；从明初开始，明朝用了二百多年时间，才完成了西起嘉峪关，东至山海关，全长一万二千七百多里的长城的修筑。第二要修一个大宫殿，紫禁城是在 1421 年落成。郑和下西洋的一个重大任务就是要把各国的首脑都弄到北京来，来向永乐大帝朝贺，叫万国来朝，全天下人全世界人都承认我是皇帝，便证明自己是个合法皇帝。

1421 年应该算是中国历史上最荣耀的一年了，之前路比较远的来不了，唐朝的时候虽然来了很多外国人，但是没有来国王。1421 年郑和的大舰队归来的时候，带来了一百多个国王，有的是自愿来的，有的是不想来，被郑和关笼子里给绑来了。笼子里除了关那些不愿来的国王以外，还关了长颈鹿、大狮子等。我一直很奇怪，因为中国之前是没狮子的一个国家，但你看我们过去守门的都是俩狮子，雄的玩球，雌的带着小狮子，可我们过去没狮子啊，我们自己有老虎，为什么不让俩老虎来守门？中国人是什么时候见过狮子呢？因为中国用狮子守门是远在郑和把狮子带回来之前，别说那时候狮子不但中国没有，在亚洲大陆都没有，所以我就一直觉得挺奇怪，中国人上哪儿看见了狮子？上非洲去了吗？美洲？这次郑和终于带一活狮子回来。还有就是郑和带回来几只长颈鹿，大家一看，原来麒麟是真的，就脖子比麒麟稍微长点，但是大家认为这就是麒麟，所以长颈鹿往紫禁城里一走，满朝文武匍匐在地高呼“祥瑞、祥瑞”。麒麟都来了，可见这永乐大帝是合法的。

所以1421年是非常荣耀的一年。前几年有一个英国人写了一本书叫《1421》，被我国历史学界痛批了一顿，因为英国人写的那本《1421》其实是把郑和舰队吹得没边了，他说郑和全世界哪儿都去过，美洲也是郑和发现的，罗马教廷的第一张世界地图是阿拉伯商人从郑和那儿买的，索马里郑和也去了，然后南半球也去了，专门还写了说因为郑和航海的罗盘是靠北极星定位导航，突然看不见北极星了，就开始琢磨说，哦，原来地球是圆的，这是南半球，用南十字星来定位。甚至说郑和还去过与南极隔海相望的火地岛，舰队还冻在那儿了，然后火山又爆发了，冰又融了。反正神奇极了，已经快成科幻小说了，我们很不习惯，但如果你在西方生活，每天买点英国、美国的书看看，看看那些阴谋论和胡说八道，这是他们的出版自由，人家经常越是这样的书越好卖。你写本书说美国人根本没登过月，那都是在好莱坞影棚里拍的，马上卖好多，然后也没人来管你，你爱写就写。有人问NASA（美国航空航天局），人家写没登过月的书都畅销了，你怎么看，NASA根本不回应，回应他就是为千千万万对太空付出一生的科学家们的不尊重，所以根本不用回应。有出版言论自由的国家，爱说什么说什么，胡说八道也行，经常出版一些把中国历史编得特别神奇的书，特别有意思。

| 罗素去世 |

1970年，罗素逝世。罗素写了很多哲学著作，还得过诺贝尔文学奖。

很多人知道罗素其实是通过《围城》这本小说，因为《围城》里有这么一段，说当时留学回来的这些人经常聚在一起攀比吹牛，褚慎明说自己在英国时见过罗素，罗素先生还问了他三个问题，自己还回答了这三个问题。然后大伙都觉得，哇，好厉害，罗素那么厉害的哲学家还问你问题。其实褚慎明确实也没吹牛，罗素确实问了他三个问题，这三个问题是什么呢？就是你叫什么名字，从哪里来，什么时候回去。所以，我说钱钟书先生特别幽默，最幽默的就是他没有写褚慎明说谎，而是确实是问了他三个问题，但是是这么三个问题。钱钟书先生满腹经纶，而且是个非常有幽默感的大知识分子，这点很难得，因为现在我们经常看到一些有文化的人，或者自认为有文化的人，天天在那儿端着，讲这个讲那个，好像很学术、很权威的样子，一点幽默感都没有，一点都不招人喜欢。

| 斯大林格勒战役结束 |

1943年的2月2日结束的斯大林格勒战役是第二次世界大战最大规模的转折点战役，在东方的历史里，斯大林格勒战役是唯一的转折点，但在西方的英美二战史里面，说二战转折点战役是两个，同时的，一个是斯大林格勒战役，一个是阿拉曼战役，因为总得来一个西方的吧。

阿拉曼战役应该说是北非战区的转折性战役，从那之后北非基本上解放了，但是北非战场在整个二战的战场中间，其实是不能跟苏德东线、太平洋战场以及后来的美军登陆诺曼底这么重要的战役比的，而且阿拉曼战役的规模，也跟斯大林格勒战役不能比。虽说最后被包围的是保卢斯第六集团军的三十三万人，但是实际上整个斯大林格勒战役的规模是空前的，歼灭德军的数量也是空前的，双方都是数以百万计的投入。而且斯大林格勒战役打完了以后，整个苏德战场南线洞开，因为德军全部的主力都像绞肉机一样，投入到斯大林格勒战场去，也把苏军主力都吸引过来。保卢斯是第一个在战场投降的德军元帅，当然他实际上只当了一天元帅，就投降了，当时希特勒授给他元帅，就是想让他自杀，他原来当上将是可以投降的，但没有元帅在战场投降，结果他拿着元帅手杖就投降了，给希特勒气坏了。保卢斯本身也不是德军中间能征善战的一线战将，他是一个参谋军官出身。

斯大林格勒战役之后，当时苏军其实已经可以直驱罗马尼亚，整个南线已经没有德军了，后来就发生了在东方的二战史上都不写的一个重要战役，叫哈尔科夫战役，才解释了为什么当时南线洞开的情况下，苏军没有直驱罗马尼亚，不然二战早结束了。德军公认最能打的曼施坦因元帅带了区区几个师来“救火”，就在哈尔科夫切断了滚滚向西的苏军洪流，而且全歼了苏军最前面的集团军，把苏军整个挡在哈尔科夫城下，把南线整个的战线又恢复起来了。那一场战役以少胜多，如果不说战争的正义性，就从战争艺术跟军事来讲，哈尔科夫战役是整个苏德战场上最漂亮的战役之一，几乎在整个南线全部没有德军的情况下，就靠曼施坦因带了几个师，插入苏军的队伍左冲右突，居然把苏军截断了，而且歼灭了一部分，还收复哈尔科夫，重新建立起了防线。

但是无论如何，斯大林格勒战役之后，德军已经丧失了全面进攻的能力。只有在当年的夏天，在库尔斯克又进行了最后一次大规模进攻，之后德军完全丧失了战略主动权。所以斯大林格勒战役就是二战史上最重要的转折点，也是打得最惨烈的一场战役，最终被俘的九万德军几乎没有人活着回来，被迫长途步行去西伯利亚做苦工。当然苏军这么做也无可厚非。因为苏联的军队被俘时也是在德国做苦工，睡在露天的地方，吃得很少。战争期间双方都比较残酷，尤其是苏德军队，不光是战争，而且还有种族歧视以及历史心态的问题。但是德军对英法的战俘就比较友好，从来没让干过苦力，而且还组织踢球，还吃西餐，还让看报学习什么的。但是到了东线，对波兰对苏联战俘就非常残酷。纳粹是一个邪恶的东西，但是他们最终也得到了报应，九万战俘基本上消失在茫茫的西伯利亚，这其中还包括了我妹夫的父亲，我妹夫是德国人，他的父亲当时在斯大林格勒被俘了，但是他还是比较幸运的，因为最后回来了，是斯大林格勒战役极少数的幸存者之一。但是不管怎样，战争永远不是人民热爱的，无论你战败还是战胜，那么多人流血死掉都不该是被歌颂的事情。

| 拓跋氏改姓为元 |

公元496年的今天，北魏的拓跋氏改姓为元。拓跋氏是鲜卑人，其实我们北方大量民族原本都是鲜卑人，李世民本人就有鲜卑血统。像金庸小说里常写的慕容这个慕容那个，其实就是鲜卑人。拓跋氏建立了王朝，改姓元，其他的少数民族后来也改了姓，像姓完颜的，最后改成了金。我们特别有同化别的民族的能力。就是你征服我也没用，你征服我最后也变成了我们的，因为我把你同化了。

因为民族被歧视，犹太人在世界各地也改姓，看见什么就叫什么，像爱因斯坦他们一家到了德国，原来的犹太姓氏别人听不懂，改姓了爱因斯坦，德语就是一块石头的意思。不管犹太人怎么改姓，你改不了我的民族血统，我就要坚持信仰，就做犹太人。但是到了中国陕西河南的那一支犹太人，最终还是被我们同化了。

|《义勇军进行曲》诞生|

今天还诞生了一首好听的歌，叫《义勇军进行曲》，我还见过这个曲子的手稿。这首歌的旋律是完全西式的，就是完全用西洋作曲技法，非常好听。就我个人而言，虽然我没有听过全世界每一个国家的国歌，但是在我所有听过的国歌里，最好听的三首歌都是激昂的战歌，激励人民向前。其中一首就是我们的国歌，在中华民族最危亡的时候诞生的《义勇军进行曲》。还有一个是法国大革命的时候引导人民向前的《马赛曲》，再有一个就是美国第二次独立战争的时候，美国人民在《星条旗永不落》的歌声下，战胜了强大的英帝国。所以这三首国歌，《马赛曲》《义勇军进行曲》《星条旗永不落》是我最喜欢的国歌。我觉得最难听的国歌就是英国国歌和日本国歌，因为它是歌颂王的。凡是歌颂王的歌，几乎就没有好听的，因为大家都没什么真心，不像歌颂上帝的歌有很多好听的。很多晚会歌就是歌颂的歌，听着好像很恢宏，但是不能打动你，很假，没有真感情。

2月3日

《晓松说——历史上的今天》来到了 2 月 3 日，今天的事都跟文明古国有关：公元 960 年的这一天陈桥兵变，黄袍加身，赵匡胤建立宋朝；1830 年，伟大的文明古国希腊经过数百年的战斗，终于获得了独立。

| 宋朝建立 |

公元 960 年的这一天，一个在戏剧舞台上最多被展现的朝代诞生了，诞生那天就是一出戏，叫作陈桥兵变，黄袍加身。大家对宋朝超级了解，因为从宋朝的开始到最后，都有戏文在那儿演。之前说过明朝是“三无”朝代——无明君，无名将，无名士。到了宋朝正好反过来，宋朝有明君，唐宗宋祖，毛主席都承认宋祖是明君，宋太宗其实也是一代明君；有名将，名将不用说了，杨家将、岳家军等等；有名士，就更不用说了，光苏家兄弟苏轼、苏辙就已经够震烁古今了，更别说这唐宋八大家，而且还创造了宋词这样不朽的音乐跟文学。所以叫“三有”——有明君，有名将，有名士。还有个叫“三不”——不加税，不杀士，不秋后算账。宋朝皇帝心胸之宽广，跟明朝皇帝形成了最鲜明的对比，宋朝皇帝宽宏大量，随便骂，随便说，说一脸唾沫都没事，而且永不杀士。其实明朝朱元璋也立了各种规矩，比如太监不得出宫，刚到第三任皇帝，郑和就下西洋了，可见立国太祖立下的规矩不一定都会被遵守，但是宋朝的皇帝有一个算一个，每一个人都遵守了太祖“不杀士”的遗训，坚决不杀知识分子。所以宋朝知识分子最自由、最胆大，大不了发配，而且发配成了一件光荣的事儿，几乎变成了每一位名士的必经过程，贬得最远的就是苏轼，那也没事，王安石、司马光都那么水火不容了，也就是你发配我一会儿，我发配你一会儿，但绝不会出现杀士的情况。所以知识分子在宋朝获得了空前的自由和发展。

而且宋朝是中国历史上的所有朝代中最有钱的一个，因为不加税，人民就努力生产，所以不但是生产出很多粮食，很多盐、铁，还生产出很多人，中国历史上第一次人口过亿。宋朝时，第一次政府年收入过亿两银子，当时全世界百分之九十的 GDP 都在宋朝一个国家。后来的朝代基本上就没做到，整个明朝都没做到，不及宋朝的十分之一，到清朝也只是到晚清时期才过亿。宋朝有两件事，做得好不好大家来评价，一个就是他太喜欢知识分子了，赵匡胤一开始就是一盲流，后来变成军官，孔武有力，但是他特别崇拜知识分子，马上得天下的王朝崇拜知识分子的程度，宋朝排第一。所以开国取士的时候，录取的特别多，进士一考一百来个，只有三分之一有实授官，另外三分之二的人拿着同样的俸禄没事干，写诗玩。很多很多官衔完全是虚职，苏东坡任黄州团练，团练就没什么事干，就是白拿钱。宋朝有钱，又养知识分子，又不杀知识分子，所以宋朝知识分子创作空前繁荣，不朽的各种篇章都创作出来了。

再有他拿这些钱做了中国从古到今没有任何一个朝代做过的事情，就是宋朝是唯一的采取募兵制的一个朝代，征兵制就是服兵役，你必须给国家服兵役，这是你的义务，不能跟国家讨价还价，要什么待遇那可不行。中国自古到现在，到今天都是采取征兵制，这是对国家的义务，为国服兵役光荣。募兵制，是西方现在几乎所有的国家都采取的制度，就当一工作，来签合同，给你发工资，比外边工作收入还好一些，军营里的小卖部东西还比外边便宜点。当了兵再去上大学，国家再给你一点补贴，等等，这就叫募兵制，就是雇你来当兵。只有宋朝做到了，第一，因为他特别有钱；第二，他把募兵制当作了一种福利。以前的朝代对人民是没有福利的，饿死没办法，又不能把你养起来，最多就是在大灾之年给你赈点灾而已。募兵制后来慢慢变成一种福利制度，哪里流离失所，哪里有大灾、有流民，就都募兵，一养一辈子，因为宋朝募兵制合同一签就到六十岁，就一直在那兵营里待着，导致宋朝军队数量空前多，多则上百万。

宋朝的首都汴京，当时是世界第一大繁华城市，后来南宋的首都临安，也是世界上最繁华的城市，《清明上河图》就是画的大城市那种规模，简直令人惊讶。宋朝的科技、工业空前地发展。沈括的《梦溪笔谈》提到过宋朝空前发展的科技。民国时期中国各门类的历史都是自己修的，唯独中国科技史没人修，因为文人不懂科技，所以是剑桥大学李约瑟教授主持修的中国科技史，其中对宋朝科技大加赞赏。

所以宋朝是一个对于知识分子，对于军人，对于老百姓，对于大臣，对于各种各样的人都很幸福的一个朝代。宋朝一直生活在整个北方异族阴云笼罩的环境下，但是一直生活得阳光灿烂。想起宋朝，就觉得是一个阳光灿烂的朝代，一提明朝，就觉得是个特阴霾的朝代。所以如果让我穿越，我必穿越到宋朝，让我穿十回，我还是会穿越到宋朝。宋朝对我们这样的人来说非常美好，还有李师师等这些大美女，甚至连强盗都是最有名的，梁山一百零八将。所以宋朝是最被人民热爱的朝代，最被人民歌颂的朝代，最多次被人民搬上舞台，宋朝在舞台上的各种主角，文有包公、苏东坡等等，武有杨家将、岳飞等等，可见人民对宋朝是多么有感情。如果有一天发明了时光机，一定要告诉我，我要去宋朝生活。

宋朝感觉很尿，老被人打，实际上你想一想，宋朝面对的是辽国那么强大的一个国家，蒙古横扫整个中亚东欧只用了两年时间，宋朝跟蒙古还顶了一百来年，所以说实在的，宋朝打仗也还是可以的。世界上也没有谁能挡住蒙古铁骑的，面对那么强大的亚欧大帝国，最后那是没办法了。很多知识分子老说，“崖山之后，再无中国”，就是南宋最后被蒙古追到广东崖山，宋朝最后的军民都上了船，陆秀夫背着小皇帝投海，之后政权就再不是汉人的了。但是我个人不赞同这个，因为中国是汉族和其他民族一起创造文明的，不是说因为汉人不掌权了就没有中国了。

| 希腊独立 |

我们从小学历史课本学到东方四大文明古国——埃及、巴比伦、印度、中国，与西方文明古国希腊。但是在希腊的课本里，只有一大文明古国，就是希腊。除了传说中的那些辉煌，真正能流传下来的文明，那东方四大文明古国确实跟希腊不能比。人家希腊的文明传下来了，哲学思想简直先进到不行，科学发现也都传下来了，亚里士多德、阿基米德等等，简直太吓人，感觉就是外星人来的，思想怎么能领先全世界那么多年？他把什么都想明白了，宇宙是什么，世界是什么，我们生存的世界其实只有客观的跟主观的两种，等等。希腊的文明把这些客观的、主观的，唯物的、唯心的全弄完了，神奇至极。我们的文明，其实主要集中在唯心这一块，诸子百家几乎都是属于唯心的。

我们历史书里面只写到斯巴达最后三百勇士，或者马拉松是怎么来的。希腊后来就被罗马给灭了，当然不光希腊被罗马灭了，各个希腊时期的文明国家都被罗马灭了。罗马是环地中海大帝国，小国一个也没跑。希腊被罗马灭完以后仍然坚持，看不上罗马人，说罗马人是野蛮人，坚持到最后罗马没了，东罗马帝国又被奥斯曼土耳其帝国给灭亡了，标志着希腊进入了长长的黑暗时期。但是，有过古老文明的国家，有过对自己民族的骄傲和信仰的民族，是不会在历史中湮灭的，波兰多次被灭国、被瓜分，最后都又勇敢地独立起来了，像希腊这么伟大的一个国家，最终是不会在历史中湮灭的，所以希腊在1830年，经过了几百年的抗争，文的、武的、沉默的、战斗的各种抗争，最后又独立了。

我去过好几次希腊，我要说的是全世界男的、女的长得最好看的都是希腊人。什么地方种族杂交最多，那儿的人就长得最好看，如果他封闭在一个地方，就不会很好看，所以欧亚交界的这几个国家，都是人长得最好看的国家。我自己跑过大部分国家，首推希腊人长得好看，其次是叙利亚，再次是土耳其。不光女的，连希腊男的都长得和雕塑一样，到希腊一看，原来那雕塑不是艺术家提炼了再创造，人家就长那样。我个人是喜欢黑头发，希腊人还是黑头发，希腊经过欧亚来回的洲际交流，产生了那么美好的一个国家。希腊还有很多美好的小岛、黑沙滩、白房子、蓝大海，很美很美，大家有机会应该去希腊看看。

在希腊最痛苦的一个问题就是看不懂字，因为在别的国家，就算不会说当地话，多少还能简单沟通，至少念得出地名。但到了希腊，字母只认识 α、β、π，连起来怎么念就不知道了。所以要在希腊问路，没办法拿嘴问，因为不知道连起来怎么念，只能给人写上，这是件比较痛苦的事情。

|《纽约时报》在全美发行|

1918 年的今天,《纽约时报》在全美发行。这是美国最重要的报纸之一，而且是自由派的阵地。右派保守派报纸是以《华盛顿邮报》为核心，它们俩是不同倾向的报纸,《纽约时报》一直是左派自由派知识分子的阵地，开放自由，观点犀利。

2月4日

《晓松说——历史上的今天》来到了 2 月 4 日。今天是一个伤感的日子，今天是两位我热爱的艺术家的忌日：1983 年卡伦 · 卡朋特去世了；还有我听着他的相声长大的侯宝林大师，在 1993 年去世了。

| 卡伦 · 卡朋特去世 |

卡朋特乐队“The Carpenters ”，就是卡朋特一家兄妹俩，哥哥负责写歌、弹琴，妹妹负责唱歌，这是一个最令人羡慕的乐队，因为不会互相不和了大家就散了。

卡朋特乐队是最早被中国人民听到的美国流行乐队，当时很少有美国的乐队，因为美国的都是资本主义，那时候都听苏联歌、越南歌，但是当时有一个中央电台调频，深夜会播出一些美国流行音乐。就为了那一点点营养，我夜里就偷偷摸摸不睡觉，还怕家里知道，关了灯，自己趴在录音机前面。那时候的录音机是带收音机的，当时收音机很重要，电视上也带收音机，大家现在不能想象，电视旁边有一个连成一体的收音机，当时我们家主要用来听《岳飞传》。一到晚上我就拿磁带边听边录，我们那一代人都有这个经历，那时候穷，磁带一点都不能浪费。磁带前面有一段没有磁粉的，用铅笔插进去转，转到正好有磁粉那个地方，就在那儿把录音键按下来，然后再按下PAUSE暂停键，就开始听，一听到稍微好听的马上就把PAUSE键抬起来开始录，我的第一张美国流行音乐磁带就是我自己录的。就是每天夜里趴在那儿听，然后有一天，我听到了卡朋特，简直好听得一塌糊涂，心都碎了。

当时和卡朋特同时听到的还有一个叫四兄弟合唱团，但是四兄弟合唱团唱的不是这种流行音乐，他们唱的是一种乡村民谣式的东西，也很好听。但“The Carpenters ”是真正的旋律清奇，歌词优美。在她短短的人生里留下来的这些作品，每一首都很好听，所以他们兄妹俩就是天才。而且卡朋特那种慵懒的细致的唱法，当时也很少见，因为那之前流行乐都特别激昂，所以当时给大家留下特别特别美好的享受。她的每一首歌我都会唱，而且都不用看歌词，歌词都写得特别好，在美国流行音乐里歌词写得好的是不多的，因为美国人文学能力不强，但是卡朋特的歌词写得非常好，像诗一样。

那时候我才十几岁，听到*Yesterday Once More*（《昨日重现》），觉得好伤感，岁月要流逝，感觉怎么都抓不住，等我现在四十多岁了，反而没那感觉了，没觉得这个Yesterday（昔日）有多少刻骨铭心。在我年轻的时候我觉得永远都不会忘记的事，现在都忘了。那时候有一本书很流行，叫《更多的人死于心碎》。我想我四十岁的时候，回想起年轻的日子，这些爱情，我肯定心碎而死。结果到现在我四十多岁了，吃了一种叫麻木的药，这个药很管用，很多事完全想不起来了。但是听到那首歌的时候，偶尔还能想起一些。一个少年深夜关着灯，趴在一个录音机前，手指头按着那个暂停键。通常前奏起来的时候，有一个播音员还在讲，为了不浪费一点磁带，得等他讲完最后一个字，把键抬起来，然后录下来卡朋特的那些歌曲。那是每个人少年时代的一种情愫，伤感又美好。

卡朋特后来得了厌食症，这个也提醒了很多美女，不要非得减肥，搞不好会导致厌食症。她非常令人惋惜，年仅三十二岁就去世了。美国的流行音乐歌手通常的寿命都比较长，唱到五六十岁的很多。迈克尔·杰克逊去世之前还准备开全球巡回演唱会，麦当娜今天还在舞台上，卡朋特三十二岁其实是进入了一个歌手最好的年龄。

女歌手通常有一个问题，就是她在年轻的时候不懂爱情，怎么唱也不动人，得等到她一切都懂了，懂人生也懂爱情了，又老了。所以三十出头是女歌手最黄金的年龄，卡朋特在最黄金的年龄去世，但她的音乐会永垂不朽。今天不管在美国还是其他国家，依然到处能听到她的歌声。

| 侯宝林去世 |

1993年的今天，空前绝后的侯大师去世了。相声是北方人最最重要的一种艺术形式，普及程度远远超过了京剧、河北梆子等等。相声实际上是天津的艺术，天津人说话本身就像说相声，或者是因为大家听惯了相声，听天津人说话觉得像相声。侯大师在当时人们的娱乐还很贫乏的时候带给我们无限欢乐，看电视最大的乐趣就是看侯先生讲相声。侯先生和马三立马先生还不一样，马先生其实是单口里的最大的大师了，但是马先生的相声电视上播的不多。侯先生是年年岁岁任何时候，电视里一看相声就是侯先生和郭先生来了。到现在几乎所有侯先生的相声，只要有一个人搭，我都能背下来，因为听了太多遍，小的时候没事干天天听。明知道后面的包袱是什么，但是到那儿依然哈哈大笑，其实这就是表演艺术家的魅力所在。如果让不行的相声演员来讲，你只要抖过一次的包袱，下回我知道了我就不乐了。

侯先生最厉害的是还现场即兴编演过一个《醉酒》的相声：我喝醉了，打开手电顺着光柱爬上去，我爬一半你一关电门我掉下来。然后说喝醉了躺在街上讲，让公共汽车来从咱身上轧过去，什么小汽车从咱身上轧过去，等救护车来了，说那我起来吧，这是侯先生现场发挥的。侯先生去看一场演出，大家从观众中发现了侯先生，全场演出中断，热烈鼓掌，可见相声在北方人民心目中是什么地位。侯先生上台了，说今天我这搭档郭先生没来，那随便来一人吧，就随便来一人跟侯先生搭，侯先生就现场来一段。

我亲眼见过侯先生的弟子马季先生去买包子，包子铺那里面坐满了人，一桌拼好几伙人都在那儿吃包子。相声演员都很传统，因为他们学的就是传统文化，所以对传统的菜、老字号都特别特别在意，然后马季先生刚一进去，整个大饭馆里爆发出热烈的掌声，给马季先生鼓掌。马先生当然相声也说得很好，侯先生的弟子，但是我个人觉得没有人能跟侯先生比。虽然我那么喜欢德纲，跟德纲是好朋友，德纲生活中也很幽默，相声也说得非常非常好，但是跟侯先生还不一样，就是侯先生随便不管多老的段子，他往那儿一站大伙就想乐。

而且侯先生的语言能力非常之强，他在相声里还说过上海话。侯先生有一个相声说的上海方言，说到了上海就不理解，躺那儿汏汏面孔（上海方言，洗脸的意思）。我说打我干吗，我这进来还得挨一顿打吗？说不是，是汏汏面孔。我说对呀，干吗打我呀？这是其中一段相声。还有一个相声里说到方言，各地的方言最啰唆的就是北京话，最简练的是河南话。就说一事：夜里弟弟起来要上厕所，哥哥就问他要干吗去。就这一点事，要是北京人得说出二百多个字去。一起来，哥说这谁呀？这深更半夜的还让不让人睡觉等等说半天。然后弟说我今儿多吃两口多贪两杯，这你可不知道，今儿怎么着怎么着，我上厕所去。然后哥就说小心点，别着凉什么什么。北京人就这样，能多说俩字就多说俩字。山东话每句话仨字说完了："这是谁？""这是我！""上哪去？""上便所！"上海话更简练："啥宁？""是我。""做啥？""出水"（上海方言）。更简练的河南话就一个字："谁？""我。""咋？""尿！"大家有工夫，一定要把侯先生的相声拿来听听，尤其要看侯先生那做派，戏也唱得好，他是相声演员集大成者。

侯先生有一点特别好，从来不说你限制我，那我就没法讲了。大家知道相声原来是要说很多黄段子的，马三立马先生到后来还保留了两个将将擦边能被允许的黄段子，那段子居然在电台中能播。说公公在那儿病得不舒服，儿媳妇就说您到底想吃点什么我给您弄去，公公说我就想喝人奶。儿媳妇一想，这上哪儿弄去，没有啊，只有我刚生了孩子，说那得了孝顺孝顺，给公公喝人奶。然后儿子回来了，一开门一看，说爸你怎么吃我媳妇的奶？公公说当年你吃我媳妇的奶，我说什么了？之前的相声段子大多是这样的，而且比这黄得多，旧社会的时候全是这些东西，等到新社会一律不让说了。侯先生厉害就厉害在这儿，你不让我说这些了，那我写新的说新的，然后新的一出来还是特逗，大家还是照样喜欢。我觉得这就是真正的艺术家，不像我们好多导演、好多音乐家，说我弄不出来好东西，因为不让拍不让写不让唱，我觉得不是这样。一个真正的艺术家，在任何环境里，在任何情况下，都没问题。

老一辈相声演员们千锤百炼到什么程度？他们那个时候还没录音设备，所以侯先生每天都得去电台说，相声都是直播的，他就天天到点就上电台去，天天讲，千锤百炼，但怎么讲，讲过多少遍，听众照样还是喜欢。所以我说侯先生是真正的语言艺术大师，被聘为北大教授也一点问题都没有，而且侯先生那时候还经常被请到中南海去给普通话说不好的毛主席说相声，非常厉害。

| 雅尔塔会议召开 |

1945 年的今天，雅尔塔会议召开，三大国一起确立了战后的格局，一直延续到 1991 年苏联解体才结束。等于是二十世纪大半个世纪，这个世界是由美、英、苏三大国在雅尔塔商定的，把德国割让出一大块补偿给波兰，波兰切一大块给苏联，都是在雅尔塔会议决定的。包括为了换取苏联对日作战，出卖了中国的利益，因为当时美国的原子弹到底是怎么回事，到底能炸成啥样还不太清楚。为了让苏联出兵打日本，三大国背着中国就决定了外蒙独立，以及苏联在东北的各种特权等等都予以保证。总而言之，这个世界就是谁有力量谁说话，当时我们也没说什么，因为没办法。在中国强大的时候，中国也曾经决定过周边国家的格局，但是一旦弱小，就没你说话的份儿，所以雅尔塔会议是三个强大国家，决定了其他国家当时的命运。

2月5日

《晓松说——历史上的今天》来到了2月5日。1984年的今天，开国第一大将粟裕大将去世。公元664年，玄奘大师去世。今天也是清朝顺治帝的忌日。

|粟裕去世|

1984年的这一天，开国第一大将粟裕逝世，这一天我还记得，因为我母亲和粟裕大将的儿子也是我军的一位将领粟戎生将军，不但是北京101高干子弟中学同班同学，而且是“同桌的你”，一生保持了非常珍贵的友谊。我母亲在我很小的时候就带我去粟裕大将家玩，那时候粟裕大将住在后海后门桥旁边的大将府，我去过几次，亲眼见过粟裕大将。虽然粟裕大将说的是湖南口音，但是我能听懂一点，说这里是敌人打的弹片等等。粟裕大将手很软，一握手，不像一个叱咤风云、身经百战的统帅的手。他是很斯文、很谦和的一个老人。

关于粟裕大将就说一件事情，民间传说粟裕大将最初是被评的元帅，后来他辞了元帅。这是讹传，我相信大家这样说是因为大家对粟裕大将的战功有高度的评价。

在中国广大的军迷中间，尤其是军史迷中间，粟裕大将一直被评为我军的战神，确实在解放战争中歼灭敌人最多的也是粟裕大将统率的三野，也就是华野。虽然陈毅元帅是华野司令，但是陈毅元帅高风亮节，每一次打了胜仗，给中央军委毛主席的电报里都写道，这些胜仗都是我们这里一个叫粟裕的同志指挥的。所以粟裕在延安、在中央军委很有名气，虽然大家很多年都没见过这个人，因为他没跟随长征，他在方志敏的第十军团做参谋长。后来在北上抗日先遣队的时候被打散了，方志敏同志牺牲了，他就坚持就地打游击，一直坚持到抗战进了新四军，这么多年也没去过延安，也没见过毛主席。

在井冈山的时候他还是一个排长，但是在陈毅元帅不停的电报中，延安就开始知道有这么一个人叫粟裕，特别能打，后来就让粟裕直接统帅华野，做司令员兼政委。粟裕之前还做过华中野战军的司令，他一直被破格提拔，因为他特别能打，破格提拔当华中军区司令的时候，他就坚决让给张鼎丞，说这个人资历比他深厚，他还是指挥野战军就好了。这一次粟裕也坚辞不受、多次上书中央，当时中央已经把陈毅调到中原去了，做中原局的副书记以及中野的副司令，跟刘邓大军在一起，实际上就是粟裕在指挥华野，但是粟裕坚持留着陈毅元帅的司令员兼政委的职务，坚持只做代司令员跟代政委，然后统率强大的华东野战军，后来叫三野，攻克了济南，打赢了淮海战役。

可以说淮海战役一半以上的功劳是粟裕坚持打一场大歼灭战，因为刚开始毛主席想淮海战役只是个小战役，消灭敌人十几个师就可以了，但是被粟裕打成了最大的一场歼灭战，一举奠定了解放全国的基础。

后来他在抗美援朝期间，先被任命为东北边防军司令，其实是准备让他统率志愿军做总司令，但是他因为身体有病拒绝了，后来由彭德怀统率了志愿军。粟裕是解放战争中第一能打的，歼灭敌人最多的，当然林彪统率的四野歼敌也不少，但是最艰苦的战役都是三野打的，而且三野没有后方，四野是背靠两个友好国家，这边背靠苏联，那边背靠朝鲜。

粟裕将军当时一直在内线作战，一直在国民党的核心地带作战，周围都是敌人，在这种情况下，打出了一大片天地。所以军迷们出于对粟裕大将的敬爱，就说粟裕大将被评为元帅。但是在评帅的时候有一道基本线，元帅不光是酬战功，必须在红军时期就有很深的资历，至少是军或军团级干部。所以综合考虑整个历史，粟裕将军虽然别的都够，但在这一条上不够，因为南昌起义的时候他只是个排长，红军时最高也只是十军团参谋长。所以最终没被评上。

这里还有其他的原因，像罗荣桓元帅其实也不够这条线，但罗荣桓元帅有两个资历起了关键性的作用：一是我们十大元帅里有七个参加过南昌起义，南昌起义对我党来说非常关键，但在我党的历史里说南昌起义跟秋收起义共同缔造了我军，因为十大元帅里只有罗荣桓元帅一个参加过秋收起义，所以他作为秋收起义的代表，被破格提升为元帅；二是我军在元帅跟大将里各放了一个政工人员，就是政委，代表我军特色。元帅里的政工代表是罗荣桓，大将里的政工代表是谭政。

中央军委曾经出过十三元帅、十四大将的名单，元帅还包括刘少奇、周恩来和邓小平，但是这三位当时都已经在中央做领导人了，就拒绝了。于是后来大家就又画了一条线说，现在离开部队在政府工作的就不参与评衔了，所以很多人就没评，因为离开部队了，像李先念、谭震林，如果评的话也应该在大将里。粟裕大将的战功资历在十大将里远远超过其他九个大将，这也是大家老觉得粟裕应该评元帅的原因，因为另外九个大将跟粟裕一比差了好多。粟裕是大野战军统帅，另外几位都是兵团司令级别，都是粟裕的下级，比他低了一级，有些人即便放到上将里，排名也占不到最前面。所以，粟裕当时在大将里是鹤立鸡群，但是放到元帅里又确实不够线，除非陈毅元帅不评，那粟裕大将有可能破格提拔为元帅，因为总要有人代表新四军和华中野战军。在这个问题上，刘少奇和周总理还发生了争执，刘少奇本人因为是新四军政委出身，他就说，陈毅元帅不应该评选，因为他和我们一样已经不在部队了，陈毅已经做副总理兼外交部长了，所以应该由粟裕来顶替这个位置，但是最后这个说法也没被采纳，还是陈毅评了元帅，所以粟裕就只能评大将了。

所以粟裕大将其实是没有被评过元帅，而且后来也过得比较坎坷。1958 年的时候，被无辜迫害，以“里通外国”的莫须有罪名撤掉了总参谋长的职务。一直到粉碎“四人帮”以后，叶帅向中央上书要求粟裕大将做军委副主席，但是遭到最高层的反对，最后也没做了。但是他作为我军战争史上最能征善战的统帅，打出了那么多漂亮仗，而且为人很谦逊，所以一直受广大军事迷的热爱。

后来人们才总说他被评元帅，我觉得这是大家对粟裕将军的一种敬爱。

| 玄奘去世 |

公元664年，全中国人民耳熟能详的玄奘去世了。当然实际上玄奘不是那么唠叨，也没人可唠叨，就是我经常说的，一个历史人物慢慢进了剧场史就成神话了，先有四大名著之一《西游记》，后来再加上罗家英罗老师非常成功地塑造了一个唐僧的形象。这儿还有一个小小的段子，说那么多人都想吃唐僧肉长生不老，为了吃唐僧肉就要杀唐僧，搞得唐僧一会儿被救，一会儿要死，唐僧自己吃一口自己的肉不就完了吗？吃一口自己的肉长生不老了，谁也杀不了他了，他为什么不吃自己的肉呢，你们知道吗？因为他是一个僧人，只吃素。当然，这是一个冷笑话。

历史上真正的玄奘是一位博大的大师，而且是一个非常有信仰的人，千山万水去求取真经。前一阵子我还看到一个新闻，说地质勘探人员为了探索祖国的大地，牺牲在罗布泊。今天我们在有卫星、有电话、有汽车的情况下，还不停地有人牺牲在罗布泊、牺牲在塔克拉玛干沙漠里。而玄奘那时候是什么都没有，也没有白龙马、猪八戒和孙悟空，就徒步穿过沙漠到西域了，而且走到了阿富汗，还路过了巴米扬大佛。实际上现在中亚包括印度很多国家的历史，都是靠玄奘写的游记《大唐西域记》去追溯的，它是特别珍贵的史料，记载了当时各国的风土民情、文化艺术。只可惜玄奘见过巴米扬大佛而我们见不到了，因为塔利班把大佛炸掉了。

玄奘到了印度，做了一件非常牛的事，用现在的话叫作“学霸”，就是学什么都会，学宗教，学梵文，学各种各样语言。他在整个印度的佛法大辩论会上，还得了第一名，这个太厉害了，相当于一个中国人到了一个别的国家，比如说现在去法国，用法语去跟人家辩论法国的事、法国的文化，结果得了第一名。而且他真正实践了佛法的作用，是一位真正的佛法大师，他给两位国王讲佛法，使这两位国王低眉信首放下屠刀，从而阻止了一场即将发生的战争。我觉得佛法用到这里是最好的，而不是用来帮你生一个儿子，帮你考上大学，帮你中彩票，等等。那不是佛法要干的，佛法也干不了，但是它可以阻止战争，非常伟大。

玄奘还带回来大批的经书，在佛经翻译上也是做了巨大的贡献。佛教传入中国之后，佛教在印度反而几乎就没有了，印度信佛教的人只有百分之零点儿，只有北部接近尼泊尔的地方有一点人信。大部分印度人现在都信印度教，还有信伊斯兰教、基督教、锡克教的，信佛教的已经很少很少了。但是玄奘把佛教带到了中国，让佛教在东土发扬光大，还分了很多宗，之后佛教在中国、在东土，包括在中国的台湾和香港，新加坡以及在北美，只要有华人的地方就有庙，我在洛杉矶住的地方，山上就有一座巨型大庙，没事儿就带着我女儿上山去看一看。

| 顺治去世 |

1661 年这一天，清朝皇帝顺治帝去世。顺治帝是一位好皇帝，这个已经盖棺论定，尤其是他作为一少数民族统治了中原。战争中间还发生了许多残酷的事，在“扬州十日”“嘉定三屠”中屠杀了很多汉人，但是远远没有张献忠在四川屠杀的多，张献忠几乎是杀光了四川的人，导致城里街道上竟然有老虎，就因为人已经没有了，最后被迫去湖广弄大批人口填四川。张献忠本身就是汉人，如假包换的汉人，但是同样对汉人做了残酷的大屠杀。张献忠在四川还做了一件更可气的事情，说他要开科取士，强烈要求所有的知识分子来到成都考科举，不来就绑来，结果到成都后全部活埋，这比清兵做得要狠多了。战争本身就是残酷的。但是无论如何，清兵也犯下了很多罪，正是在这样的情况下，顺治帝作为开朝皇帝，如果他继续残暴，那整个清朝或者中国就很快糜烂掉了，但是他做了一个好皇帝应该做的事情，之后出家了。虽然人民被迫剃了头，留了那个金钱鼠尾辫儿，那个头发是很难看的，四周全剃光，中间留一个铜钱大小的鼠尾辫，跟老鼠尾巴一样，细到能穿过铜钱那个眼儿，是很难看的一种发型。为什么很多汉人宁可留发不留头，我觉得就是这个头实在太难看了。等到后来，慢慢文明一点，晚清时候就确实变成了这么大一锅盖头，这么粗一大辫子，所以清宫戏如果拍前清顺治、康熙的时候，一定要注意一点，发型是这种金钱鼠尾辫儿，不过也许人家演员就不演了，实在太难看了。

金庸先生的笔下顺治是因为董小宛而出家的，但事实上董小宛是跟冒辟疆，我在之前讲过，董小宛美丽贤惠，非常命苦。总而言之，真正的历史上是没有韦小宝的，董小宛也没有跟顺治。至于顺治为什么出家，其实不光顺治为什么出家，那么多人为什么出家，都是一个问题，我们就不要问了，每个人都有自己的信仰。顺治帝最后出家了，传给了另一位好皇帝——康熙。当然，正史上是写顺治是因染上天花而于 1661 年这一天而病逝的。清朝的前几位皇帝都是雄才大略，虽然马上得天下，但是下了马能治国。

2月6日

《晓松说——历史上的今天》来到了2月6日。1911年的这一天，美国历史上最重要的总统之一的里根总统出生。1956年的这一天，国务院正式发布了《国务院关于推广普通话的指示》。1908年的这一天，上海开通了第一辆有轨电车，成为率先迈进现代化的中国大城市。

| 里根出生 |

美国历史上44位总统里有雄才大略的，也有平庸的，目前担任的这位就比较平庸，但是有很大意义，因为是第一任黑人总统。里根是美国历史上能排在前几位的总统，能排在他前面的比如华盛顿总统，带领美国人民战胜了英国，迎来了国家独立；林肯总统，阻止了国家分裂，打赢了南北战争，解放黑奴，带领美国走向进步；罗斯福总统，带领美国人民打败了法西斯，把美国推上了最强盛时代。然后就是这位里根总统。战后世界进入冷战期，东西方冷战长达半个世纪，两边都有成千上万颗核弹对着对方，全世界笼罩在严酷的气氛下，里根总统在这个时候带领美国，带领整个西方国家最终不战而胜，打垮了以苏联为首的华约国家，结束了冷战。这是里根总统最重要的贡献，这也是里根总统能排进美国历任总统前几位的原因。里根总统是美国人民到现在想起来，仍非常怀念的一位总统。

在里根总统上台之前，美国由于越战陷入有史以来最低潮。越战是美国永远的伤痛，越战瓦解了美国人民对政府的信心，瓦解了美国人民对军队的敬仰，瓦解了美国人民上百年的信仰：这个国家是世界上最好的国家。由于媒体把越战中那些丑陋的反人类行为用各种照片放在美国人民面前，美国人民突然发现自己的政府和军队不再光荣，陷入了一塌糊涂的混乱中间。于是人民开始革命，开始吸毒，开始性解放，等等。经过整个六十年代末七十年代的大混乱，里根总统上台了。之前的几任总统都不够强势，现在来了一位强势总统，里根总统上台就开始重树美国的光荣和信心。里根总统重整军备，还推出了一个“星球大战计划”，其实是假的，用来骗苏联的，谎称投多少多少亿美金，然后苏联也跟着军备竞赛，要保持比美国更强大的军队和战斗力。最后苏联是被拖垮的，因为苏联经济只有美国的三分之一不到。最后里根把苏联拖垮了，也拖垮了华约和整个东方社会主义阵营。

里根是一位非常强硬的总统，他是一位共和党总统，而且他在加州当过州长，加州是民主党大本营，如果共和党人选上加州州长，就说明本人魅力超强，但是还有一个原因是加州人民特别崇拜演艺明星，所以另外一位共和党人做加州州长是施瓦辛格。

里根总统在这之前是演员工会主席，工会在美国政治中间是一种超强的力量，因为工会有选票。工会有选票才导致了工会有存在的意义，比如说工会罢工，资本家转移投资到中国去，那工会还是起不了决定作用，但工会有选票，所以资本家再强大，你有钞票，我有选票。每当选总统、选议员的时候，工会有三千万张选票，所以工会在美国是一个强大的势力。

实际上，在美国三权分立之外，还有两个强大势力，工会就是其中之一，另一个是媒体。所以在美国立志从政的人，很多都先去工会。因为美国人认为做官的意义和我们认为的不一样，美国人认为做官就是去服务的，服务大众，服务国家，在美国做官不但赚钱少，还得生活在一个小地方。美国除了南部几个州，绝大部分的州府都是一小城市，要去加州当州长，就得去一个特别小的城市萨克拉门托，也不能在洛杉矶生活了，也不能在旧金山生活了。你要当州长就得离开芝加哥、离开纽约，得去特别小一小城市。美国人认为，做官首先要吃苦，第二要服务，去工会是最锻炼服务意识的。所以美国立志从政的年轻人，很多都是上来先到工会里，还有很多做律师，给人民做免费的法律援助，等等，反正从政的人先要学习怎么服务。

里根做演员的时候是一个三流演员，始终演不成大明星，他长得很帅，目前流传下来的片段都是被女主角打一大嘴巴的那种贱贱的花花公子，专门演这种人。虽然自己没做成大明星，他还是参加了演员工会，而且最后被选为演员工会的主席，为演员工会服务。演员工会是好莱坞最强大的工会之一，他做了演员工会主席后锻炼了一套服务的能力和意识，之后做了州长，最后做到总统。

他的履历叫标准美国总统履历，美国总统大部分都是以这种标准履历上来的。小布什也是开始做得州州长，然后上来做总统。因为总要慢慢学会管理。参议员出身的总统是非主流，在美国总统里是不多的，因为参议员没管理过什么，就坐那儿听人说，然后投票，肯尼迪总统是参议员出身。现在这位奥巴马也是参议员出身，但是这位连市长都没当过，所以当他突然管理这么大一个国家的时候，就没有那种积累的经验。

参议员出身的总统有一大特点，就是特别能演讲，肯尼迪总统不但能演讲，而且还保持了一个纪录，就是一分钟能说多少个英文词。现在这位奥巴马也特别能演讲，说起来头头是道，真正做起来一片萧条，跟里根他们这些州长出身的总统差远了。

里根总统特倒霉地被刺杀了一次，而且完全不是因为什么政治、宗教之类的原因，是因为那个哥们儿特别热爱一个电影明星叫朱迪·福斯特，朱迪·福斯特在一部叫《出租车司机》的电影里爱上了一个刺杀总统的出租车司机，这哥们儿看自己偶像会爱上一个刺杀总统的人，自己就也刺杀总统去了。还是个富二代，一天闲得没事干，于是拿把枪去刺杀里根，“乓乓乓”打了几枪，里根右胸中弹，他一个保镖扑到他身上被打死了。这件事当然很严重，这个人现在还关着呢，判了终身监禁永不保释，那时候美国其实还是有死刑的，但是没有判他死刑。

里根出院时记者问他，说你看美国枪支泛滥，连你都挨了一枪，你要不要推行禁枪？里根说了一句重要的话，他说“枪不杀人，是人杀人”，说得非常非常好，人要想杀人拿菜刀也能杀人，菜刀难道也要限制、搞实名制吗？里根是共和党，共和党是坚决不禁枪的，因为共和党最大的依赖就是全国来复枪协会，有几千万会员。美国民间两亿多支枪，枪是美国人民的文化传统，就跟中国的鞭炮一样，因为美国就是个横枪跃马的国家。枪好不好，不由你决定，而是由人民决定。而且美国宪法修正案第二条里就写着美国人民拥有持有武器保卫自己、反抗暴政的权力，这一条写在宪法里是谁也动不了的。即使今天发生那么多惨案，民主党政府还不像共和党那么依赖全国来复枪协会，奥巴马也不敢说要禁枪，因为禁不了，最多说控制一点。你到商店里买枪是要看你ID（身份证）的，哪怕有过酒驾都不行，因为你是一个失去控制能力的人。但是如果你去南部那些传统牛仔州，在集市上就能买枪。禁枪是禁不了的，尤其是每当有人提到禁枪，全国来复枪协会就端出里根总统这句话来，说是“枪不杀人，是人杀人”，美国人民还有一句话是“枪不是一种工具，枪是一种权利”，所以动枪就是动美国人民的权利，动美国的人权，动美国人民的选择权，我觉得里根总统这件事做得没有错。

里根总统之后就没出现比他更伟大的总统了，这跟他所处的时代有很大关系，冷战时代最终被他结束了。二十世纪作八十年代是人类最后一波大师云集的时代，八十年代那边里根、撒切尔夫人，这边邓小平，南洋还有李光耀。而且八十年代的政治家们的主义都影响了各自的国家一直到现在。

美国的现在，完全就是里根当时奠定的，结束冷战，美国成独大，原来世界上俩超级大国，一个美国，一个苏联，“两强”在里根的手里结束了，当然最终结束的时候是里根的副总统布什，因为里根只能连任两届嘛，但是整个局面是由里根奠定的。

| 开始推广普通话 |

1956年2月6日，国务院发布了《国务院关于推广普通话的指示》。我一直以为普通话就是北京话，其实是不一样的，像我现在说的北京话跟普通话很多发音都不一样，我开始以为是总结提炼。直到我第一次去了承德，突然傻了，因为到那儿每个人说话都特别像中央人民广播电台里面的播音员，人人字正腔圆。我就说你们这里推广普通话推广得太好了，说得一点儿化音不带，结果人家都看着我乐，说我们这不是推广普通话，而是普通话就是承德口音，承德口音就是普通话的标准，说每次全国尤其南方挑播音员，几乎都是来承德挑。因为他们都不用训练，坐那儿直接念稿，只要识字，就能说得字正腔圆。当然这仅是我个人的见解。普通话有很多好处，但唯一遗憾就是，用普通话来念古诗词，很不好听，很多韵押不上，很怪。后来我发现用广东话念古诗词特别好听，尤其是念宋词，我每次见到广东人，都让他念一遍“春花秋月何时了，往事知多少”，非常悦耳，韵脚押得很漂亮，不知道是不是广东话跟我们古时候的发音更接近一点。

|上海有了第一辆有轨电车|

1908年的2月6日，还是清朝，上海第一次有了有轨电车，那时候上海还有了发电厂，有了电话，率先向现代化迈进。那时上海有很多外国人，主要靠他们在推广这些东西。我在德国看过一个西门子的广告上说，中国第一辆上海的电车是西门子生产的；慈禧太后的电话——中国第一部电话就是西门子生产的；毛主席在天安门城楼上宣布中华人民共和国成立了用的那个话筒也是西门子生产的，等等，反正那时候的现代化东西几乎都是外国人弄的。

那个时候，德国的东西确实是被全世界认同，而且我们非常信任德国的东西。在中国的现代化过程中，曾经产生过一次大的争论，就是说我们到底学德国，还是学日本，因为日本特别崇拜英国，全学了英国。日本跟英国很像，都是一个资源贫乏的岛国，全靠海军，所以日本全面学了英国。我们是一个大陆国家，当然和德国不像，我们这么大，但是由于德国当时是迅速强大的后起国家，迅速超越了所有的资本主义国家，我们当时是要赶超老牌帝国主义国家，所以我们学了德国，才导致用了欧洲大陆上德法通行的计量法。

我个人觉得德法通行的公制计量比英美的要好很多，因为它全是十进制，好算。在美国进位制特别复杂，经常有十二英寸一英尺、十六盎司一加仑，特别怪。关键是磅上头还没有更大的单位了，人家一千公斤是一吨。然后美国就特要命，因为它最大的就是磅，比如说这条船排水量多少呢？是几百几十几万磅，弄得大家都晕了。后来美国被逼得没办法，才开始用吨来计量，2250 磅一吨。所以我觉得德国的十进制非常好。当然，德国的公制计量其实是从法国学来的，就是法国在大革命之后创建的。但到我们这儿，由于德国是后起的发达国家，所以我们更愿意向德国学。

| 马萨诸塞州成为美国第六个通过宪法的州 |

1788 年的这一天，马萨诸塞州成为第六个通过了美国宪法的州。马萨诸塞州是美国东北一个重要的州，也是美国建国的时候那最初十三颗星星之一，中国人管它叫麻省。

独立战争胜利后美国就所谓的建国了，但是美国那时候没有联邦政府，说为什么要打走一个英国人的政府我们自己再弄一个压迫自己？所以美国最后决定就不要一个威权，不要总统，也不要联邦政府，大家各自回去该干吗干吗。过了几年以后，有些事实施起来很不方便，比如有外交使节来访就很不方便，各州民兵军服还不一样，编制也不一样。所以最后说，是不是需要一个联邦政府，来个宪法什么的，大家来统一服务一下外交跟国防这两件事。实际上美国联邦政府在长时间内都只被授权外交跟国防两个权力，其他权力全在各州。然后大家议论来议论去写了个宪法，但是这个宪法规定要超过多少个州通过，联邦才能成立。于是在一个一个州通过的过程中，有人支持，有人反对，麻省是争夺非常激烈的一个州。麻省当时有一位大律师很有威望，全州人民都信任他，他就坚决反对联邦，反对这个宪法。结果联邦派的这些人使了一个小诡计，因为当时信息不发达，不像现在马上微博辟谣，就在投票前一天突然在报纸上发了一个假新闻，说这位大律师转变了态度，支持联邦，支持宪法。人民一看，那他支持我们也支持吧，紧接着投票，就通过了。第二天才知道这是一个假新闻，但是来不及了，全州人民已经投票了。麻省通过美国联邦宪法是重要的一关，紧接着再有几个州通过以后，才成立了现在的真正的联邦制的美利坚合众国。

2月7日

《晓松说——历史上的今天》来到了 2 月 7 日。今天是乾隆的忌日。1964 年的今天，伟大的披头士乐队第一次在美国亮相，轰动美国。1947 年的这一天，杨子荣活捉“座山雕”。

| 乾隆去世 |

乾隆爷活了八十九岁。中国十几个朝代，前前后后全算上，乾隆爷是所有皇帝里面最幸福的一位，他都幸福得不行了，所以他管自己叫十全老人，十全十美，这人生已经太完美了。

他长得还行，文治武功都不错，当时他所在的又是太平盛世，他爷爷开创盛世，他爸爸拼了命治国，每天批各种奏章，活活给累死了，等到他登基，坐拥这么富裕、强大的国家，没发生过农民起义，也没发生过外国人来侮辱。当时英国马嘎尔尼使团，还得在路上给他跪着，完全没有后来的嚣张。所以乾隆爷那时是天朝上国的大皇帝，而且还长寿，以至于他自己当皇帝都要当腻了，说我爷爷康熙爷才当了六十一年皇帝，我就别超过我爷爷了，当六十年吧，跑去做了太上皇。结果又是中国十几个朝代以来，当太上皇最幸福的，因为很多太上皇不幸福，被打入冷宫，甚至被害死。最倒霉的太上皇就是宋徽宗，当了太上皇也没跑了，最后给弄到北方贫病而死。乾隆爷，当皇帝的时候是最幸福的皇帝，等当太上皇又是最幸福的太上皇。

虽然皇帝都不缺女人，但是由于金庸的描绘，导致我们对乾隆爷和香香公主那一段特别熟悉，说他多么宠爱香香公主。香香公主应该是金庸先生笔下最美的女子，描写得简直就是人见人倒，谁见着谁都走不动道那种美。我看金庸小说看得最惆怅的一段就是看到香香公主殉情自尽，陈家洛十年后去祭奠她，念那段“一缕香魂无断绝，是耶非耶，化为蝴蝶”，当时我年少的心都要碎了。香香公主真人应该也很美，圆明园里有一个景，专门就是为香妃而建的。传说因为香妃闷闷不乐，想念家乡，乾隆爷命人专门给她造了一个大水池，能倒映两边墙上的景，香妃坐在香妃亭里就能看到水中的故乡。但承造的洋人都没见过香妃故乡，就弄了一条巴黎大街在那儿倒映。可见乾隆爷对香妃非常宠爱。

乾隆爷非常幸福，圆明园从很早就开始建，建了一百多年，他爷爷他爸都没享受到完整的圆明园，只有他享受到了最美好的时代。乾隆去过紫禁城的次数屈指可数，几乎一辈子都在圆明园里待着。每天莺歌燕舞舒服极了。圆明园还有一个景是他种地用的，学农民在那儿种种地。

而且他是走得最远的一个皇帝，六下江南，他之前没有一个皇帝走这么远跑出来玩。宋徽宗走得远，但那是没办法，叫人绑走了。乾隆爷是一个大团队，一堆美女唱着歌，一路上各种欢迎的人，吃美食、看园林，到江南看见什么回头就在圆明园里做一个，看见狮子林在圆明园里来一个，看见曲院风荷也照样造一个。反正就是到南方不断带走钱、带走美食，连景都一块带走了。

我一直觉得做皇帝是很痛苦的事情，但乾隆皇帝这一生享了一辈子福，而且还长寿。没看见任何的糟心事，糟心事都让他的子孙们给看见了。他死了以后，这清朝就开始每况愈下，先有农民起义，又来了英法联军八国联军，连日本人也来了。乾隆爷享受了中华民族最美好的时代，没有看到中华民族的屈辱，过了最幸福的一生。

披头士在美国纽约首演

披头士乐队是我的超级偶像，我想应该也是全世界所有音乐人的偶像，每当大家写不出好歌来的时候，就感慨地说为什么写不出好歌来？因为好听的旋律都被披头士写完了。旋律大师、和声大师都在这个乐队里，歌词写得好，琴弹得也好，唯独唱得一般，但是合唱就非常好，非常阳光。披头士的旋律极为丰富多样，他们是极少数能做到每张专辑都有创新，每张专辑都有探索，而且都非常好听并且越来越完美，怎么玩怎么有，不像很多做唱片的人这张特好，下张就完了。迄今为止，披头士乐队的唱片销量仍然排在世界第一。

1964 年的今天，披头士乐队在美国亮相。有个奇怪的现象就是——无论什么流行都必须在美国火起来，哪怕原本不是美国的，但都必须在美国火起来，披头士也不例外。当时他们在美国火起来之后迅速成为全世界最红的大明星，大家如果能看到那些纪录片，就会看到那个场面盛况空前，美国人民都疯了，尤其美国姑娘们。

美国人本来就在文化上非常崇拜英国，比如到美国说英国口音马上就特受崇拜，就跟刚改革开放的时候，咱们有一些女孩儿一看到对方说台湾口音的国语，马上就觉得他好有文化。说一口英国口音在美国骗姑娘是极为容易的。美国的各种选秀节目，总有一个评委，说一口地道的英国口音的英语，他去点评的时候，大家就觉得，哇，好权威！

英国的流行音乐一直在美国占有巨大的地位，一直到今天也是。美国对其他的国家都不了解，都无所谓，但是对英国的文化特别追捧，前两届奥斯卡的最佳影片都颁给了英国人，《国王的演讲》和《艺术家》都是英国人的，现在在好莱坞最横行的大导演也几乎都是英国大导演。美国对英国的东西简直无抵抗力，所以当年披头士就是横扫整个美国，美国人民完全疯狂，所到之处是所向披靡，美国女歌迷迷到了趴在地上去剪下他们走过的地毯，拿回家贴墙上。披头士在美国流行音乐的地位是崇高的，且不说销量是第一名。

二十世纪六十年代末七十年代初美国革命的时候，披头士是非常重要的革命偶像之一。那时候披头士乐队已经解散了，可是他们写的那些歌，年轻人依然在唱。约翰·列侬去世的时候，全世界都在悼念，简直到了最疯狂的地步，全世界每个角落都一起唱他们的歌。

1985年，全世界有一次有史以来迄今为止最大规模的演出Live Aid（拯救生命），我不停地说二十世纪八十年代是大师辈出年代，在流行音乐界也是。那一场演出在伦敦跟费城同时举行，都是从中午就开始演，一直演到很晚，十几个小时。那个标志是像非洲的一个图形做成一把吉他，因为当时非洲发生大饥荒，一个英国的乐队建议说全球的大明星一起来给非洲赈灾义演，那个乐队因此也得了当年的诺贝尔和平奖。这个演出在网上也能看到，碟也能买到，大家可以看到那个大师辈出的年代是多么牛。因为巨星太多，放不下，之后怎么办呢？只好俩大腕儿俩大腕儿地一块演，那场演出我看过无数遍，俩当时如日中天的大腕儿合唱一首，菲尔·科林斯打鼓，斯汀弹贝斯，两人合唱了一首*Every Breath You Take*（《你的每一次呼吸》）。然后滚石主唱米克·贾格尔和蒂娜·特纳一起上台合唱，唱的时候贾格尔还突然把蒂娜·特纳的裙子扯掉了，全场都要疯了。麦当娜那时候如日中天，独唱了三首，已经是最高的待遇了，那是她最年轻、最热烈的好时候。最高潮就是开灯的时候，那种大型音乐节从白天开始演，一直演十几个小时，所以最大的腕儿不是在最后压轴，因为最后已经很晚很晚了，最大的腕儿都是黄昏开灯的时候，就是天刚开始暗下去，前面都演完了，啪，一开灯，谁在那儿，谁就是最大的大腕儿。大家就在那儿等，看到底是谁，要知道当时全世界大明星都在这里，啪一开灯，看见保罗·麦卡特尼坐在那儿，弹了一架白色的钢琴，唱了一首*Let it be*（《顺其自然》），说明他的地位到了最崇高的地步！到今天，依然是作为最崇高的地位出现，大家一看他在那儿坐着，全场都疯了。一直到这次的伦敦奥运会，大家都看了奥运会的开幕式，那么多英国大腕儿，最终还是他在那里，还是他，虽然已经很老了，但是依然很厉害。这就是披头士乐队对这个世界的影响，是举世无双的，也没有第二个人能比，他们也是我最敬爱的。

我车里永远在放披头士的歌，他们的十几张唱片我都有，车里经常放一张，然后跟着一起唱。我年轻的时候，没事经常开车去很远的地方，一路上就唱着他们的歌，每唱完一首，就感慨，哎哟，这么好听！今天在这里纪念伟大的披头士，具体哪一天成立的真不知道，最开始应该是在他们的中学里。不过1964

年这一天对他们来说才是最重要的，因为这一天他们在美国亮相，正式登上世界舞台，所以今天在这里纪念他们——永远的前辈大师。

| 杨子荣活捉“座山雕” |

1947 年的今天，杨子荣活捉土匪头子“座山雕”，这件事竟然被写进了《历史上的今天》各种文本里。在东北百万大军中，能写进《历史上的今天》里的，最多只能到大将级，比如萧劲光、黄克诚等。东北出身的上将都写不进来，杨子荣如果能评衔的话，最多能评个上尉。一个上尉活捉了一个土匪头子，能写进了历史，这个我觉得太有意思了。我经常讲到，剧场史在非常时期起到了巨大的作用，剧场史已经把这个事件神化到非常有意思的地步了。

时代归时代，政治归政治，艺术归艺术，这段京剧确实是所有京剧中最好听的之一。而且后来还做了大量的改良，引进了各种西方的管弦乐队，等等，原来京剧就没有这个，改过之后特好听。以至于我们那一代人都会说土匪的黑话，都是因为看了杨子荣活捉“座山雕”这段戏，在戏里面杨子荣一进去，一帮土匪就考他。“脸红什么？”“精神焕发。”“怎么又黄啦？”“防冷涂的蜡。”“拜见过啊么啦？”“他房上没有瓦。”“非否非，否非否。”等等，我也不知道到底什么意思，反正就背得熟熟的，特有意思，也拍成了电影。杨子荣就这样混进了土匪窝，活捉了“座山雕”。之后不久就在一次剿匪战斗中牺牲了，成了战斗英雄，但是剧场史里的杨子荣，永远活在我们心中，“座山雕”也活在我们心中，永远忘不了。

2月8日

《晓松说——历史上的今天》来到了 2 月 8 日。1725 年的这一天，著名的彼得大帝去世。1915 年的这一天，在电影史上有重要地位的《一个国家的诞生》在洛杉矶正式首映。再有就是 2002 年的这一天，澳门开放博彩经营权。

| 彼得大帝去世 |

1725 年的这一天，彼得大帝去世了。他也是最早被称为“全俄罗斯皇帝”的沙皇，“沙皇”是我们中文的音译，从俄文翻译过来的，其实沙皇一词原意就是恺撒。由于恺撒本人创立了辉煌的不世的功勋，以及第一次当了古罗马帝国的皇帝，所以恺撒这个名字就从一个人名变成一个可以被继承的名字了。彼得大帝是因为他的祖先伊凡三世大帝曾在 1472 年娶了拜占庭的公主，拜占庭就是东罗马帝国，这使人可以联想到古代罗马帝国的荣耀，然后拐来拐去，反正最后就是跟恺撒有关吧，就自己起名叫恺撒了，所以沙皇就一直继承下来了。

彼得大帝建了圣彼得堡，做了很多年俄国的首都，俄国首都最开始不在那儿，原来它在莫斯科，后来是搬到圣彼得堡去了，因为离欧洲近一点，俄国一直想当一个真正的欧洲国家。在彼得大帝之前，俄国其实不能称之为真正意义上的欧洲国家，因为他在欧洲没什么出海口，在波罗的海也没有出海口，在黑海也没有出海口，在里海也没有出海口。里海其实不是一个真正的海。彼得大帝搞到了波罗的海的出海口，然后建了一座伟大的城市——圣彼得堡，后来一度改名叫列宁格勒，也经历了各种战争，之后又改名叫作圣彼得堡，很古老、很优美的一座城市。

彼得大帝和东方的另一个大帝——康熙大帝是同时代的，而且都活得挺长，在位时间也很长，康熙大帝在位六十一年，彼得大帝是当了四十多年皇帝。我以前老说大师来的时候一块来，明君也是来的时候一块来。这两人有很多共同点，都是幼年继位，由人摄政，又都雄才大略，年纪很轻就真正掌了权。他俩的共同点就是把国家开拓了很多，彼得大帝打败瑞典。瑞典今天是一个很和平的小国，但是当时是一个很强大的王国，比现在的版图大得多。俄国打败了瑞典，获得大部分北方的领土，又获得了波罗的海出海口。一直到里海又打败了波斯，后来又打败奥斯曼土耳其，获得了黑海沿岸的港口，等等；康熙也是，收复了台湾，西征准噶尔，往北还打了一仗，就跟彼得大帝在雅克萨中俄打了一仗。我国的历史说我们打赢了，我个人认为应该算打平吧，然后签订了个平等的尼布楚条约，不是不平等条约，确立了中俄之间的重要的边境。两位大帝交一次手，成平手，我觉得还挺有意思。

韦小宝在这里起到了很大的作用，当然这是开玩笑，是金庸同志写的，最有意思的还写到说韦小宝跟彼得大帝的姐姐索菲亚发生了爱情，然后去了莫斯科，韦小宝到那儿就给索菲亚讲，教她怎么怎么宫斗，结果索菲亚还赢了，近卫军支持了索菲亚，政变成功，索菲亚成了摄政王。这段历史是由金庸贡献的，如果不是他，大家可能都不知道，这两位大帝还有这么多像的地方，都在各自国家推行了强力的改革。康熙大帝强令全国人民剃了头，彼得大帝强令全国人民剃了胡子。俄国是一个很保守的国家，斯拉夫民族胡子都那样，信东正教的很多国家都这样，很不利于生产，也不利于卫生。这边清朝剃头，很多汉人是留发不留头，因为不是电视里看的那种挺好看的头型，一定要剃成那种很难看的金钱头鼠尾辫，不剃就杀头。彼得大帝比康熙有点经济头脑，彼得大帝时期有一个很怪的税，叫胡子税，就是你不剃胡子也行，这没人拦着你，你就缴税好了。

这两个国家在同时代，分别在彼得大帝跟康熙的手里，达到强盛的大帝国。彼得大帝是俄国历史上一个非常非常重要的皇帝，奠定俄国是欧洲一大强国的重要地位。当然了，老天爷都公平，每个伟大的皇帝、每个伟大的人都会有一些东西来平衡一下，彼得大帝也是，他的儿子不学无术，跟彼得大帝关系一直很糟，曾经出逃，最后因为反对彼得大帝被关在狱中折磨死了。清宫戏大家都看过，康熙也处置了自己的儿子，废了这个阿哥那个阿哥，所以作为父亲，在伦理亲情上，身为帝王是很寂寥、很无奈的。这两个人还有一个共同点就是都特别好学，都会外语，彼得大帝还到欧洲微服私访，伪装成一个普通人，专门跑到荷兰的造船厂里做学徒。康熙大帝也微服私访，还会说拉丁文。

|《一个国家的诞生》在好莱坞首映|

1915 年的今天，《一个国家的诞生》在好莱坞首映，电影史上一部重要电影。所有去电影学院戏剧学院学习过的学生都耳熟能详，我本人在电影学院学习的时候也是一样，上来就必须要学习苏联一部电影叫《战舰波将金号》，美国的一部电影叫《一个国家的诞生》，都是在电影历史上电影艺术的重大突破，确立的电影风格一直延续到今天。

《一个国家的诞生》在技术上起到重要的作用，确立了一个电影长篇是什么样子的，基本电影语言是怎么运用在一个长篇商业电影里的，是一个重要的里程碑。在这之前，大家对电影到底多长没什么感觉，大家看到的早期的很多电影，就你想拍多长就拍多长，有的时候拍得挺长拍一个多小时，有时候三分钟也行，《水浇园丁》一分钟可能都没有。《一个国家的诞生》奠定了一个商业电影长篇的范式，但是它有三小时，有点过于长。整个电影运用的画面都非常好，成本非常高，当时花了十一万美元，十一万美元在当时是很多钱，它创下了一个票房纪录，而且这个票房纪录一直到 1937 年才被有声电影《白雪公主》

打破。当时他只花了十一万美元，就获得了一千多万美元的票房。咱们的《泰囧》花了三千万，获得了十二亿，还没有这个比例大，这个是十一万美元获得了一千多万美元的票房，创下百倍票房的辉煌业绩。

当时南北战争、解放黑奴都是过去的历史了，但是这部电影里边歌颂了三K党，歌颂白人至上，导致了美国非常大的反响和混乱。确实有白人看了这个电影后就杀了黑人，在美国很多个州和城市，包括像芝加哥这种大城市，禁演这部电影。美国有政府和议会，议会是有权力的，违反了我们这些人的最基本的人的价值，违反了对上帝的承诺，这些就不能放。这部电影在很多国家被禁演，在有些州也被禁，但是这个电影辉煌到即便在那么多地方禁演，竟然还获得了一百倍的票房。白人特地来看，说实在的，白人心里就有一种优越感，实际上白人对黑人说不歧视和不让你当奴隶是两回事。南北战争时解决了一个问题，说黑人不是奴隶，你是一个人，但是我还是可以歧视你。一直到二十世纪六十年代末，黑人才真正获得平等权利。

如果按照教科书说的，它就是奠定了商业电影的范本，一直延续到今天，每一位导演都在受益。这部电影的导演也是美国第一位登上世界电影史的导演，当时每一个白人影评上最后都写到，虽然这部电影中邪恶辈出，但由于电影语言，这还是一部伟大的电影。其实他心里特别想说这就是一部伟大的电影。

黑人们当然非常愤怒，黑人导演们联合起来拍了一部电影叫《一个种族的诞生》，对抗《一个国家的诞生》，但是这部电影很失败，没有获得很大的反响。《一个国家的诞生》这个电影的原作者跟当时的美国总统伍德罗·威尔逊是同班同学，他在白宫里给威尔逊总统放了这部电影，并且出来就宣扬总统说这是一部杰出的电影，评语是“宛如以闪电刻画历史，我唯一的遗憾是，这一切竟是如此真实”，然后白宫就赶紧通过各种渠道去灭火，总统当然不能夸一部宣传三K党、为三K党翻案、宣传白人至上的这么一部电影，但我猜他肯定是说过那些话的。

总而言之，这是一部在美国电影史以及世界电影史上有重要地位的电影，格里菲思也是一位重要的大导演。他拍了这个电影获得了百倍的收入，然后又拍了一部巨作《党同伐异》，也是一部重要的电影，但最后赔得一塌糊涂，欠了一屁股债，挣的钱也全没了，一直到死也没翻过身来。这个教训很值得每一位获得大票房的导演借鉴。

| 澳门开放博彩经营权 |

在2002年的时候，澳门政府开放了博彩的经营权。之前澳门的博彩经营权都在何鸿燊何家手里。这之后不是何家专营了。当时在北京很轰动，坊间到处疯传说多少多少亿美金就能买一个博彩经营执照，然后大家开始四处凑钱，搞得像真的一样。北京经常出现这种情况，比如说互联网来了，每个人都要做互联网，电影火了，每个人都要做电影，那一年大家都在弄这个事儿。

开放博彩经营权是一个转折点，从此以后，澳门的博彩业大规模地发展。大量的资金、内地的民间资金、美国的大集团都来到了澳门。到了2013年，澳门的博彩业的营收已经是世界最著名的赌城拉斯韦加斯的六倍，我就不具体讲都是谁提供的这些营收了。澳门的赌城和拉斯韦加斯的不太一样，拉斯韦加斯是个娱乐城，赌博占一部分，但是他的Show（表演）是全世界最著名的，美国三大舞台：好莱坞电影、百老汇戏剧和音乐剧、拉斯韦加斯灿烂辉煌的Show。Show是戏剧和电影都不能代替的，而且一个Show动辄演个十年八年。澳门当时企图仿制拉斯韦加斯，男的赌博，女的看表演，也移植了一些拉斯韦加斯的表演过来，但是最后发现行不通，因为澳门几乎没什么人看Show，目前为止各个表演由于亏损严重就都停下来，只剩一个《水舞间》。说明每个人去澳门都是主要去赌博，时间有限，来不及看别的。

澳门的博彩业收入的来源分配，和拉斯韦加斯正反过来，拉斯韦加斯主要收入靠散客旅游，你花点钱，他花点钱，贵宾屋里赌大的那种收入并不是很多。澳门是不一样的，那么多人去澳门旅游，所有的游客只占澳门赌场收入的百分之三十，澳门的赌场一年收入的百分之七十是由VIP贵宾屋里那些人提供的，VIP屋里都是些什么人呢？他们怎么那么有钱呢？为什么不走出来在外面玩呢？有什么见不得人的吗？这个我就不多讲了。

澳门政府由于出售赌博执照以及高额赌博税收获得了大量的收入，之后澳门政府就把这些钱当作整个澳门的福利，平均分给澳门市民，大家一人一份，连续几年都分红。这表明政府当局并不认为人民是傻子，说都别分了，我替你想想这钱怎么花。由于让人民自己去投资，所以这些钱依然会变成消费动力。香港那时候也天天闹，说为什么澳门能那样做，而香港政府有盈利的时候，包括金融危机之后，香港政府选择去做股票。

有关澳门赌博，就说到这里，但大家最好还是不要去赌。

2月9日

《晓松说——历史上的今天》来到了2月9日，今天是2012年农历的除夕。从今天开始未来十几天我们公历农历同时用，因为我们中国人每年三百五十天都用公历，每到这个时候，有那么十五天要用农历了。所以今天我们要说除夕，祝大家合家团圆。以及在这一天伟大的俄罗斯作家陀思妥耶夫斯基逝世。

| 除夕和春晚 |

除夕应该是几千年前就有了，吕不韦的《吕氏春秋》就有记载，为什么叫除夕呢？就是因为在新年的前一天，大家要击鼓除鬼，这个叫除去“疫疠之鬼”。到了后来鬼慢慢都除没了，没鬼以后除什么呢？除点蜘蛛网，除点老灰尘，所以除夕之前大家要大扫除，把“夕”就是“从前的事”都除掉。我从小每到这个时候就跟着全家到处去大扫除，上上下下登梯爬高。我印象最深的就是每年除夕的那顿团圆饭。那个年代生活很艰苦，全年最好的一顿饭就是除夕这一天的团圆饭。中国人就是这样，不管有多苦，大家再怎么艰辛，到了除夕之夜都要过好，包括现在的春运，不管大家一年中怎么颠沛流离、怎么挣扎、怎么奋斗，无论如何都得还乡和家人团聚。中国的春运可以说是全世界最大的迁徙，数亿人奔往家乡，不管这一年在外面发生了什么，这一晚都是最幸福最快乐的。

我小的时候很艰苦，几乎没什么吃的，北京一到冬天就只有大白菜，等到除夕这一天，爸妈单位发一份米粉肉、一条红烧鱼，以及几斤花生、瓜子，我就是负责去给全家领这些。每年就领一盆肥肥的肉回家去，放在现在大家看着都觉得腻，可是那个时候，大家对肉的渴望简直“令人发指”。每次从单位拎到家的路上，我都要偷偷吃两片，现在说起来还能回忆起当年的口水。我吃完两片，还要把那米粉给抹得非常均匀，好像没有吃过一样。北京当时只有几个老字号，我记得很清楚，我们家人除夕之前逼着我早上四点钟起床，有时候三点钟，进城去排大队。因为大家再苦，除夕也要吃点好的。在“天福酱肘子”的门外要排两小时队，然后在王府井“全素斋”门外排两小时队，所以我要先到那里领一个号，然后再跑到王府井去领一个号，然后两边跑。一直到买到了天福酱肘子和全素斋的素什锦，上海叫烤麸。在寒冷的冬夜里排队，我记得有一年还看到著名相声演员李金斗，就排在我后边。可见除夕对中国人是无比重要，无论多么艰苦，一定要在那天晚上吃到米粉肉、红烧鱼，然后做一个四喜丸子，这是北京的传统。

后来就开始看春晚，1983 年我才十多岁，全家都在看春晚。后来我出国，中央四套是向全世界播放的，由于时差问题，它就不停地播，在每一个国家的海外中国人，基本上都能够在那天晚上一边包饺子一边能看到时间差不多对的春晚。那一天是完全属于中国的，以至于外国人也养成了习惯，这天要到中餐馆去吃饭，因为全世界的中餐馆在那一天都有各种各样的优惠。不管华人在海外多艰苦，到那天晚上都喜气洋洋。

春晚带给了我们无数的欢乐，我自己的作品曾经有四次登上春晚，《同桌的你》登上过三次春晚，还有《万物生》等等，赵本山有一年弄了个小品叫《同桌的你》。我还记得那时候《同桌的你》获得了“春兰杯”全国人民评选最受欢迎的春晚节目第一名，非常兴奋，领了五万块钱，还有一个奖状，上面写着“你荣幸地参加了中央电视台春节联欢晚会……”虽然是荣幸，但是咱中文好像不能这么写吧，但也不管了，就这么写吧。最开始《同桌的你》上春晚，没有人问我版权就上了。等到赵本山演小品《同桌的你》的时候，版权受到了重视，小沈阳用了一分钟都不到，之前本山打了电话，询问版权情况以及怎么付费的问题。当然春晚是中国唯一的所有人都不收钱的节目，大家上去都是一种荣耀，于是乎我就说，按照版权法的规定应该给我版权费，大概十块钱，算了吧，全国人民大喜的日子，就演吧。

除了几个作品上过春晚，2004 年我被当时春晚组的总导演袁德旺聘为春晚的音乐总监。2013 年我代表恒大音乐请 Celine Dion（席琳·迪翁）来参加春晚，她还跟宋祖英合唱了一首中文歌《茉莉花》，后来看到网上大家反映还不错。其实是我在拉斯韦加斯帮她录好的，当时用了英法西三种语言教她中文发音，录了一整天。

春晚确实是特别特别艰苦，每当大家骂春晚的时候，以前我也跟着骂，等我自己在里面工作才发现那真是一项非常非常庞大的工作，无数次地审查，毙掉无数的节目，要同时想到全国的百姓，南方的、北方的、西部的、东部的，大家都要喜欢。其实春晚已经很不容易了，尤其被骂俗的时候，我觉得春晚作为给全国 13 亿人看的，它就应该俗，高雅的应该进音乐厅里，给那些穿西装打领带的人看，凭什么让全国人民都陪着一些高雅的精英来看“高大上”？我坚持认为春晚就应该俗，全国人民喜欢的东西，雅有一点就够了。

春晚是个庞大的工程，非常艰苦并且无聊，我在里面工作一个多月以后，实在受不了就走了，真是服了他们的坚定。春晚诞生了无数到今天都记忆犹新的节目。最开始的时候音乐节目还是很厉害，因为每一次春晚都走红了一首歌两首歌，当年的费翔等等都是春晚走红的。虽然到后来，由于音乐的渠道扩大，有了各种选秀节目等等，就很难说谁因为唱了一首歌就红了。但是在语言类的节目里，春晚依然是最权威的，每年会给大家留下非常脍炙人口、流传很多年的小玩意。我第一次见到本山也是在春晚的后台，很有意思，他天生就具有很好的幽默感，是位喜剧大师。总而言之，春晚给全国人民带来无限欢乐，到今天除夕看春晚已成了中国人民的一种民俗。

| 金朝灭亡 |

1234 年的这一天，金朝灭亡，对于汉人来说，说不好是悲惨的事还是喜庆的事。到今天大家说金朝也是中华民族的一部分，后来变成了满族，等等，但是当时南宋最大的敌人就是金朝。当年金朝跟北宋一起联合打辽国，把辽国灭了以后，金朝就顺手灭了北宋。后来全世界都被蒙古打得不行，金国在北边被蒙古打，就不停地逼迫南宋，继续纳贡，甚至来打南宋，南宋也没办法了，于是就跟蒙古一起联合灭了金国。金国灭亡以后，南宋直接面对了全世界有史以来最庞大的军事大帝国——蒙古，最终被蒙古灭国，这个教训很深刻。其实，南宋也不能说不吸取北宋教训，也不能说是没有有识之士，南宋有名将、有名臣，但在历史大势下，那么多国家被蒙古灭国这种情况下，最终南宋也没办法。

| 陀思妥耶夫斯基去世 |

1881 年的这一天，俄国当时最重要的作家陀思妥耶夫斯基去世了。俄国是一个在文化上非常伟大的国家，在政治上、外交上、军事上西方老觉得俄国好像是一个东方的国家，怎么都觉得它不一样，包括希特勒打仗的时候对英法战俘非常好，但对苏联（即俄国）战俘就觉得不是同类。

但是在文化上，全世界每个音乐厅里都在上演着柴可夫斯基的音乐。普希金也好，托尔斯泰也好，全世界都认为他们树立了西方文化的典范，属于西方的伟大作家。陀思妥耶夫斯基也是一样，他的作品在每一个西方国家都有很大的影响。

我举个小例子，李安是融入美国文化的最著名的华人导演，他的很多教育是在美国完成的，包括大学、研究生，所以李安是拍美国电影而且能获奖的重要华人导演。李安有个合作的犹太制片人叫詹姆斯·夏穆斯，纯种美国人，非常了解美国的文化，他不停地帮李安改剧本。有一处他跟李安说，你为什么要写这个主人公读昆德拉呢？昆德拉在东方很有影响，但是在美国，昆德拉影响并不大，让这个主人公读陀思妥耶夫斯基，这样所有的美国观众立即就知道他是个什么样的人，他是个什么阶层的人，他是个什么文化的人，全都展现出来了，人物就鲜明化了，李安导演就接受了他的意见。从这个小小的例子，我们可以看出陀思妥耶夫斯基在西方国家是一位非常重要的、非常有影响力的作家，可以说是目前在全世界影响最大的俄国作家。他在 1881 年的这一天去世，非常值得纪念。

大家可以去了解下这个人，他不但坐过牢，而且马上就要被枪毙的时候圣旨下来了，说刀下留人，之后就流放西伯利亚，颠沛流离。他本身还是贵族出身，有点像曹雪芹，所以说一个贵族出身的人，要经过各种各样颠沛流离的生活，最终看清了人，看清了世界，才能给大家留下伟大的作品。

2月10日

《晓松说——历史上的今天》来到了大年初一。恭喜发财，大吉大利，给大家拜年。公历是2月10日，在历史上发生了“诗人之死”(普希金去世)。1996年的这一天，由IBM研发的大型计算机“深蓝”第一次和国际象棋大师放对，那一次“深蓝”输了。

|初一民俗|

大年初一，喜气洋洋，中国地大物博，从南到北，从东到西，今天的风俗都不太一样。北京的传统，今天白天不能开火，要在前一天夜里把饺子煮好，天一亮，只要一见天光就不能开火了，然后一天吃两顿凉饺子。但大家在大年三十已经都吃得脑满肠肥，所以大年初一也吃不下什么东西。还有就是北京人是要在天不亮的时候，五更就去雍和宫烧香，北京城里头的庙大概最大的就是雍和宫了，其他都比较远，皇帝可能不太喜欢城里头有很多庙，大家跪的时候屁股对着皇帝，脸对着一个木头人。所以北京城里的庙是很少的。雍和宫里头供的是欢喜佛，皇帝都在那儿成人，所以北京城里有这么一个庙。

新年放炮是第一件事，从大年初一零点就开始，每年到那时候窗外一片震耳欲聋，不用看表就知道大年初一的零点来了。放炮这个传统，有各种各样的弊端，但是到今天，我们依然在坚持着这个传统，虽然是弊端，但是这是传统。比如西班牙人斗牛、美国人持枪，其实也是有弊端的事情，但是是大家的传统。到今天各个民族都还在坚持传统，因为对于人民来说，有些代价是人民愿意付出的。因为人民不光是一个利益动物，每件事情都放在秤上量，人和动物的区别就是动物当然是逐食去，哪里有吃的就去哪里，但人是有民族传统的，人是有文化的，有些传统和文化要坚持。我个人坚定地认为，无论放炮受多少人诟病，但这就是我们民族传统的一部分。

在海外，很多国家是禁止放炮的，所以等到这一天，海外的华人就去市政府申请。我妹结婚的时候也是按照中国的传统放炮了，当时她在德国，于是专门向市政府申请，然后市政府说允许你们在这个地方放两个小时。但德国还没有卖大鞭炮的，就一个一个地单独放，搞得我这当哥的很累，到处奔跑，这儿点一下，那儿点一下。

其他的传统各地都不一样，但是都是喜气洋洋的。大年初一拜年要给很多红包，我们小的时候最幸福的一件事情就是收红包，收完红包还要偷偷摸摸数，因为在当时那么艰苦的环境下，我们上中学一个月零花钱大概两元钱，过年收红包有时候能收百八十元，真是激动得不行。等到有一天突然因为自己长大而不能收红包，得给人发红包的时候就觉得很痛苦，因为那会儿一个月挣一百多块钱，二百块钱，到大年初一一发红包，钱就发没了，因为怎么着也得往红包里放十块钱吧，那时候还没有一百块钱一张呢。现在大家生活好了，估计像过年发红包什么的也没那么兴奋了。

我后来移居到美国去，在那儿过了好多个春节，大年初一对海外华人来讲同样非常隆重，越是漂流在海外，越是有严重的乡愁。等到春节这一天，海外华人就游行，外国人也都跑来围观看热闹。这一天对华人来说非常幸福，华人在这一天也空前团结，在平时大家都分帮分派的，比如说台湾来的、大陆来的、香港来的等等，彼此看不上。像台湾的来得比较早，就看不上大陆来的，然后大陆来的讲粤语的又看不上讲普通话的，台湾来的自己又分成蓝营跟绿营，平时还吵个架什么的。但在这一天，所有的华人都空前团结，全部集中到一起来做这个盛大的游行，共同庆祝属于华人自己的春节。

最让我感动的是在洛杉矶每年游行的华人方队，每年都有老知青方队在里面，那么大年纪了还喜气洋洋地跳，扎着头巾、打着腰鼓，一脸昂扬地走在队伍里，让我看了特别感动，觉得特别美好。大家都经历过一段痛苦的、带有伤痕的历史，但是对每一个人来说，都有最难忘的青春回忆，因为人们在那个地方相爱，人们在那个地方成长。虽然对国家的回忆也许是惨痛的，但是对于个人来说，每次看着那些六十多岁的阿姨叔叔们包着头巾打着鼓，一脸喜气地走在队伍里的时候我都热泪盈眶。

还有个大方队的叫“越柬寮华侨”，因为在美国华人中间，老挝不叫老挝，叫“寮国”。越柬寮华侨排成大队，专门一个大方队游行。每个人都认知自己是华人，大家都是炎黄子孙，大家血浓于水，这一天非常美好。

在中国古代，大年初一大赦，犯人们就都放出来了，非常高兴。古代叫秋后问斩，因为当时生产力有限，男的都是家里的劳动力，所以犯了罪判了刑以后，先回家，收了秋打了豆，秋收之后再来问斩，挺人性化的。唐朝还出现过等到秋收后没人管了，犯罪的人收了粮食，自己来长安问斩。当然这只是传说，不知道是历史书歌颂唐太宗，还是真的有一百来号人，全部自己回到长安，说秋后收完粮食，我们来候斩了。唐太宗龙颜大悦，当时就说了，你看我们这个国家多好，每个犯人都主动来候斩，所以一律赦免。聪明的罪犯就在秋后再犯，因为按理说就应该等到来年秋收的时候问斩，这其中要过春节，大年初一就大赦了。今天的中国已经没有了大赦，在美国还有大赦，但是美国大赦不是赦囚犯而是赦非法移民。

| 普希金去世 |

1837 年这一天，普希金去世。莱蒙托夫写过一首诗叫《诗人之死》，写的就是普希金。普希金是一位伟大的爱国主义诗人，为了他的年轻貌美的妻子，去和一位追求他妻子的法国流亡军官决斗。决斗是那时候欧洲贵族的传统，虽然后来被革除了，但那时候是被允许的，只要有证人在旁边，然后两个人都符合决斗的规矩，别偷偷摸摸开枪就可以。普希金跟情敌决斗，结果身负重伤，两天后就去世了。这件事给了我们很深的教训，就是告诉男人不要为了女人去打架，我个人觉得女人不喜欢打赢的人，因为女人是充满了爱和情感的动物，两个男人打架，通常女人会爱被打得满脸是血躺在地上的那个人，所以为女人打架是一件双输的事情。打赢了，失去了这个女人；打输了，命都没了。普希金就是这样，再有多少爱也没有用了。所以从这件事上，男人们都要吸取教训，不要为了女人去打架。

|“深蓝”落败国际象棋大师卡斯帕罗夫|

1996年的这一天，IBM开发的计算机“深蓝”和国际上最著名的国际象棋大师卡斯帕罗夫比赛，2月17日最终以2 ∶ 4落败。随着科技的不断进步，电脑越来越智能化，1996年到今天，短短十几年，计算机技术以突飞猛进的速度在发展。我在清华读大学的时候，我们学校最小的计算机都有半间屋子那么大，之后我的第一台电脑叫Commodore，现在连那个牌子都已经没有了，当时很贵，三万多元钱一台，内存就64KB。放在现在大家想想，64KB能干什么？什么也干不了。当电脑突飞猛进的时候，人脑跟不上了。于是在后来，已经没有人赢过电脑。

国际象棋是一个规则非常复杂的比赛，我个人认为，其实规则越复杂的东西越容易被电脑掌握，因为规则复杂，电脑是可以分析出来的。而规则越简单，它就牵扯到了人对人的判断。围棋就是世界上规则最简单的一种棋，一句话就说完了，只有黑白两种子，把你围住，你的棋子就被拿掉了，就在这么简单的规则下，没有任何电脑能与围棋高手下，甚至低手也不能。我就是围棋低手，但是电脑也赢不了我，可要是跟人下，谁都能赢了我。电脑就算偶尔能赢我，它也赢不了九段高手。因为九段高手下围棋的时候，他已经不是简单的规则和计算，其中包含一个“道”的问题，是一个非常高级的问题，这个就是人和动物、人和电脑、人和机器的区别。国际象棋很复杂，包括中国象棋也是，有很多规矩，规矩一多其实主要就是靠计算，这样人就下不过电脑。但是围棋到今天，我猜到未来，电脑也赢不了人类。

Today

in History

2月11日

《晓松说——历史上的今天》来到了2月11日，农历大年初二。今天重点要说的是1897年的这一天，名垂青史的商务印书馆在上海成立。再有就是2003年的这一天，杰出的相声大师马三立先生去世。

| 初二回娘家 |

今天是大年初二，给大家拜个晚年。在北京，大年初二的风俗是回娘家，好像各地不太一样。有的地方大年初二回娘家，有的地方大年初三回。过去大家都有很多孩子，所以过年非常幸福：大年初一儿子、儿媳带着孙辈齐聚一堂。大年初二，儿子、儿媳、孙子都回儿媳娘家去，女儿、女婿又都带着孩子来了。那时候过年，老人儿孙绕膝、三代同堂，非常幸福。我从小就在这种大家庭中长大。现在独生子女政策已经实行很多年了，有的家庭大年初一没人，因为闺女大年初二才回来。

| 商务印书馆成立 |

今天重点讲的是1897年的这一天，商务印书馆在上海成立。民国时期，商务印书馆是最重要的文化旗帜之一，算得上是当时远东最大，而且设备最先进的一个图书机构。商务印书馆不但出版、发行了很多书，而且还收集了大量的善本。商务印书馆是一个私营机构，并非国有，完全靠的是股东们对文化的热爱和对文化的责任感。商务印书馆的管理者是张元济老先生，他用了三十多年，花了大量的钱，收集了四十万册图书，其中有八万多册古籍善本，包括很多宋朝的古籍珍本，非常不容易。

商务印书馆从1897年成立到1932年被日军炸毁，中间这几十年，中国一直处在战乱中，但是这么多有识之士、有志之士，为了保护中华文明和文化，收集了四十多万册图书，这是非常大的成就。1932年“一・二八”抗战，当时的十九路军，再加上中央军的精锐第五军，和日军英勇奋战。日本鬼子由于打不赢，恼羞成怒，居然炸毁了商务印书馆，这件事应该算是中华民族的国殇之一。商务印书馆光古籍善本就八万多本，除了只有五千册因为藏在金城银行的地下室和保险柜中得以幸存，其他的全部都化为了灰烬。很多东西是能补救的，日本鬼子烧了闸北的街道还能建立起来，但是烧了商务印书馆，却再也没有办法恢复。

据上海老人讲，商务印书馆被烧毁的时候，纸灰遮天蔽日，连十几公里以南的法租界都落满纸灰，街上还能捡到没有完全烧完的、一张一张的《二十四史》。庞大的铅字印刷设备被烧得全部熔化成了铅水，流到上海的街上，令人痛心。不管日本曾经做过什么样的忏悔，毁灭文化的罪恶罄竹难书，这是当年日军对中国人民和亚洲各族人民犯下的罪行。我本人是一个做文化的人，我对摧残文化的罪行，永远怀着痛恨的心情。

抗战末期的时候，美军要进行反攻，轰炸中国日占区。轰炸前让梁思成、林徽因两位建筑大师标出中国日占区的古建筑，要为中国保留这些文化遗产。梁先生、林先生怀着热爱人类的博大胸怀，不但标出了中国的古建筑，还标出了日本京都和奈良的古建筑，恳请美军在轰炸日本时予以保留。最终日本几乎被炸平，但日本京都、奈良的古建筑却得以幸存。两相对比，可以看出二战时两个民族对文化保护的态度差距是如此之大。轰炸商务印书馆的罪孽，不管日本后来怎么忏悔，都永远没办法偿还。

商务印书馆的宗旨，就是挂在大门口的这副对联，叫作“数百年旧家无非积德，第一件好事还是读书”。我觉得今天这副对联应该挂在各个大学的门口，在任何一个时代、任何一个环境下，读书、积德、续存文化都是读书人最应该做的事情。我们家那个时代的家训就是“只读书，不做官”，因为读书永远是对的。

| 马三立去世 |

2003 年的这一天，一代相声大师马三立先生逝世了。可能南方的观众对相声没有那么多感情，而相声是陪伴着北方人民长大的最重要的文化元素之一。所以侯宝林、马三立先生在我们北方人民心中拥有崇高的地位，而不仅仅是今天所说的就是个艺人、就是个娱乐。侯宝林和马三立先生确实是从撂地、路边说相声开始，经过无数锤炼。相声界整个文化传统传了很多很多年，有掌门人、有师叔、师兄、师弟，到现在见了师叔都要叩头。每一代都有才华空前的人出现，像马三立先生就是他那一代里才华横溢的。马先生相声的 CD 到现在我车里还有，他的单口相声空前绝后。我从小听马先生的相声，那些段子听了无数遍，到现在再听还能笑。

马先生有很多经典段子，有一个经典段子就是讽刺算命的是假的，靠小聪明吃饭。算命先生弄了一个石板，上面写了“没有”俩字，然后就把石板扣在那儿。他说我这算命是百发百中，怎么算怎么有。于是有人来算命了，算命的先说：“我先猜你，爹有吗？”“有。”“妈有吗？”“妈没有了。”于是把石板翻出来，“我早就猜到了，你看你娘没有了。”“没有。”“再来一个。”算命的又问：“爹有吗？”“有 。”“妈有吗？”“有。”“爷爷有没有？奶奶有没有？外公呢？”“外公没有了。”“没有！”又把石板翻出来，“你看，我早都猜到了，你外公没有了。”就用这个招数行骗。然后有一天来了一个“全乎人”，南方可能没有这个概念，在北方“全乎人”就是家里人都活着，而且儿女成双，能叫出名字的亲戚全都在世，“全乎人”在北京大概只有两三个人。经常今天还是“全乎人”，明天他家里去世了一位，就不是“全乎人”了。北京结婚传统之一，就是要请“全乎人”缝被子，“全乎人”缝的被子很贵的，盖着“全乎人”缝的被子结婚，洞房花烛夜吉利。结果那天就来了这么一位“全乎人”，问了七大姑八大姨，所有亲戚全有，最后终于没办法了，算命的说：“冬天来了，挺冷的，皮猴（连帽大衣）有吗？”那人说：“没有。”“哎，没有！你看我早就猜着了，冬天来了，你没有皮猴（连帽大衣）。”“‘没有’，我早写好了。”这是马先生的经典段子之一。马先生还有很多经典段子，包括《逗你玩》等等，大家闲暇之余可以找出马先生的段子来听听，非常欢乐。

纪念马先生，谢谢马先生陪伴我们一代又一代人成长。

| 惠特尼 · 休斯顿去世 |

2012 年的今天，美国的惠特尼 · 休斯顿去世。她是美国最一线的音乐人，给我们留下了那么多美好的歌曲。到今天，她的去世还是疑案，最近有报道说她有可能是被谋杀的，相信疑案总会有水落石出的那一天。在休斯顿去世一周年的时候，纪念她。大家可以去看看她的电影代表作《保镖》，非常好的一部电影，里面的歌也非常好听。

| “非典”爆发 |

2003 年的这一天，中国人至今还记忆犹新的“非典”在广东爆发。对我来说这段日子尤其难忘。因为我的第一部电影没有通过审查，我的第二部电影《我心飞翔》，由李小璐、郑钧主演，通过了审查，这部电影公映的时间就定在“非典”的这段时间。终于快要公映了，我正喜悦地等待着数票房，可“非典”一来，全国所有的电影院都关门了，那部电影也未能公映，这使我的电影事业又往后拖了好长时间。

但更倒霉的是由于电影没有公映，我不知道是恼羞成怒还是急火攻心，得了急性肝炎——甲肝。我怕在医院里再传染上什么病，不敢去医院看病，就只能在家养。因为得甲肝，我瘦了二十多斤，那是我有史以来最瘦、最好看的一段时间。不过肝炎一好，我又开始狂吃，结果变成了现在这个样子。后来肝炎好了，我没事干，于是就开着车往南方来，从北京一路开到上海。因为车上挂着个北京牌子，一路上我就像瘟疫一样，每到一个加油站，大家一看北京牌子的车来了，就四散奔跑，然后我就只能自己加油，加完了以后还说“把钱放这儿了啊”，有点像红军不拿群众一针一线的架势。到饭馆里也是，只要一开口，大家一听是北京口音，然后都四散奔跑。后来我还专门练就了新疆口音，在饭馆吃饭的时候就用这种口音说话，非常有意思。

我的老师谢飞导演那个时候也得了“非典”，当然最后他坚持过来了。“非典”应该是我记忆中，第一次全国应对这种应急事件，各级政府也从中得到了很多经验，为应对之后一次又一次的大规模的突发事件奠定了基础。

2月12日

《晓松说——历史上的今天》来到了 2 月 12 日，农历大年初三。1912 年的今天，清帝溥仪退位。1924 年蜚声世界的古埃及法老图坦卡蒙在石棺里被发现。1999 年的今天，美国国会投票否决了克林顿总统弹劾案。

清帝溥仪宣布退位

1912 年的今天，隆裕皇太后正式颁布诏书，宣布清帝退位，这是中国历史长河中最重要的事情之一，标志着中国数千年的皇权统治结束。我个人认为叫"皇权统治"比"封建统治"更准确一些。封建制度是从西方传来的一个概念，其实中国从汉朝以后，尤其是隋唐科举制度开始以后，就没有了封建制度，而是由考试选拔上来文官，由朝廷来管理这个国家。我们其实不是西方那种，公爵管一个大的地方，伯爵管一个小的地方，大公爵管一个更大的地方，封地建侯的制度才叫封建统治，我们这个应该叫皇权统治。

数千年的皇权统治在这一天结束了，炎黄子孙从此走向崭新的未来，这一天非常值得纪念。而且比起西方共和制的来临，或者叫革命的来临，其实是很文明的一次。虽然也发生了北洋将领逼宫，然后隆裕太后孤儿寡母哭着说只求母子保命。但是只是吓唬一下，没有真的要屠杀、要流血。不像法国大革命时期的路易十六全家、俄国革命时期的末代沙皇全家，都被满门抄斩，流血导致国家民族大撕裂、发生内战等严重的后果。我们是以非常文明的方式让清帝平静地退位，不但没有杀一个人，而且还颁布了优待清室的条例。就像得过多项奥斯卡奖的《末代皇帝》里面拍的那样，溥仪和他的皇室家族继续住在紫禁城里，一直到1924年，北京政变爆发，冯玉祥派鹿钟麟把溥仪轰出了紫禁城，从此以后紫禁城就变成了今天的故宫博物院。

清帝溥仪退位，维护了国家稳定，没有撕裂民族，没有爆发内战，而是平稳地过渡，可以说是世界近代史上改朝换代最文明的一次。在这件事上，以袁世凯为首的北洋军人立了功。后来的军阀内战实际上是各个利益集团或者叫军阀之间的争斗。至少这次退位没有爆发像法国大革命之后那样的保皇党复辟。你要对人家斩尽杀绝，那人家只能拼死反抗，困兽犹斗。所以，我觉得这次变革很文明。

| 图坦卡蒙石棺被打开 |

1924年的今天，在地下很深很深的一个大石棺里，挖出了埃及法老图坦卡蒙。我亲眼见过这个石棺，非常精美。木乃伊的样式这里就不多讲了，我讲一件有关美国人民的有意思的事情。美国人的历史学得非常差，美国人讲究实用主义，觉得什么实用就学什么，个人奋斗、实现美国梦，美国梦跟文化没关系。所以经济课全美国学生的及格率是最高的，百分之七十，而历史只有百分之十几的及格率，因为大家觉得历史没有用。美国并不是一个人人想当官的社会，人人想当官的社会学历史有用，美国人不想当官，美国人都想当歌星、影星和橄榄球明星，这些都不需要去读历史。所以对于历史，美国人民差到只是对法国历史、英国历史稍微了解一点，对美国自己的历史仅能说出几件大事，美国有多少人口大部分美国人都不知道。跟美国人说巴黎 Paris，美国人想到的都是明星帕里斯・希尔顿。

但是美国人民对埃及法老图坦卡蒙很熟悉，因为他长时间在美国巡展。我在美国看到过图坦卡蒙的石棺，里面有各种各样的小东西，还有一个瓶子里面放着内脏，因为做木乃伊可能是要把内脏拿出来，放到一个容器里。那个石棺确实非常震撼。我印象最深的是石棺上面的那个浮雕，长得和后来《阿凡达》里的外星人一模一样。我第一次看到《阿凡达》的时候，就觉得卡梅隆太聪明了，因为拍科幻的东西，弄出来的阿凡达的造型要让每个人觉得有意思，图坦卡蒙长时间在美国巡展，美国的每一个城市都去了，大家对那张脸很熟悉。由此可见美国好莱坞商业电影，光 research（市场调研）阶段就能做得非常细致。阿凡达的造型要让美国人民感到非常熟悉，卡梅隆确实做到了。

| 克林顿总统免遭罢免 |

1999 年的这一天，发生了一件有意思的事情，美国国会最终投票否决了弹劾克林顿总统的提案，克林顿因此没有成为继尼克松总统之后第二位被弹劾下台的总统。

克林顿总统被弹劾和尼克松总统被弹劾的性质不一样，尼克松总统是违背了美国人民最重要的诚信底线，因为窃听在美国是严重的罪行。最近为了反恐，美国通过了一个有关窃听的法案，但是这件事在美国依然引起了轩然大波。更不用说在尼克松时代，窃听是多么严重的事情，它违反了民主的原则，更违反了自由的原则，所以尼克松总统最终被弹劾下台，他也是美国历史上第一位当政期间被弹劾下台的总统。

而克林顿总统犯的错误并没有尼克松这么严重，他没有践踏宪法，也没有影响美国人民的自由，而是和一个叫莱温斯基的白宫实习生发生了一起桃色事件。但除了美国，我们几乎没有看到其他国家的首脑因为这样的事情被弹劾。从这件事情可以看出美国其实是一个非常保守的国家。美国是个清教徒国家，对性相当保守。在欧洲，大部分国家都允许卖淫，但是在美国，大概只有内华达一个州允许。在美国强奸是严重侵犯的罪行，比如在加州，女性只要指控你强奸，你必须自己举证她诬陷，不然就很容易成为被告。迈克尔·杰克逊、乔丹都在这样的事上栽了个跟头。但是如果在其他国家，这种事情可以说是司空见惯的。意大利的贝卢斯科尼，被卷入了那么多桃色事件，但当地人民会觉得这跟我有什么关系，这是他自己的生活问题，总理只要能治国就可以了，只要能让我的收入增加就好了。法国总统萨科齐也有点绯闻，所以欧洲远远比美国要开放，美国总体上是个非常保守的国家。

美国总统都是右派，美国没有什么左派党，左派都是一些知识分子，左派的标志就是骂骂上帝、颠覆传统等等。而右派则是要不停地赞颂这个国家的传统，要爱家庭。克林顿在当州长的时候，就曾发生过一个小绯闻，所以竞选总统的时候在这方面有点劣势，选民尤其是女性选民就说你这种人怎么能竞选呢？为了改变大家的看法，克林顿在竞选的时候还专门请了纽约一家大的广告公司给他策划了一个小事件：有一个监控头拍到克林顿夫妇正在吃饭的时候，突然灯掉下来了，克林顿总统一下扑过去把夫人按在下面。其实这是专门策划的公关小事件，其实那吊灯没准是糖做的，砸不死人。女性选民看到以后马上就觉得非常高兴，说克林顿这个人很好，对夫人很好。

当时美国人民拿了自己六千多万美金的纳税的钱来调查克林顿和莱温斯基的绯闻。克林顿一开始否认，否认以后美国人民更加生气，因为这件事情的性质变成总统在说谎。政治人物说谎在美国、在西方都是非常严重的，美国人于是花了大量的钱去调查，最后克林顿总统在电视上红着脸出来向全国人民、向自己的妻子、向自己的女儿道歉。国会网站上还公布了一个特别详细的调查文件，里面有各种各样的细节。作为一个普通人，这样做就侵犯了隐私权，但是没办法，因为他是政治人物，隐私权就跟普通人不一样。

克林顿还有一个被人诟病的地方，就是他居然打电话帮莱温斯基找工作。这件事情也被美国人民痛斥，美国总统怎么能利用职权帮一个女人找工作呢？可见美国的政治制度是非常严格的。因为克林顿总统发生了这样的事情，差一点被弹劾下台。最后，国会经过激烈的辩论，进行了投票，还不是大比分的，但终究是挽救回来了。

不过，当时已经是他执政的最后时期了。克林顿执政的八年实际上是美国经济最繁荣的时候，那时互联网蓬勃发展，美国新经济、新科技飞跃发展，股市、经济等各方面都非常繁荣，国家的士气、人民的幸福感远远超过今天。今天美国人民的士气非常低落，所以美国人民到现在都非常怀念克林顿执政时期。那个时代由于克林顿创造了经济的奇迹，第一次做到了美国政府不但没有了赤字，而且还有了盈余，这件事在美国的各位总统中间是极其不寻常的。所以，克林顿总统在经济上对美国的贡献是巨大的。

大家现在天天在说美国的财政悬崖，奥巴马总统把美国国债上限又提高了，国债已经有十几二十万亿，这么高的国债都是在克林顿之后积累下来的。在克林顿时期，第一次把政府的赤字变成了盈余。接下来交给小布什，就已经欠了一屁股债。到了现在的奥巴马时代，政府越欠越多，全靠借债度日。

2月13日

《晓松说——历史上的今天》来到了2月13日。1912年的这一天孙中山辞去临时大总统。1928年的这一天，人类发现了青霉素 。

| 袁世凯就任中华民国第一任正式大总统 |

昨天我们讲到，1912年的2月12日，清帝退位，结束了皇权统治期。孙中山先生曾说过，谁让清帝退位，就将大总统让位给谁。就在第二天，1912年的2月13日，孙中山先生一诺千金，把大总统的位子让给了袁世凯，袁世凯就任中华民国的第一任正式大总统。这件事在中国历史上是非常有意义的，之前我们讲过清帝退位是一次和平、文明的退位，而孙中山先生实践了他的诺言，文明地辞去了大总统，让位给了袁世凯。

孙中山先生主要是一个革命者，是怀着各种理想的有理论的革命者、先行者，但孙先生并没有真正治国的经验，甚至连治一个省、一个市、一个县的经验也没有。当时的南京政府，几乎是由一大批革命家组成的，不光临时大总统孙先生没有治国经验，大家也都没有经验。但孙先生靠着博大胸怀和革命意志，坚持了这么多年，最后孙中山先生让位给了懂得治国的袁世凯。

袁世凯是个军人，行伍出身，而且一直在官场里历练，曾历任各级职务，当过山东巡抚，当过北洋大臣，管理过一个省，有丰富的外交经验，对铁路建设也颇有造诣。大家都知道詹天佑是京张铁路的设计师，京张铁路就是在袁世凯的管理下建成的。在袁世凯的管理下，还建成了很多学校，小学、中学、大学等等，他对中国最老的大学——北洋大学十分重视，中国的新军也是袁世凯效仿西方训练的。孙先生辞去总统，让位给袁世凯。这次交接解决了财政的问题，解决了军队的问题，解决了内战的问题，解决了治国经验的问题，解决了各方面的问题。

就在这次交接之后，孙先生还在北京和袁世凯进行了会面，两人在日记里也都分别描述了他们见面时的情景，孙先生在日记中高度评价了袁世凯，认为袁世凯是治国之材，所以让位给他；袁世凯也高度评价了孙先生。孙先生让位后，向袁世凯表示他不谋求任何权力，唯一想要做的就是给中国修铁路，袁世凯的日记里也写到这个问题。但袁世凯觉得孙先生可能对修铁路并不了解，包括对于治理这么大一个国家，孙先生都不是非常了解。所以当袁世凯和孙先生说："我非常支持你去修铁路，你准备要修多少铁路？"孙先生说："要修十万英里。"袁世凯当时表示了一些小小的失望，因为袁世凯更了解这个国家，更了解铁路是怎么建成的。不要说在那个时代，就是到今天，中国也没有建成十万英里的铁路。全世界能建成这么长的铁路的，也只有最繁荣时代的美国。当然，美国后来又拆掉很多。孙先生满怀爱国热情，但是实际上对于真正的经济建设、文明治国，还缺少具体的了解。

袁世凯出任大总统之后，当时北洋政府很强大，每年的经济增长速度很高，当时的北洋军队也保持了很强的实力。北洋政府在统治期间，有一件事做得非常值得称道，就是出兵西伯利亚。俄国革命以后，整个远东陷入内战，西伯利亚还发生了军队的叛乱，加上西方军队的干涉，当时的局势非常混乱，大批的华侨以及前线的劳工，有数十万人，全都颠沛流离、非常凄惨。北洋政府当时以极大的勇气出兵西伯利亚，在那个时代可以说是一件非常了不起的事情。

在北洋政府开始的时候，社会各界欣欣向荣。当然后来军阀们做的坏事，大家也都在历史书上学到了，就不一一说了。不管怎样，1912年的2月12日，清帝和平地退位，文明地交接，第二天，孙先生实践诺言，文明地、和平地把总统职位交给袁世凯。

| 弗莱明发现青霉素 |

1928年的这一天，英国的生物学家弗莱明发现了青霉素，音译过来是盘尼西林。青霉素的发现对人类的发展起到了重要的推动作用，弗莱明因此获得了诺贝尔生理学或医学奖。当然诺贝尔奖是三个人得的，因为弗莱明只是发现了青霉素，并没有把它实用化。

青霉素发现以后并没有马上用到临床，药要用在人身上，事关人的生命，要做各种各样的实验，所以应用一种药就要花很长的时间。1942年，两位医生第一次临床实用青霉素。当时病人病入膏肓，到最后实在没得救，医生抱着“死马当活马医”的心态，给病人用了青霉素，结果效果极其明显，最终治好了病人的脑膜炎。1942年是二战期间，战争期间的所有的科技发明及其应用都比和平时期要快很多倍，不管是武器还是医药。那么多士兵在前线抛头颅洒热血，所以青霉素迅速地被美军投入使用。第一次大规模使用就在1944年诺曼底登陆，挽救了无数士兵的生命。

青霉素是一种抗生素，但是抗生素在一些国家被滥用，由此而产生了很多副作用，使细菌产生了耐药性，导致人的自身免疫力降低。在很多发达国家，抗生素的使用是非常严格的。中国政府也多次下令，禁止滥用抗生素。但中国的医药公司非常多，大家互相竞争，导致抗生素被大量生产、使用，结果导致我们中国人的身体变成了“抗生素身体”。美国对医疗和药品的管理都非常严格。美国那么自由经济的国家、有那么多私营医院，但是大规模的医药公司，大概只有两三家，所以不会有很多很多小医药公司来竞争，你卖你的、我卖我的。美国华人可能都有这样的经历，在美国发烧，医生坚决不给开药，也不给打针，只让回家多喝水。大部分时候按医生说的，回家喝水，扛一扛有些病就确实过去了，也不一定非要用抗生素。

美国的医院是不许卖药的，医院只能开处方，医药分离，以便没有利益勾搭。我曾经去找一个开药房的熟人，让他帮我弄点抗生素。我这个朋友说坚决不行，我说："你开这么大药房，给我弄点抗生素有什么啊，在中国就算不认识人也能买到抗生素。"他说："我告诉你美国的法律有多严格。美国法律规定：所有的药店，没有医院开的处方的话，绝对不能卖给你处方药，否则他们的执照就要被吊销。"美国超市里就有卖非处方药的，但是处方药一定要到有执照的药店去凭处方买。美国的医药执照是非常难考的，一旦被吊销，造成的损失就太大了。由于处罚严格，所以大家都非常守法。美国要求十年之内的处方必须保存，每年备查两次，只要看到开出了违规的药就要受到严厉处罚，甚至要吊销执照。从朋友那里我也要不到处方药，最后实在没办法，我去找了别的中国人。因为很多中国人在经历了这些事以后，就在回国的时候，带去很多抗生素。

我们也知道滥用抗生素的危害性，长期吃这个东西不好，但是由于我们从小就吃了大量的抗生素，所以导致了身体不再吃更多的抗生素，就治不好病，而且因为自身的免疫力越来越差，很容易生病。不能滥用抗生素这件事情，我觉得要提到非常重要的一个位置来讲，因为对一个民族来说，身体健康是非常重要的。所以今天把这个问题再次提出来，希望能够得到大家的重视。

2月14日

《晓松说——历史上的今天》来到了 2 月 14 日，今天是情人节，祝天下的有情人终成眷属。今天还是大年初五——破五，破五迎财神，大家要放鞭炮送穷，因为穷是一定要送走的。1989 年的这一天，美国全球定位系统（GPS）的第一颗卫星发射升空，GPS 的应用对于旅行、军事等各方面都起到了重大的积极作用。

| 情人节 |

大家在二十世纪八十年代好像还不知道情人节这个节日，到现在情人节已经成了一个家喻户晓的节日。情人节不是纪念什么伟大的人、伟大的事，不是王侯将相的节日，它是人民自己的节日，是一个平等美好，也不需要花很多钱的节日，只需一枝玫瑰花一点巧克力，就可以过一个甜蜜的夜晚。我觉得情人节应该大大地推广。

| 中国政府决定从朝鲜撤军 |

中国政府在 1958 年的这一天决定撤出朝鲜。朝鲜战争应该算是二战后打得最激烈的一场战争，它比越南战争的规模要大很多。越南战争主要是美军和北越的共产党游击队在打，朝鲜战争是双方的正规军在打，双方都是最重要的主力，是身经百战的军队。这场战争伤亡巨大，南、北朝鲜人民共牺牲了五百万人，我们的志愿军伤亡也非常惨重，牺牲的人数达数十万。

参加朝鲜战争的时候，新中国刚刚成立，国内经济非常紧张，朝鲜战争中我们动用了全部的国力，还借了很多债，才坚持打完了这场战争。但是这是中国人民第一次靠自己的力量，跟当时世界上最强大的美帝国主义，至少算是打成了平手。这是一件非常了不起的事情，因为二战是全世界的反法西斯国家一起打的，而朝鲜战争是在没有人相信我们会打赢，包括我们自己也有很多人都不相信能打赢的情况下，最终和美国打成了平手。美国司令克拉克将军最后在停战协议上签字的时候，说了一句话："这是美国第一次在没有取得战争胜利的条约上签字。"说明这场战争我们没有战败，我们的志愿军非常光荣。

我在首尔纪念馆里看到过停战协议，上面只有三方的签字，中国、北朝鲜、美国，中国的签字是用毛笔写的。但韩国，那时候叫南朝鲜，并没有在停战协议上签字。南、北朝鲜都希望借助其他大国的力量统一朝鲜半岛，在朝鲜战争快结束的时候，南、北朝鲜其实都希望继续打下去，但其他国家都不愿意再打了，因为伤亡太过惨重，而且大家刚刚结束了二战，都不愿意继续扩大战争。这种情况下，北朝鲜在停战协议上签了字，但是南朝鲜当时的李承晚政府不愿意签字。李承晚政府是一个军人出身的政府，这些人在朝鲜解放之前，都在日本关东军里服过役。当时朝鲜被日本占领，所以在日军里其实有很多朝鲜的士兵，在日本军官里也有很多朝鲜的军官。李承晚政府都是由日本关东军里的朝鲜军官组成的，这些人受了日本的军国主义教育，所以他们非常愿意打仗，不愿意停战，最后南朝鲜就没有在停战协议上签字。不在停战协议上签字导致了一个很有意思的后果，就是南朝鲜在法理上并没有停战，说明南朝鲜依然处在战争状态下，只是没有对手，因为另外三个国家都已经签字停战了。

| 第一颗GPS工作卫星发射成功 |

1989 年的今天，GPS 的第一颗工作卫星发射了，人类跨入了“哪里都认识”的美好阶段。GPS 实际上是由二十四颗卫星组成，因为它要保证全球的每一个点都有好几颗卫星能看到，这样定位才准确。当然 GPS 开始不是为民用去设计的，而是用于军事，其实绝大多数人类的先进科技，开始都是为军事开发，然后慢慢变成民用。

GPS 在军事上起了巨大的变革作用，它使每一辆坦克、每一架直升机，甚至每一个士兵，都知道自己在哪里，知道敌人在哪里。西方有一句话叫“战争之雾”，意思是说战争最大的问题不是武器装备，而是不知道我们在哪里、对手在哪里。战场千变万化，名将和庸才的一个最大区别，就是名将能清楚地判断出来你大概在哪里，我应该怎么做。庸才就得等人报告，往往就来不及了。GPS 的应用导致这层“战争之雾”被彻底地揭开了。

GPS 的应用使得制导武器的成本极大地降低，人类战争正式进入了制导武器时代。在制导武器应用之前用的是导弹，那个时候导弹是非常昂贵的，因为它需要把探测器、控制器等等都装在导弹里。而现在的 GPS 是非常廉价的，甚至每个人手机上都有 GPS。把它装在炮弹上，成本极大地降低。把所有传统的普通炸弹前面直接装一个头，就是一个 GPS 后边装一个简单的伺服系统，有了这个在炸弹前头，一颗炸弹造成的毁伤大大提高，传统的盲投炸弹至少要四五十倍的投弹量才能做到。同时极大地降低了后勤，过去要五十发炮弹上来才能打中目标。现在一发炮弹前面装了一个这么小的东西就打中了。所以对后勤、对战争的强度、对现代战争的模式都造成了天翻地覆的改变。

GPS 分为军用码和民用码两种，军用码非常精确，民用码的精度要稍差一点。GPS 定位用的都是编码，在战争时期，美国通过控制解码能使 GPS 被屏蔽，别人不管是军用还是民用就都用不了了，因为他不让你用那编码信号了，可能大家手里的手机也用不了。所以为了避免受制于人，我国要发射自己的北斗卫星，北斗系统是另一套全球定位系统，也是要发射几十颗卫星。当年苏联以及后来的俄罗斯也是因为这个，坚决做一套自己的全球定位系统，欧洲也自己做了一套。但是最近欧洲那个系统不再怎么使用了，因为成本巨大。未来的战争，尤其是欧洲跟美国战争的可能性几乎没有，所以大家都来用GPS。

在军事上，GPS带来了天翻地覆的变化，带来了崭新的时代。在民用上，有了GPS以后，使得所有的车、所有的人都认路了，给人民的生活带来了极大的便利。当然，GPS的作用绝不仅仅是用来指路，它还可以进行定位，通过它你可以知道自己在哪里，知道电影院在哪里，最近的饭馆在哪里，极大地降低了人们的生活成本。但这对我个人来说，却有一点小小的负面影响，就是旅行的乐趣降低了很多。其实旅行中走错路，或者发现什么新的地方，非常有意思，是很珍贵的纪念。但有了GPS以后，你只是从这个地点到那个地点，周围有什么都不知道，这确实丧失了很多乐趣。

二十世纪九十年代，我一个人在意大利那不勒斯旅行，就在方向盘上放一张地图，然后从地图上看到了一个特别特别小的村子，叫苏莲托（Sorrento，也译为索伦托）。因为我自己学音乐，小时候吹黑管学会的第一首曲子，叫《重归苏莲托》。我一看到苏莲托，就想到是不是《重归苏莲托》中的那个苏莲托。我就开始问周围的意大利人："这个苏莲托是不是歌里唱的那个？"意大利人听后特别高兴，说："是这个，就是这个。"然后还一起唱起来。于是我特别高兴，就连夜开车去了那里，到了那儿我非常激动，因为我们从小写远方远方，什么地方是远方啊？这里就是远方，因为从小它就在你心里，今天你终于回来了，虽然你没去过，但是你觉得我回来了，重归苏莲托。远方，我来了，这里就是。如果没有这张地图，我不会想到我要去一个这样的地方，因为这样的地方你只有看地图才能看到，所以GPS的应用会让人丧失很多旅行的乐趣。

用GPS的另一个弊端就是你心目中各种美好的地方，它们是什么样子你都不知道，因为GPS永远带着你直接就去了，你不会知道整体上是什么样子。而且GPS的方向不是向北，它的方向只是向前方，所以你连这个城市的东西南北都不知道，你不知道这个城市的北边是什么，南边是什么，河是不是向东流的。所以你可能在一个城市开了很多次车，从这儿到那儿，大概用多长时间你都知道，但是你不知道城市是什么样子的。这就不像我年轻的时候去过的巴黎、罗马，每个城市都印在我们脑子里。因为你每天拿着地图，不管开车还是走路，你清楚地知道巴黎什么样，罗马什么样，这些城市都在你脑子里。这使你对这个城市更充满了感情，对这个城市有各种各样的了解，那种感觉是非常美好的。所以说GPS的应用是有利有弊的。

当然，绝大部分科技都是伟大的，大部分的科技都是推动人类向前，可以使人类更方便，让人类节省时间、节省金钱，有各种各样的好处。但是对于文艺青年来说，永远有一些小伤害。所以到现在我出去，还是要拿一个地图，没事的时候拿出来看看，当然GPS我也装着以备急用。希望大家旅行的时候，接受一点我的小建议，如果你去的是自己心中特别向往的城市，比如像巴黎、上海等等，你应该带一张地图，这样你能清楚地看到那个城市，比如上海，你会看到黄浦江怎样流过，看到苏州河怎样蜿蜒而来，看到浦西什么样、浦东什么样。

2月15日

《晓松说——历史上的今天》来到了2月15日。1950年的这一天，奠定了香港影坛半壁江山的大导演徐克导演出生了，祝徐克导演生日快乐。1954年这一天著名的漫画家马特·格朗宁出生，他的代表作是动画情景喜剧《辛普森一家》。2005年的这一天，YouTube网站正式注册，又一个美国致富神话诞生了。

|徐克生日|

今天是徐克大导演的生日，祝徐克导演生日快乐。在整个电影行业，不用说名字，直接说导演，大家能想起来的，就那么几位大导演。在电影圈里当着大家面说某导演说了什么什么，哪怕有一堆导演在这里，大家都知道说的是谁。徐克导演完全有这样的地位。徐克导演在场的时候没有人称呼他为“徐导演”，而是大家都直接称他为“导演”，这样的称呼是值得每一位导演都追求的。

徐克导演奠定了香港最重要的影片类型——动作片的半壁江山。中国人对徐克导演的所有作品耳熟能详，包括他创造的各种各样的角色，《倩女幽魂》里的小倩，还有黄飞鸿、东方不败，他监制的《英雄本色》系列里面的小马哥，等等，大家都记忆犹新。徐克导演在中国的电影界地位非常高，但在国际上，我个人觉得徐克导演的地位严重被低估。华人导演中有一批蜚声国际的大导演，吴宇森导演可以算是首当其冲，实际上吴宇森导演最先是由徐克导演的工作室发掘的。其他的比如王家卫导演在国际影坛上的地位也非常高，当过电影节的主席。再比如说李安导演，执导的《卧虎藏龙》《少年派》曾横扫美国大奖，而徐克导演在国际上始终没有获得这么高的荣誉。

在徐克导演之前，香港的动作片是由李小龙开创的，就是真拳真打、拳拳到肉。徐克导演创造的武侠片里开始有了飞檐走壁，这些动作特别奇幻，特别漂亮，是外国人做不了的，包括像《卧虎藏龙》这样的动作片类型，实际上都是由徐克导演开创的。当时《卧虎藏龙》红遍全球，横扫世界大奖。美国人是不爱看字幕的，但是看《卧虎藏龙》时美国人就这样耐着心看字幕，竟然也创造了好几亿美元的票房。而且当时美国所有电视台主持人，说到《卧虎藏龙》都不说英文，都以能说《卧虎藏龙》这四个字的中文为荣，《卧虎藏龙》可以说是在美国获得了至高荣誉。就我个人观影的感觉来讲，徐克导演至少有三部以上的作品超过《卧虎藏龙》，比如《新龙门客栈》《倩女幽魂》等等。但是徐克导演始终没有在国际上获得类似于李安导演、吴宇森导演、王家卫导演等等这些大导演的国际荣誉，这一点很遗憾。

徐克导演是越南人，所以他的英文名字叫 Tsui Hark，这是个用越南话发音的词。徐克导演毕业于美国得州大学，在美国也待了很多年，跟好莱坞有过很多次合作，但是始终不知道为什么他的国际地位被低估。如果非要说出一点原因来的话，我觉得可能是由于徐克导演的技术太高超了，而对电影节或者奖项最看重的那种独特的心灵和视角却不太在意。徐克导演的产量，尤其是他的系列片的创造，是独一无二的。他拍系列片的时候，好莱坞那边还没有系列片，他拍的《倩女幽魂》1、2、3，《笑傲江湖》1、2、3，《黄飞鸿》1、2、3 等系列片，都是电影界的珍宝，成为电影业最重要的支柱。徐克导演每一次电影的创作都在尝试，都在创新。

我曾经看过徐克导演做的“能动的分镜头稿”，当时看到时我确实大吃一惊，徐克导演竟然能做到这个程度。绝大多数大陆生产的中国电影，就靠导演到现场指导，而好莱坞电影所有的电影都要画出来。而徐克导演不但把角色都画出来，而且一个一个摆在那儿，自己配音，一会儿学男的，一会儿学女的，一会儿学老头，把剧本里所有的对白念出来，然后说出一个半小时到两个小时长的分镜头脚本，记忆力确实很好。

徐克导演演戏也很好，当演员的时候，在1988年获得过香港电影金像奖的最佳男配角提名。而且徐克导演是极少数文武戏都能拍的导演，这在电影界是很少见的。绝大多数导演都能拍文戏，到武戏的时候就另寻高人，比如说《卧虎藏龙》，现场全是靠袁和平在拍，李安导演只是在旁边看。因为武戏是完全专业的一套东西，袁和平设计动作的时候，已经预先完全把动作设计好，甚至连后期如何剪辑都设计好了，这些都是经过千锤百炼才有的本领。拍武戏的洪金宝洪大哥，还有洪家班、袁家班、程家班等等，他们都是特别专业的。文戏导演每到拍武戏的时候就只能在旁边看着，有时候根本就不用看，因为拍武戏和你没什么关系。你只要跟动作导演讲清楚你要什么就行了。当时张艺谋导演拍《英雄》时，是由程小东导演拍所有的武戏。我拍《大武生》的时候也是这样，所有打斗的戏都是洪金宝大哥在拍，我在旁边看着。但是徐克导演自己是文武戏都能拍，徐克导演自己创造了那种飞檐走壁吊着钢丝的特技，还有许多剪辑的节奏、方式都是徐克导演奠定的。

我个人认为徐克导演长得非常帅，无论在多艰苦的环境，徐克导演都非常优雅。在横店拍《狄仁杰》的时候，我见到了徐克导演，当时我跟洪金宝大哥一起，谈我下部电影的事情，看到徐克导演缓步踱来，永远都那么优雅。

今天讲了很多，我个人是看着徐克导演的电影成长起来的，我相信绝大多数中国人也是，大家都看过《英雄本色》，都看过《倩女幽魂》，都看过《黄飞鸿》或者《笑傲江湖》。徐克导演至今虽然年过六旬，但依然奋斗在电影的第一线，在花甲之年还拍了《龙门飞甲》，获得了五亿票房的佳绩。再次祝徐克导演生日快乐！

| YouTube正式注册使用 |

美国梦是看得见、摸得着的，所以每一个美国梦变成现实，大家就会变得兴奋。2003 年，一位叫陈士骏的二十五岁台湾华人在美国开始研究视频分享的模式，之后注册了一个网站叫 YouTube，YouTube 采用的模式就是大家拍很多视频，再上传到网上，然后别人再去分享。后来我们国内的优酷、土豆也都是模仿了这个模式。YouTube 的正式成立是在 2005 年，这一年陈士骏二十七岁。之后，YouTube 以十六七亿美元的高价卖给了谷歌，陈士骏让他的美国梦变成了现实，这也成了互联网泡沫崩溃之后的一个神话。

实际上，华人在美国不停地创造美国梦，比如杨致远先生创办的雅虎，曾经创造了美国互联网的辉煌。陈士骏创造的 YouTube 成为全美国人民每台电脑、每个手机、每个 iPad 上必备的内容。YouTube 利用了互联网庞大的抓取能力，代替了过去由精英创造内容的方式，成为一种由草根创造内容、由草根分享的方式，更多人可以有展现和参与的平台，大家可以自己做东西自己看。

当然 YouTube 后来也存在转型的问题。YouTube 上的内容都是老百姓自己创造的，不是专业人员制作的，所以成本很低。一开始大家都以为这样低成本的模式非常好，但是后来发现，老百姓真正愿意付费看的东西，依然是由好莱坞、由电视台的这些专业的导演、编剧、演员创造出来的内容。所以现在，YouTube 也开始花很多钱去买有版权的内容，把这些有版权的精品内容放在网上，大家要看的话需要付费。过去企图抛弃精英生产内容的方式，草根生产、草根分享，今天看来都走上了绝路。这也说明内容要一直并且永远由专业的受过训练的导演、编剧、音乐家等来制作，然后给全人类分享。精品的内容还是需要专业的团队来制作。

| 格朗宁出生 |

1954 年这一天美国著名漫画家马特·格朗宁出生。他漫画中表现的是典型的美国，大家如果要想了解典型的美国是什么样子，可以看格朗宁的《辛普森一家》。如果是不典型的美国，大家可以看《南方公园》。典型的美国应该是这样的：爸爸有一个大肚子，有一份一般的、能养家的工作，妈妈很爱打扮，而几个孩子都很叛逆，等等。《辛普森一家》所反映的就是这样典型的美国家庭生活，从一开始创作出来美国人就在看，一直到现在那么多年还在看。《辛普森一家》不但被拍成了电视剧，电影现在也开始拍了，还在主题公园里有大型的3D游戏。

辛普森一家人生活的这个城市，叫作Springfield，被翻成春田。实际上Spring这个词，在英文中有两个意思，一个是“春天”，一个是“泉水”，意思是这个地方有泉水，在美国很多地方都叫“Springfield”。所以，我觉得在这儿Springfield应该翻译成“泉地”更准确一些。

2月16日

《晓松说——历史上的今天》来到了2月16日。2005年的这一天对全世界人民有重要影响的《京都议定书》正式生效。1960年的今天香港著名电影演员钟楚红出生，祝红姑生日快乐。1938年的这一天，一代武生泰斗杨小楼去世。

| 杨小楼去世 |

1938年的这一天，一代京剧武生泰斗杨小楼去世了。杨小楼在京剧武生界所创下的辉煌，应该说空前绝后。

当年的京剧武生在人们心目中的地位，是全体观众的偶像，跟今天的天王巨星没区别。当时武生在台上演出的时候，台下看戏的小姐、太太，疯狂地向台上投掷金戒指以及各种各样的东西，戏演完以后观众扔的东西满台都是。当年慈禧非常喜欢看杨小楼的戏，杨小楼能够带刀进宫上殿，还获得过慈禧御赐的大扳指儿。杨小楼和谭鑫培、梅兰芳先生并称为伶界的泰斗，分别饰演武生、老生和旦角。我见过杨小楼先生的照片，看照片都能感觉到杨先生英气逼人。

杨小楼是京朝派武生的代表人物，除了京朝派以外，当时的京剧还有海派京剧。海派京剧是京剧向市场化方向改良后的一种形式，商业化迹象十分鲜明，曾经长期风靡上海、杭嘉湖一带。京剧中有很多写意的东西，海派京剧把它都变成写实的了，比如在海派京剧中武生要真的翻跟头，要真劈真打。京朝派讲规矩、重源派、程式严格，所以京朝派和海派京剧之间有着不少差异。当时海派大武生盖叫天他们对京朝派的武生有点不太服气，说他们只会花架子，而杨小楼先生什么都没说，来到了上海。京朝派要让海派服气，就一定要来大上海演两场，才真正叫“天下大角”。杨小楼先生在上海的舞台上表演之精湛就不赘述了，总而言之杨先生精湛的武生功底，震慑了海派所有的武生，理所当然地成为举世公认的一代武生泰斗。

|《京都议定书》正式生效|

2005年的这一天，《京都议定书》正式生效。关于空气污染问题，大家的体会太深刻了。前一阵子，北京、上海、杭州，几乎中国所有的地方都雾霾弥漫，大白天都快伸手不见五指。我记得小时候在北京，站在德胜门那儿能看见香山，后来我青年的时候在德胜门能看见西直门，现在我站在德胜门连德胜门都快看不到了。

《京都议定书》的目的是限制全球二氧化碳等温室气体的排放总量，给各个国家一个限制，大家要控制自己的排放量，不能超过限制。当然，这个公约有一个世界上最大的碳排放的国家没有签字，就是美国。美国是一个很奇怪的国家，国内的各种体制跟其他国家都不一样，比如说全世界西方国家都有全民医保，但美国没有。美国总统从来不说我们要考虑到全人类的利益，因为在竞选总统时不是全人类给他投票，只有美国人民给他投票。所以美国总统每次出来讲话的时候都是有恃无恐，美国不签这个《京都议定书》就是因为它对美国利益有伤害。

为什么《京都议定书》对美国利益有伤害呢？那是因为汽车工业以及其他的重工业是美国的支柱产业。还有美国人的习惯也不一样，美国人喜欢开大车，住大房子，要限制排放大家就得开小排量车，美国人民当然很不喜欢。大家可以到美国去看看，美国的车基本上都是大排量车，而且住的也都是大房子。欧洲人每次到美国，都会不停抨击美国，说美国人怎么开这么大排量车，这样太不环保了。而美国人就对欧洲人说：谢谢，欧洲帝国主义这么多年了，剥削过全世界，到处都是大教堂，这大教堂消耗了全世界人民多少资源，等等。欧洲确实是有很多教堂，而美国没有，但欧洲人确实是开小排量车，各种小雷诺、大众等等。而美国只有在极少数精英聚集的地方，比如说硅谷，才会有环保这种意识，才会开小排量车。而美国的其他地方，尤其是在好莱坞，黑人都开着大林肯、凯迪拉克什么的，华人开奔驰，等等，全是大排量车。所以，不管是美国人开的大排量车，还是美国人的重工业，美国人住的大房间，都会产生庞大的碳排放量，所以这个《京都议定书》其他国家都签了，但美国没签。

《京都议定书》签订之后，形成了一门买卖排放量的生意。《京都议定书》规定好了各个国家的碳排放量，而很多西方发达国家排不了那么多，而发展中国家一排就超过限量好多，但签了这个公约就要受到限制，所以这些发展中国家就只好去买发达国家的碳排放量，变成老牌帝国主义开始向新兴国家卖排放量这种虚无的东西。我买了你排放量，继续排一堆污染出来。包括现在欧洲开始限制所有的外国飞机，飞机只要飞到欧洲，还要再缴一笔税，因为飞机是燃油的。这么挣钱，我觉得有点没意思了，应该用其他办法，来希望人类的环境更好，而不是以环境更好做一个前提或者做一个砝码，让落后国家付出更多的成本去发展。当年发达国家发展经济的时候根本就没有人管这些事，随便排放，后来伦敦下了酸雨，洛杉矶整个看不见了，于是便把工厂就都搬中国来，现在又开始说你怎么这么污染，那你再交钱买些排放量。可那工厂不都是您开的吗？您把您那最污染的工厂都开中国来了。然后只要买了这个碳排放量，就可以继续排。

这个很像高额的版权、高额的专利费。我个人是坚决拥护版权保护的，在中国也有音乐版权，但我不太支持西方那么长时间的保护，以及那么高额的版权费用，高额的版权费其实限制了很多东西。比如说，美国连卡拉OK都没有，因为根本买不起版权，导致大家没办法去娱乐。在美国，药品的专利费是那么高昂，用来挽救全人类的东西为什么那么贵？西方确实在很多方面有着先进的思想，但有的也不能说没有问题，由于西方发展得早，很多专利、版权都在他们的手里，但他们却要收极高昂的保护费用才能给别人用。发达国家的人民本来应该是跟全世界人民平等的，和全人类一起享受这些科技成果、文化成果、艺术成果，但是由于高额的版权费用、专利费用，导致这个过程进行得很慢很慢，最后还出现了买卖碳排放量这种事情，这很值得思考。

当然，《京都议定书》的签订首先是让大家减低碳排放量，保持干净的环境，这对改善大气的质量、对保证人类的健康都是有好处的。而高额买卖排放量是个问题，不能把这个变成一个生意，这样做有悖于全人类公平、平等的原则。

| 钟楚红生日 |

对于钟楚红，我们现在这个年纪的人非常熟悉，很多人都是看着她的电影长大的。钟楚红饰演了很多琼瑶电影中的角色，但我最喜欢的钟楚红的电影不是她演的琼瑶电影，而是一位优秀的香港女导演张婉婷拍摄的《秋天的童话》。当年最美丽时候的红姑、最好时候的周润发以及当年英俊潇洒、风流倜傥的陈百强，他们一起出演的一部非常好看的电影，是在纽约拍摄的。

祝红姑生日快乐。这么多年过去，红姑依然美丽，在张国荣去世十周年的晚会上，看到红姑依然是风采卓越。

| 世界第一条空中航线开通 |

洛杉矶、旧金山分别是美国娱乐业、高科技产业的代表，所以洛杉矶、旧金山这两个城市是美国西岸最重要的两个城市，它们是西岸最大的两个港口，是美国整个西部最重要的交通线。在 1914 年的今天，两个城市的空中航线开通了。

但我今天想说的是美国的高铁。我国三横三纵的高铁已经完全联通了，几个小时从北京就可以到广州。而在美国，这个号称全世界最先进的国家，去年加州议会才批准建设美国第一条高铁，要到大概是2033年竣工。对于我们这种集中精力办大事的国家来说，这样的事情真是让人很不理解。建高铁不就是把原来的地方拆迁，然后开始建，建完后通车不就行了吗，怎么会用这么长时间？

实际上，美国政府干任何事情都要人民先满意，人民只要不把地卖给政府，政府就没办法，所以在洛杉矶有几条高速公路中间就是断开的。比如说洛杉矶用了二十六年才建了一所中学，因为不能强拆，政府就得去等，实在等不及了就去打官司。所以，不难理解为什么第一条高铁在美国建成还得二十几年以后。像我们这种从小在一个快速发展的国家中长大，到了美国就觉得那儿什么都那么慢，但美国人民却觉得没什么。我希望到我老的时候能坐上这条高铁。

2月17日

《晓松说——历史上的今天》来到了2月17日。1895年的今天发生了一件对中国人来说是奇耻大辱的事情——北洋水师全军覆没，中国在甲午战争中全面失败。1600年的这一天也发生了一件人类历史上耻辱的事情——布鲁诺因为宣扬“太阳中心说”被罗马教廷处以死刑。还有就是1964年的今天，“飞人”迈克尔·乔丹出生。

| 乔丹生日 |

首先祝乔丹生日快乐。威名赫赫的乔丹在美国篮球的历史上创下了无数的辉煌。乔丹在的时候，芝加哥公牛队是全世界的偶像，乔丹离开以后，芝加哥公牛队马上就沦为了一支二流球队，从中可以看出乔丹的威力，一个队可以因他存在而强，因他离开而弱。

乔丹在公牛队的时候创下无数辉煌，曾经六次获得总冠军戒指，多次获得MVP（最有价值的球员），创造了各种各样的纪录。而且有一个纪录至今保持着，就是场均得分超过30分，排在NBA有史以来第一名，至今无人超越。

喜欢篮球的人都知道，后卫是一个球队的灵魂，NBA 的各种大腕儿里面，后卫的腕儿是最大的，包括那时候的乔丹、现在的科比等等。后卫是进攻的组织者，也是最重要的得分者，一般后卫的个子都不高，但技术都特别好，乔丹也是，不到两米，技术超群。现在 NBA 杰出的华人球星林书豪，也是后卫，华人后卫很难得，NBA 的后卫基本上都是黑人，因为黑人的弹跳力惊人。乔丹的弹跳力尤其惊人，大家看过无数次乔丹扣篮，英姿飒爽，从空中飞过来，要不为什么叫“飞人”？他扣篮时滞留在空中的时间也是最长的，没人能超过，他能在空中做三个动作，最后把球扣进篮里，简直神奇极了。

乔丹对篮球运动的推广产生了巨大影响。包括我在内，我周围的很多人，最开始喜欢篮球就是因为看到乔丹。当年东部有乔丹，西部有约翰逊，那是 NBA 篮球最辉煌、最好看的时代。乔丹形象也很好，长得非常端正，而且乔丹又忠于家庭，忠于爱情，还去做慈善，在场上从来不跟人打架等等，所以乔丹就成了大家心目中的一个真正的偶像。乔丹退役以后也曾经爆出一点小小的绯闻，这是后来的事情了。

在乔丹那个时代，NBA 联盟规定队内的工资总数是封顶的，超过这个总数要交巨额的罚款。乔丹当时是一位巨星，他一个人差不多就拿了公牛队百分之八九十的工资，但公牛队其他的球员宁愿就拿剩下的那点工资，也要留下来。因为他们热爱乔丹，愿意跟乔丹做队友，愿意和他一起打球。跟乔丹一起打球，虽然大家的工资一定很低，但是你手上会戴上总冠军戒指。球员打球，挣钱是一方面，荣誉也很重要。姚明打了那么多年球，现在退役了，手上也没有戴上过冠军戒指，这确实是一个遗憾。虽然姚明在休斯敦火箭队的时候，他跟麦迪两个人，总工资也占到了火箭队的绝大部分，但是大家手上没有总冠军戒指，而乔丹获得了六次总冠军。

乔丹带领美国男篮作为“梦之队”，参加 1992 年奥运会，那是大部分中国人第一次看到乔丹，那也是美国第一次派出职业篮球运动员参加奥运会。奥运会有总赞助商，运动员领奖的时候都要穿总赞助商品牌的衣服。乔丹获得了金牌，要上台领奖了，当时的情况是奥运会不允许不穿总赞助商的球衣上台，而乔丹个人的赞助商签的是耐克，怎么办呢？穿耐克上去领奖肯定不行，穿那个牌子乔丹又不愿意。最后乔丹非常聪明地披了一面美国国旗上去了，乔丹很聪明。

乔丹这一生其实很坎坷，他打篮球中间退了好几回役，之间曾参加过高尔夫球赛，打得很差，但是充满了乐趣。最后由于对篮球的热爱，乔丹又回到了NBA。对于运动员来说，所有的荣誉、所有的金钱、所有的泪水、所有的奋斗，都在运动场上，所以大家看到很多优秀的球员退役以后，由于对这个职业的感情，最后变成了老板，自己去经营一支球队。乔丹从NBA最后退役后买下了一支不强的队，叫山猫队。姚明也是，出于对篮球的热爱，他买下了上海大鲨鱼队。这样的退役运动员都是我最敬佩的，他们一生热爱这个事业。

乔丹，生日快乐。

| 北洋水师全军覆没，甲午战争结束 |

1895年的这一天，北洋水师全军覆没，中日甲午战争以清朝的彻底失败而告终。这次失败是整个国家的一个转折点，因为虽然在这之前，我们也打了几场败仗，但和甲午战争的规模还是不能比。鸦片战争、火烧圆明园等败仗并未伤及中国元气。并且由于前几次的失败，中国开始启动各种各样的军政改良，其中最重要的是洋务运动，建立了亚洲最强的北洋水师。当时清廷用重金从英国、德国等欧洲强国进口了非常先进的战舰，组成了这支舰队。除了北洋水师，还有南洋水师，南洋水师没有北洋水师先进。北洋水师当时可以说是傲视亚洲，其中“定远号”、“镇远号”两艘主力舰各有七千多吨的排水量。七千多吨的排水量是个什么概念？直到2012年，我国海军最大吨位排水量的战斗舰（不包括后勤舰），也还没有达到当年“镇远”舰那时候的排水量。所以说“定远”舰、“镇远”舰当时是亚洲最大两艘舰，不但船坚炮利，而且所有的军官全部曾留学英国。英国的海军学院是当时培养世界上最好的海军军官的地方。

当时的“镇远”舰是亚洲最大的战舰，远远超过日本的战舰，日本舰队最大的军舰也还不及它的一半。就算日本的舰队围着它打，这两艘重装甲的舰船也不会被打沉。实际上“镇远”舰也并没有被打沉，我们的失败是完全屈辱的失败。日本虽然装备不如我们、舰队不如我们，但北洋舰队在开战的时候，我们的士气、军心、民心，尤其是朝廷的战斗决心，都完全败给了日本。在第一次大海战的时候，被击沉的是邓世昌的“致远”号等五艘战舰，其余的六艘战舰，特别是“定远”号与“镇远”号这两艘最大的战舰，还是完整地保留了下来。但是保留下来的舰队并没有继续跟日本战斗，而是吓得再也不敢出战了。

之后日本登陆，陆军吓得魂飞魄散，虽然历史上记载了一些个别小英雄，但是总的来说陆军是闻风而逃。用于保卫北洋水师的这些炮台轻易地被日军占领，最后日军调转炮口，用我陆军的大炮台，炮轰刘公岛。北洋水师当时吓得魂飞魄散，我看了英国人的记载，那实在是耻辱，是海军的耻辱、军人的耻辱、民族的耻辱。当时水兵们跑得一塌糊涂，拆下舰上的炮圈去卖钱。舰长逼迫当时的北洋水师的提督丁汝昌投降。海军投降在世界历史上是极少极少的。经常有陆军被包围了投降，但空军、海军投降的几乎没有，尤其是以英国海军为代表的军人，哪怕被包围，英国海军能做到拿驱逐舰撞敌人，最后大家同归于尽，也决不投降。而北洋水师最后竟然出现了非常可笑的情况，各舰舰长逼丁汝昌司令投降，丁汝昌宁死不投降，最后服毒自尽，为国尽忠。之后各舰舰长自己弃船逃跑，以至于最后留在舰上发炮向日军还击的竟是英国人。当时英国人帮助训练北洋水师，所以舰上有一些英国海员。英国人完全就是因为海军的荣誉感，觉得海军不能投降，最后居然是英国人在船上发炮还击。

战争的最后，最大的一艘军舰“镇远”号，被日军虏获，到现在“镇远”号的船锚还在日本进行展览。在后来的日俄战争中，日本联合舰队出战俄国的时候，那里面居然有一艘军舰就是“镇远”号，日本连名字都没给它改，就直接拿它去跟俄国开战，简直是中国的奇耻大辱。

所以北洋水师的覆灭，并不是因为落后，那个时候的北洋水师一点都不落后，也不是因为没钱，当时中国政府年收入接近亿两白银，一艘“镇远”号也就耗费一百二十万两银子。建个圆明园花个几百万两，当时慈禧过个生日，花了六百万,五艘这样的主力战舰都出来了，当时朝廷并不是没有钱。失败完全是因为政府的腐败，这个国家已经完全没有战斗力。最后战败的中国政府赔给日本两亿三千万两白银，足够把全世界海军都买下来，这次失败真的是中国的奇耻大辱。

所以这一次失败是中国整个国运的转折点。这次战争之后，日本由于获得了超过它政府年收入数十倍的赔款，日本的维新之路走上了高速快车道，而我们成了一个短时间内很难复兴的国家。北洋水师覆灭之后，清政府倾尽全力，再也没能恢复起这样强大的一支海军，只是买了几艘小军舰，而且再也没有派上什么用场。甲午海战是中国近代史上第一次，也是最后一次大海战，这之后到今天再也没有发生过这么大规模的海战。一支辉煌的水师因为整个国家腐败，在军队士气的彻底崩溃中，全军覆没，真令人扼腕叹息。

|布鲁诺被火刑处死|

在漫长的、黑暗的中世纪，发生了无数的宗教丑行，其中一件就是在1600年，坚持科学的布鲁诺被罗马教廷以火刑烧死。欧洲虽然先后出现过不同的残酷时代，尤其是以教廷的黑暗势力为代表，后来又出现了各种各样的黑暗势力，比如说纳粹等。但欧洲始终都有一大批人坚持奋斗。他们信仰科学，推动欧洲向前发展，布鲁诺是这些人中的一个代表。正是因为这些人生生不息地追求真理，才使欧洲穿过重重迷雾，穿过各种各样黑暗的势力，最后走上光明，成为光明世界的第一个发源地。所以布鲁诺值得我们纪念。

2月18日

《晓松说——历史上的今天》来到了2月18日。1294年的今天，忽必烈大汗驾崩。1933年著名的艺术家小野洋子出生。1929年的这一天，第一届奥斯卡奖获奖名单公布，从此电影走上了奥斯卡时代。

| 元世祖忽必烈去世 |

1294年这一天，元世祖忽必烈驾崩。历史上称呼一个人一般都是用他的最高官衔，所以如果纵观世界历史，应该称忽必烈为蒙古大帝国大汗忽必烈，而不是元世祖忽必烈。因为忽必烈有两个官衔，元世祖只是说的我们中国这一块，是元帝国的皇帝。忽必烈的另一个身份是整个蒙古大帝国的大汗，蒙古大帝国包括了五个帝国，元帝国只是其中的一个，另外还有伊儿汗国、察合台汗国、钦察汗国、窝阔台汗国。整个蒙古大帝国横跨欧亚，是有史以来世界上最大的帝国，有三千万平方公里之大，包括今天的中国、俄罗斯，整个东欧、中亚细亚等等。这五个大帝国，要公推一个领袖，作为整个蒙古大帝国的大汗。忽必烈就是公推的蒙古大帝国的大汗，同时兼任元帝国的皇帝，相当于你是一个总统，同时兼任了联邦中的某一个头。所以在世界历史上说起忽必烈，应该说蒙古大帝国大汗忽必烈，而我们的历史管他叫元世祖忽必烈不太准确。这是我想给大家澄清的一点。

忽必烈的功过在历史课本上讲得很清楚了，包括在他的时代，打通了整个欧亚，导致了欧亚两洲的交流，马可·波罗就是那个时代往来欧亚的。有些阴谋论者说马可·波罗没来过中国。有人说他只是在蒙古大帝国的某个地方，遇见了一些在中国做官的人，跟他讲了些中国的事，然后他就回去写了。也有人说他确实来过中国，有各种各样的考证。但目前大家比较公认的是，马可·波罗确实来过中国，遛了一圈，但是没有他自己描述得那么辉煌。

|第一届奥斯卡奖提名名单公布|

1929 年的这一天，第一届奥斯卡奖的提名名单揭晓，包括最佳导演、最佳男演员、最佳女演员等等。1929 年正是美国开始进入大萧条的时候，却恰好是迎来了好莱坞飞快发展的最辉煌时代。好莱坞确实很有意思，美国经济一不好，它就大发展。因为经济不好，大家没事儿可干，远处也去不了，于是就只能看电影。大家失业，心情肯定很不好，而喝酒解愁还会犯罪，于是好莱坞电影就给大家造梦吧。在电影中大家看到的都是美好生活、美女、帅哥等等，很有麻痹作用，因而叫治愈电影。所以从奥斯卡奖开始，好莱坞进入了蓬勃发展期，再加上美国经济持续多年的大萧条，好莱坞成为美国人民最重要的精神食粮来源地。

奥斯卡奖那时候不叫奥斯卡奖，叫 Academy Award（学院奖），当时有个女图书管理员说这个小金人儿长得有点像我的叔叔奥斯卡，于是大家说那就叫奥斯卡奖吧。但是在美国电影圈里，却从来不说奥斯卡奖，奥斯卡奖这个名字都是外面的观众、影迷在说，在好莱坞电影圈里，到今天为止大家也还是说 Academy Award，以表示圈里圈外的不同。相当于外面给它取了个艺名，或者叫小名，但圈子里还管这个叫 Academy Award。

奥斯卡奖现在已经发展成为全球商业电影的标杆，但是实际上到今天它也不是个全球电影奖。戛纳奖是一个真正的全球奖，是真正的国际电影节，现在戛纳电影节已经很少有法国电影获奖了，柏林电影节更是如此。而奥斯卡奖实际是一个美国电影节，其中只有一项最佳外语片奖颁给其他国家，剩下的都要颁给本土电影。当然，美国不视英国为外国，英国完全是在美国文化圈里，英国电影不算最佳外语电影，它说的不是外语，说的是英语，前两届奥斯卡最佳影片奖都由英国电影获得。但是除此之外，中国电影、法国电影等等，都只能去竞争一个奖项，叫最佳外语片奖。像《卧虎藏龙》这样的电影，讲的不是英文，但是获得了奥斯卡各奖项提名，是极少出现的，因为这个是在美国拍的中国电影，制片公司是哥伦比亚电影公司。

但是由于好莱坞电影在全世界的流行，奥斯卡这个美国国内的电影奖在全世界的影响，要远远大过世界最大的三个电影节。奥斯卡奖有一套非常复杂的评奖制度，就是怕出现不公平，怕被人骂。戛纳电影节和柏林电影节都采用的是精英投票制，几位评委说谁行，谁就行。所以那些电影节经常出现评委拧巴了，把奖给了一个特怪的电影。奥斯卡奖是由各个公会里的六千名评委来投票，这些评委都是各个公会里面的精英，然后大家一起来投最佳影片奖，所以不会出现突然间大家都拧巴了，把奖给一个特怪的电影的这种现象。

当然对评委施加影响的情况还是有的，就是可以去游说评委，奥斯卡奖有一个强大的游说体系。美国是全世界唯一一个有《游说法》的国家，其他国家都没有这种奇怪的法律。美国人认为，反正在底下也是做交易，怎么着也得整出点儿事来，那还不如干脆就把它拿到桌面上。美国《游说法》适用于国会、政府，最后延伸到连奥斯卡都要遵循这种《游说法》。《游说法》很有意思，就是要向政府汇报，你收了多少钱来游说这个事情。当时就怕游说这种事情太普遍，所以规定一次只能游说俩人。但这样游说公司是非常痛苦的，因为他每次只能游说两个，但是奥斯卡有六千评委。游说公司在选择时首先直接删掉肯定不喜欢这种电影的评委，肯定喜欢这部电影的评委，也不用去游说，所以分析过程的工作量是巨大的，要把那六千人都仔细研究一下。分析完了以后，如果认为只有一千个评委是中间摇摆型的评委，然后就去游说。总而言之，这一套游说下来，总共得三四百万美金，这也是一个生意。但是前提是你的电影得好，奥斯卡奖就是这样，在好电影跟好电影的竞争中，你得懂游戏规则，最好你还愿意花钱，把这些事情都弄下来基本才可以获奖。像这两届得奖的，都不是制作最大的电影，但是却是同一个制片人。这个犹太制片人很厉害，有超强的游说能力，所以连续两届都看到他的电影获奖。但奥斯卡奖总的来说还是公平的，因为游说是公开的竞争。

| 小野洋子生日 |

1933 年，小野洋子出生。她居然已经八十岁了，时光飞逝啊。我是听着她的歌长大的，小野洋子后来嫁给了列侬，她和列侬也有很多有趣的传说。小野洋子是一个优秀的画家，她是一个日本姑娘，但是她实际上一直在西方生活。她怎么跟列侬相恋的呢？传说她画了指甲盖那么大的一张画，挂在一个特别高的地方，前面放了一个梯子，梯子顶上有一个放大镜。然后说谁爬这个梯子用放大镜去看我这画，就是有缘人。于是她每天等啊等，没有人来爬这个梯子，最后列侬来了，列侬爬上了这个梯子，拿着放大镜冲着画看了一眼，最后俩人就相爱，在一起了。

小野洋子和列侬在美国发生了各种各样有意思的事情。反战时期，列侬是当时反战青年的精神偶像之一，还有另一个人是鲍勃·迪伦。那时候的人都很叛逆，抗议战争，呼吁和平。列侬和洋子当时创下了不下床在被窝里接受全世界媒体采访的先例。我觉得小野洋子成就了列侬，让列侬成为后来的大师级的艺术家。因为一个歌手即使他的歌再流行，卖了再多唱片，哪怕一直排在世界唱片销售第一名，与大师级的艺术家还是有差别的。而列侬为什么最后成为披头士里面最受人民爱戴的一个呢？就是因为他娶了小野洋子，成了艺术家。她把他造就成了一个有深邃思想的大师。列侬后期写的歌，都已经远远超越了前期的那些爱情歌曲，都有博大的悲天悯人的情怀。所以列侬是在小野洋子的帮助下，从一个万人喜爱的流行歌手变成了受人爱戴的艺术家。

大家有时间可以看一部纪念列侬的纪录片，很感人。列侬弹白色钢琴唱 *Imagine*（《想象》），洋子穿着白色裙子把白色的窗户一扇一扇打开，是一个非常美好的结尾。

2月19日

《晓松说——历史上的今天》来到了2月19日。1934年的今天，国民政府正式发起了“新生活运动”。2008年的今天，带给我们无数欢乐的沈殿霞女士去世了。

| 国民政府发起“新生活运动” |

1934年的这一天，蒋介石代表国民政府发起了“新生活运动”。先大致介绍一下背景：1927年北伐成功后，到1937年日本入侵，中间这十年，实际上是中国进入现代社会的黄金时代。总的来说，这十年的经济、文化都在蓬勃发展，虽然中间也发生了一些内战，但都是局部的，并没有爆发全国性的大规模战乱。中原大战也是以中央政府的胜利而结束，所以中央政府当时基本上能在全国推行各种各样的现代化政策。整顿军队是其中最重要的政策之一，因为军队随时面临着当时帝国主义的侵略。整顿财政也是很重要的，因为一个国家向前发展，经济很重要。当时中国的军队状况和财政状况都变得越来越好，在这种情况下，国民政府又开始整顿民风，所以发起了“新生活运动”。

“新生活运动”里面的内容细致到不随地吐痰、不乱扔垃圾等等，其实最主要的就是提倡讲文明。中华民族是一个非常有文化的民族，但是有文化并不代表讲文明，因为文化是一个实际传承的东西，而文明是一个朴素的东西，是人类共同的追求。比如普通的美国人文化知识很少，但是美国是一个比较文明的国家，大家共同遵循秩序。其实中国在历史上也是一个文明的国家，后来国家衰落，人民的民心、士气也渐渐低落下来，结果导致了中国人有很多陋习。大家看当年鲁迅、胡适他们的文章，甚至看后来柏杨的《丑陋的中国人》等等，都能感觉到中国的状态是“有文化，没文明”。实际上这种不文明不仅限于生活在中国大陆的中国人，在全世界发达国家里，只要一说到唐人街，大家就会感觉到了另一个世界，乱扔垃圾、大声喧哗、随地吐痰等等。

国民政府感觉到急需整顿社会风气、提高士气、聚拢民心，所以推出了“新生活运动”。“新生活运动”包含的内容很多，但基本上都是仿效东洋（日本）跟西洋，因为当时的日本很强大，比较现代化，所以我们要把东洋的很多东西引进来，甚至用冷水洗脸、吃冷饭等等。日本民族本身确实是一个非常文明的国家，去过日本的，都知道日本干净到一尘不染。在十万人的音乐节演出完以后，地上一片纸也没有，每一个抽烟的人都挂一个烟灰缸，所有的垃圾每个人装到一个袋子里，我们要学习的就是这些文明的习惯。推行“新生活运动”的时候还发生了很多有意思的事情，比如当时韩复榘讲话说：“蒋委员长的新生活运动，兄弟我双手赞成，就是一条，行人靠左走，着实不妥，实在太糊涂了。大家想想，行人都靠左走，那右边留给谁呢？”这是流传很广的一个段子，不知是真是假。

“新生活运动”规定了向西洋、东洋学习各种各样的文明的东西，是一个长期的计划。一个国家的发达，经济只是其中一个指标，不管GDP有多高，如果这个国家的人民不文明，这个国家怎么能自立于世界之林呢？所以那时候的国民政府想得比较长远，打算从根本上改变国民风气，所以就做了一个这样的长期计划。抗战期间这个计划都一直没有中断，一直在宣传推广。当时包括宋美龄在内的各界人士都支持“新生活运动”，但是后来由于日本人侵等等原因，“新生活运动”最后不了了之。但是我想说，到今天，不管是“新生活运动”也好，提倡讲文明也好，都是非常值得发扬的。今天我们的经济总量已经达到世界第二，我们的文化源远流长，但是我们的文明呢，能排到多少位？

说两件我自己觉得很揪心的事情，2008年奥运会火炬在世界各地传递的时候，海外华人倾巢出动，护卫国家的荣誉，大家举着五星红旗，在世界各地游行。我开车到了北加州旧金山，和北加州的数万华人一起对抗袭击火炬的反动势力。当时华人非常多，估计得有十几万人，大家举着红旗，唱着国歌，保卫火炬。但是火炬回到中国以后，西方媒体紧接着就拍到了在中国国内传递的时候，火炬所过之处满地国旗被踩来踩去，这个镜头被西方媒体拍到，然后在美国电视上播放。当时在美国的大批的曾经去护卫火炬的华人，看到后都感到非常非常寒心，或者叫痛心。

再说一件事，我去年去了珠海航展，看到了我们军队的成就，看到了歼-10、武直-10等先进武器，抬头看天确实感觉非常光荣。可是一低头，就发现整个珠海航展的地面，全部被垃圾覆盖，全部都是。我还拍了照片，发到微博上，结果被爱国青年批评只看我们国家不好的地方，但确实是抬头看，好荣耀的国家，低头看，方便面口袋、鸡翅骨头堆了满地，让我感到特别特别痛心。

所以今天讲到“新生活运动”，在我们的GDP到了世界第二，我们的各种卫星都上了天的时候，能不能把人和人相处的最最基本的东西审视一下？基本到开车要不要开远光灯，因为这路上不止你一个人；基本到要不要在地铁里火车上大声地打电话，因为这列车上不止你一个人。大家如果去过日本，可以清楚地看到，在这个我们所不齿的国家，几乎看不到有人在地铁上打电话，在火车上打电话，每个人都做到在公共场所不去打扰别人。所以今天说到这件事情，我个人认为心情是很沉重的。希望我们能够将“新生活运动”继续下去。

| 沈殿霞去世 |

2008 年，曾经给我们带来了无数欢乐的电影人——沈殿霞女士，肥肥姐，去世了。肥肥姐一生致力于给所有人带来欢乐，不管是演戏还是主持节目，台上总是笑得那样灿烂，但是在台下她过着很艰辛的人生。这也是很多明星的命运，他们承受了那么多常人所不能承受的东西，当然也获得了常人所没有的一些东西。肥肥姐一直没能过上幸福美好的生活，我们要从这里吸取一个教训，个人观点是找另一半时不要找长得太帅的，往往欢乐很短暂，而且经常会带来很深的伤痕。不过，有一个好处，就是能生一个漂亮的女儿或帅气的儿子。肥肥姐的人生我就不多做评价了，带给大家那么多欢乐的人，就应该值得感谢。感谢肥肥姐。

| 日军近千人被鳄鱼吃掉 |

做这个节目之前，我也经常看网络上整理的《历史上的今天》，好多个版本讲到 2 月 19 日这一天时，都讲到 1945 年有近千日军在缅甸被鳄鱼吃了，下面还有个标注说，这是人类历史上被动物吃掉最多的一次。但是在英文版本里好像没有这个记载，只是在中文版本中看到过。这个我能理解，因为中国人民对当年进入中国、进入缅甸、进入各个国家的日本鬼子，永远怀着痛恨的心情。但是一千多鬼子在一天之内被鳄鱼吃掉，这件事情讲起来好像不太符合常理，一个人一百来斤，那得有多少条鳄鱼？

1945 年日军已经穷途末路，当时中国远征军从印度打回来的时候，全副美械装备的新一军、新六军，把在缅甸的日军打得屁滚尿流，连续战胜日军。那时候我军远征军的战斗力，至少能做到一比一跟日军对战，所以在那种情况下，日本驻缅甸的主力军队基本上就被我国远征军以及英美军歼灭了。是不是那个时候鳄鱼也同仇敌忾，和我们一起歼灭了一千多日军呢？各种历史资料记载，日军打到最后的时候，已经衣衫褴褛弹尽粮绝。不管怎么样，日本人再矮再瘦也有一百来斤，一千多人加起来有十万多斤，鳄鱼要吃到什么时候？所以我觉得不太可能。也许日军真的有被鳄鱼吃掉的，但不可能在一天内发生。因为确实有日军在东南亚逃进丛林，过着各种困苦的生活，最后一个日军一九七几年才从丛林里出来投降。所以有可能是一千多日军最后在丛林里慢慢消失了，有人被鳄鱼吃了。这件事被记载下来我觉得是让大家解解恨——连鳄鱼都可以吃掉日军。

2月20日

《晓松说——历史上的今天》来到了2月20日。今天要讲的全部都是十九世纪的事情：1872年著名的纽约大都会博物馆正式对外开放了。1877年的今天，影响了世界一代又一代人的芭蕾舞剧《天鹅湖》，在莫斯科大剧院首演。1897年的今天，大清邮政在北京正式开办。

| 大清邮政开办 |

十九世纪末二十世纪初，古老的中国挣扎着、蹒跚着，努力向现代文明靠拢。各种各样的第一次在那个时期诞生，第一条铁路、第一所大学等等。1897年的今天，中国历史上的第一个邮政——大清邮政正式开办了。

邮政的历史在西方非常久远，西方的公共服务远远先进于古代中国。我们本来是一个皇权的、中央集权的社会，按理说特别容易做公共服务，反而没做起来，西方分成各个小国，反而做起来了公共服务，主要是商业的传统不同，因为我们是文人传统。

咱们中国人爱写信，自古关于信的诗就有无数。那么在1897年之前的那么多朝代，怎么送信呢？首先是建立很多官方驿站，主要用来送官方各种各样重要的东西，比如函件。有马的地方骑马送，没马的地方人走路送。没马的地方差不多二十公里一个，有马的地方驿站就要远一点一个。驿站也为杨贵妃送过荔枝，一直送到皇宫。如果民间要用驿站送信，那是非常非常昂贵的。我看过一个资料，说民间送信差不多要一百两银子。当时一个私塾教师一年十两银子已经够养家了，一百两银子送一封信，确实非常昂贵，所以杜甫有诗云“烽火连三月，家书抵万金”。后来民间怎么送信呢？先是靠熟人带信，然后又开始出现了镖局，一开始规模小，但是慢慢地，镖局的规模越来越大，镖路多了起来，去沈阳的也有，去西安的也有，去广州的也有，于是大家就找镖局来送信。有资料说，镖局送一封信要花一两银子，也是挺贵的，但是比驿站送便宜多了。

后来镖局又开始分化，出现了很多小的民信局，主要送一些廉价的东西，少量的银两、信件等。镖局只负责送一些珍贵的东西，出动的时候还得有镖师，这是玩命的，所以比较贵。民信局就不用玩命了，路上也没人劫你的信，所以就不用那么多镖师，也不用花钱去买通绿林，所以成本又降低了。但这些民信局是分散的，各弄各的，这条路在这儿，那条路在那儿，并且是一半钱送信的人出，一半钱收信的人出，收着就得付钱，想让一个人破产，就可以每天给他写信。

1897年大清邮政正式开办，这套系统接近于西方的现代邮政系统。有了邮政之后，信件的传送再也不用那么烦琐。大清邮政是官办的，官办有官办的优势，邮政应该是属于公共服务的，不应该由私人来做，官办的铁路，官办的轮船，各种快速的交通工具，都是为民众服务的，所以在这方面，大清政府有无与伦比的竞争力。我以前也讲过，通了火车以后镖局就没有了，改成了贴张邮票，信就寄出去了。那个时候的邮票，比如龙票，到今天还是挺值钱的，我国最早的邮票就是从那个时候开始的。

|纽约大都会博物馆正式对外开放|

1872 年，纽约的大都会博物馆正式对外开放。作为世界最大的三个博物馆之一的大英博物馆是英国政府建的。其实应该说，建筑本身是英国政府建的，里面的东西绝大多数都是英国人抢来的，看得人很震撼，那么大的埃及文物都能抢来放里头。另一个是法国的罗浮宫，里面有一半东西是抢来的，还有很多是法国本身的伟大艺术品。

而纽约大都会博物馆并非国家级博物馆，而是由私人创办的非营利性组织。美国是一个小政府大社会的国家，美国政府绝对不可能用钱建一个博物馆、买艺术品。政府的钱应该用于医疗、用于教育。但美国国会可以立法来让民间的钱去干这些事，比如通过一个税法，规定拿你收入里的钱捐给这些文化有关的基金，比如建大都会博物馆，甚至养一个交响乐团，就能免税。欧洲也有这个税法。所以这就是为什么欧洲有一千多个电影节，想办一个电影节就得给各种基金会写信，大概写出一百封信，一定收到两封回信，连支票一块寄来了。大都会博物馆是大量这种类型的文化基金来赞助的，所以非常有钱，可以收到全世界各种各样最好的艺术品。据说中国派出去的访问学者到哈佛大学也就三千美元的月薪，但是去纽约大都会博物馆做访问学者就有五千美元的月薪，这说明民间基金会是很强大的。

大都会博物馆的规模很大，里面有全世界各种各样最好的东西，连中国的古董都有。也有最新的艺术品。美国没有什么历史，各种古迹很少，到了纽约，我觉得最重要的就是要去看看这些博物馆，大都会博物馆是一定要看的。

|《天鹅湖》首演|

1877 年，古典音乐伟大的作曲家柴可夫斯基最伟大的作品《天鹅湖》，在莫斯科大剧院首演。我做评委时经常能看到有人跳“四个小天鹅”这段舞蹈，男女老少都会跳。如果按照这个拿版税的话，《天鹅湖》不知道能给柴可夫斯基挣来多少钱，全世界每个地方，大到美国的电影大片，小到中国民间小小的联欢会上，大家都在跳着“四个小天鹅”。

我曾经在内蒙古的一个湖上，目睹了大天鹅教小天鹅起飞。天鹅是候鸟，一飞要飞几千公里，所以大天鹅要教小天鹅怎么飞，那个动作真的跟“四个小天鹅”芭蕾舞的动作特别像，小天鹅点着水，没飞起来掉下来，一会儿又重新开始点水，然后又下去，跟着飞起来。能在内蒙古大草原深处，很安静的无人之地，看到了真正的天鹅起舞，非常美好。

柴可夫斯基是全世界公认的伟大的作曲家，是俄国的骄傲。在 1941 年纳粹兵临莫斯科城下时，斯大林在红场上检阅红军，那是一个历史性的时刻，全体苏联红军扛着枪，唱着歌，穿过广场，直接上战场。在讲话中，斯大林说我们俄罗斯民族，我们这个伟大的民族，拥有柴可夫斯基，拥有托尔斯泰，拥有这些伟大的人，我们不会灭亡，我们一定会战胜纳粹。可见柴可夫斯基在苏联或者整个俄国人民心中的地位是至高无上的。柴可夫斯基是俄国最重要的精神象征之一，如果去俄罗斯到处都会看到柴可夫斯基的雕像。

2月21日

《晓松说——历史上的今天》来到了2月21日。1972年的今天，美国总统尼克松正式访华，这对中国、美国的历史甚至二十世纪的世界历史都产生了重大影响。在1832年的今天，英国探险远征队发现了世界上最大的一个岛——格陵兰岛。1916年的今天，爆发了凡尔登战役——第一次世界大战中最惨烈的一次陆上战役。

| 尼克松访华 |

美国总统尼克松做了两件史无前例的事，一件是他居然敢访问没有建交并且是两国打过惨烈战争的敌对大国——中国。两个国家的意识形态完全不一样，而且当时是在冷战期间，这是史无前例的。还有一个史无前例的事就是，他被弹劾下台，成为美国历史上第一个没有做完任期就被弹劾下台的总统。

1972年，中美两国完全处于隔绝状态，甚至连通信都没有，那么多年一直剑拔弩张。我们从小就“美帝”“美帝”地叫着，美国那个时候也曾多次宣布共产党是非法的。这么敌对的情况下，美国总统到要到中国来访问，说明这个总统很有开创意识，很有不走寻常路的气势。1974 年，尼克松被弹劾也是因为他自己在竞选的时候不走寻常路，不好好竞选，窃听对手，导致违反了全美国最根本、最基础的自由，结果被弹劾。

尼克松来中国，其实什么都有可能发生。尼克松访华在二十世纪的外交史上、国际政治史上，都是最重要的事情。尼克松访华使中美突然开始走近，共同对抗苏联。当时以苏联为首的华沙条约组织国家，强大的军力威胁着全世界，同时也威胁着中国和美国。1969 年我们还在珍宝岛跟苏联干了一仗。“没有永远的朋友，只有永远的利益”，中美对骂那么多年，但最后有一个共同的利益——联合对付最强大的苏联。

尼克松访华期间发生了很多有意思的事情，《阿甘正传》中阿甘就参与了乒乓外交。我来讲两件有意思的小事，第一件，尼克松的国务卿是美国历届国务卿里相当有见识的一位——中国人民的老朋友基辛格。他是犹太人，英文说得很不像美国人，有口音，但是犹太人的智慧在他身上充分地展现了出来。他先是秘密访华，然后才促成了尼克松总统访华，他在自己的日记里写道：我是世界历史上第一个踏上中国领土的美国外交官。基辛格的确是历史上的第一位。全世界也只有美国人是一个大事小事都爱开玩笑的民族，于是紧接着就有一位美国外交官说：你不是第一个，因为在飞机上我坐在你前面，所以飞机进入中国领空的时候是我先进入中国的，你在我后边，所以我才是第一个到中国的美国外交官。

再说一件小事情，当时尼克松总统来访华的时候，带着美国的中国问题专家，也是美国中国问题的权威——费正清。费正清的太太费慰梅是林徽因的闺密，费正清跟梁思成、林徽因两位也是挚交。他们两位曾在中国陪伴梁思成、林徽因去考察古建筑。抗战期间最危急的时刻，林徽因和梁思成在李庄的生活非常艰苦，费正清夫妇还专门参加美国的外交工作来到重庆，寄了一百美元帮助林徽因和梁思成，他们看着林梁两位的孩子长大，是最铁最铁的朋友。到尼克松访华的时候，双方已经有二十多年无法联系到对方，他们不知道林徽因已经在 1955 年去世了，也不知道一个月前，梁思成先生也去世了。所以费正清夫妇跟着尼克松总统来到中国后，第一件事就是急切寻找他们最好的朋友林徽因和梁思成。得知两位已经去世了，费正清夫妇就非常想见他们的女儿，叫梁再冰。当时周总理亲自派人找到了梁再冰，然后把梁再冰请来，由周总理作陪，和费正清夫妇吃了顿饭。这顿饭吃得比较伤心。当时中美还是敌对国家，在那种严酷的政治环境下，就是跟一美国的普通人说句话、通一封信都有可能被说成叛徒，更不要说跟美国重要的外交人员说话了。在周总理作陪的情况下，梁再冰和费正清夫妇一句话都没有说，他们两位作为林徽因、梁思成最好的朋友，非常非常伤心。这件小事可以折射出当时的历史是什么样的，可以看出当时中美是一种什么样的冰冷关系。

| 凡尔登战役开始 |

凡尔登战役是一战中最残酷、规模最大的一次陆上战役。凡尔登战役是著名的绞肉机，把德法两国百万大军都陷在里面，双方伤亡惨重。

凡尔登战役可以说是法国之殇，对法国来说那段历史简直不堪回首，有关当时双方的炮火之猛烈，可以看一下大导演斯皮尔伯格的一部电影叫《战马》。其中有一个场景大家一定记忆犹新，就是主人公在去救那匹马的时候，要穿过双方阵线之间的封锁线。镜头里每一寸土地都是炮弹坑，没有一寸土地是结实的。当时冲锋的时候非常惨，就是因为双方已经有强大的战线工事，有铁丝网、有地雷、有炮弹坑积水等等，冲锋号一响，战士们一出战壕全部陷在泥里，面对大炮、机枪、毒气，人就完全暴露在那儿。凡尔登战役的伤亡之惨重是世界历史上罕见的，二战的时候也没有这么大的伤亡，能在中间地带泥潭里打死五六万人，这样的伤亡是非常非常惨烈的。

军事上“矛”（攻）和“盾”（防）老不能成对出现。有时候“矛”很尖锐而“盾”没有，比如说飞机来的时候，由于没有防空导弹，飞机就驰骋天空，高射炮其实起不了多大作用。但一战是一个“盾”突然超过“矛”很多很多的大战。一战时期已经有了大口径的远程大炮，陆军密集的炮火非常猛烈，而且从日俄战争就已经开始有了机枪，然后使用铁丝网这种东西，还大量使用地雷。对付所有这一切最锐利的“矛”的就是坦克，它是在凡尔登战役打响七个月后才在索姆河战役中首次出现的。当时步兵手里没有冲锋枪，冲锋枪也是一支小小的“矛”，是近距离战进攻一方的最重要法宝。德军二战的时候的闪电战最重要的就是靠坦克和速射的冲锋枪。但是一战的时候，进攻一方依然拿着一次打一发的单发步枪，上面只有长长的刺刀。所以凡尔登战役时防守一方有极大优势，双方爆发这种消耗战时，所有的人只能投入“绞肉机”，一进攻就得在泥潭里爬，五百米的间距几万人得爬三小时，都在炮弹坑里浑身裹着泥浆，而且伤员全都陷在泥潭里背不回来。很多电影，包括布拉德·皮特成名作《燃情岁月》里面就讲到他们家的三弟在一战中间参加冲锋时，被铁丝网钩住无法脱身，最后没办法过铁丝网，就挂在上面，被机枪打死，非常惨烈。

当时双方都以爱国主义为旗号，法国提出的口号也很壮烈，就是“法军不能让他们从这里过去”。凡尔登战役是一战期间伤亡最大的一场战役，双方伤亡人数高达百万，非常惨烈。战争结束之后，德国、法国、英国，满街都是瘸子，实在是令人伤痛。所以人类还是应该以善良为本，和平比什么都重要。

|《共产党宣言》发表|

1848 年的今天，马克思主义创始人马克思和恩格斯，在伦敦发表了著名的《共产党宣言》。对人类、对我们国家、对很多很多国家，都造成了深远影响。

|英国探险远征队发现了格陵兰岛|

1832 年的今天，英国的探险远征队发现了格陵兰岛。格陵兰岛是地球上最大的岛屿，如果再大就不叫岛了，叫大陆。澳大利亚就比格陵兰岛大一点，就是大陆。

格陵兰岛的英文名字叫 Greenland，我们音译叫“格陵兰岛”，而字面意思是“绿地”“绿野”。格陵兰岛对面的一个小岛叫冰岛 Iceland，我觉得这两个名字正好弄反了。其实冰岛上没什么冰，是一片美好的绿野。而格陵兰岛什么绿的也没有，全是冰，冰的厚度甚至于超过纽约帝国大厦的高度。

格陵兰岛属于丹麦，丹麦自己的国家非常小，但是加上格陵兰岛，就成为欧洲面积最大的一个国家了。丹麦拥有了格陵兰岛很多很多年，但其实也没什么用，岛上只有因纽特人（旧称爱斯基摩人）。

2月22日

《晓松说——历史上的今天》来到了 2 月 22 日。1799 年的今天，巨贪和珅被嘉庆帝赐死于狱中。1942 年的今天，著名的奥地利作家茨威格逝世。1819 年的今天，美国从西班牙手中买下了美丽的佛罗里达州。

| 和珅被赐死 |

1799 年乾隆去世后，嘉庆帝立即就把大贪官和珅揪了出来，抄了他全家。和珅这个人大家太熟悉了，在各种各样的热播电视剧里频频出现。世界有史以来的富豪前十名中有两位中国巨贪，一位是明朝的刘瑾，一位就是清朝的和珅。最后从和珅家中抄出多少家产呢？有各种各样的说法，比较可信的史料记载就是从他家里搜出了两亿两千万两白银。这是个什么概念？甲午战争失败以后，我们赔给日本两亿三千万两白银，相当于日本数十年的政府收入，相当于当时清政府整整三年的全部财政收入。赔款时，国库都拿不出来那么多钱，是清政府向英、法、德、俄等国借了巨额贷款后才有钱赔给日本的。但是这笔钱从和珅一个人家里拿出来差不多就够了。所以说，和珅家里的钱都超过了清朝国库。据说光是从他家里搜出的黄金，就多达七八百万两。蒋介石当时离开中国大陆逃往台湾的时候，把中央银行的各种黄金储备全都运走了，加在一起也没和珅家里头的多。

但是，和珅贪了这么多钱，国家税收还没他贪的多，乾隆居然不知道？我不相信。有各种传说解释和珅为何如此得宠，传说和珅是乾隆的一个孩子，还有人说和珅长得很像乾隆情窦初开时恋上的一位妃子。总而言之，乾隆喜欢和珅，已经到了没道理的地步。还有一种说法我个人觉得稍微靠点谱，说和珅是乾隆留给嘉庆的遗产，乾隆想当好皇帝，所以不能自己去横征暴敛，如果乾隆自己去民间弄两亿两银子，那人民该骂他昏君了。所以他纵容和珅去敛，等和珅敛完了，再由自己的儿子收拾他。这样自己的儿子既做了英明的君主，人民的钱最后又都变形地进了嘉庆兜里。当然，是不是这样，咱们也无从得知。到最后嘉庆已经做了皇帝，要去见乾隆太上皇，还得通过和珅允许，可见和珅是多么厉害！

刘瑾虽然也是富豪，但他是太监不是高官，所以中国有史以来最大的贪官还是和珅。在 1799 年的这一天，和珅被赐死了。

| 茨威格去世 |

1942 年的这一天，奥地利著名的作家茨威格去世。茨威格代表作之一是《一个陌生女人的来信》，这部小说的中文翻译得相当好。我少年时代读这个，咬着被角，哭得泪流满面。我从小就怜香惜玉，最看不得的一种小说就是像《海的女儿》《茶花女》《一个陌生女人的来信》这类讲述女人为了爱情牺牲、飞蛾扑火的小说，我每次看都受不了，非常难受。像男人怎么牺牲、怎么壮烈这种小说，我看了最多热血沸腾一下。

茨威格还有一本著名的书《人类群星闪耀时》，就是讲他从一个文艺青年的角度看历史上很多重大的时刻，包括一些战争的时刻，包括一些重大发明产生的时刻，那个瞬间人类突然间会闪光一下，因为那某个时刻的绽放，改变了人类历史的很多进程。这是很有意思的一本书，建议大家去阅读一下，但是这本书翻译得远远没有《一个陌生女人的来信》好。

| 美国买下佛罗里达州 |

1819年的今天，美国从西班牙手中买下了佛罗里达州。美国用了各种各样的方法，打仗也好，买的也好，反正最后扩张成了那么大的一个国家。美国有好几个州都是买来的，从法国手里买来路易斯安那州，从西班牙手里买来佛罗里达州，还从俄国手里买了阿拉斯加州。

以我个人在美国生活的感觉，我觉得佛罗里达州买得最值，价钱是阿拉斯加的两倍，但阿拉斯加只有一点油和气，到现在那么大的州也只有几万人。路易斯安那州要好一些，曾经是法国的地方，所以给美国保留了一块欧式风格的地方，新奥尔良的景色很不同于东岸跟西岸的风光，那里诞生了爵士乐，还有美国美食之一的Crawfish小龙虾。但阿拉斯加州和路易斯安那州的这些加一起，也比不上佛罗里达的美丽与富饶。

佛罗里达是美国最美好的州之一，我去过很多次。佛罗里达州南部的迈阿密非常非常浪漫，海滩上有无数西班牙裔美女。美国的西班牙裔人口主要就在美国西岸和佛罗里达州。但这两种西裔人还长得不太一样，西岸的西班牙裔人口主要是从墨西哥来的，所以长得不够好看；佛罗里达州的西班牙裔人口，是从古巴、加勒比这边来的，长得非常漂亮。

佛罗里达州有一长串美丽的岛屿，从迈阿密再往南，叫作Key West（基维斯特）。我第一次到这个群岛的时候，极惊诧于美国之富强，因为它用了四十多个跨海大桥，各种各样的样式，把这四十多个岛给连了起来。这四十多个大桥不像我们的跨海大桥，比如从上海到宁波，都是经济最发达的地区，用跨海大桥连接起来，而那四十多个岛上纯属旅游度假区。跨海大桥一直连到最南端的一个岛基维斯特，就是海明威生活的地方，到那儿还可以看到酒吧、餐厅，上面有个牌子写着“美国大陆最南端”。美国国土最南端是夏威夷州，这里是美国大陆的最南端，一号公路终点站距离古巴仅八十英里。基维斯特的景色非常美丽，大家有机会去看一看。

佛罗里达州还有一个重要的游玩城市奥兰多。奥兰多把各种各样的主题公园全集中在一起，既有大型的迪士尼乐园，又有相当别致的 Six Flags（六面旗过山车主题公园），全是各式各样的过山车。圣迭戈哥的海洋公园（Sea World），在奥兰多也有一个。

佛罗里达州的车还有一个小特点，我一到佛罗里达的时候，发现怎么这儿车子都没牌子啊？后来一看都在后面，那个州规定只挂一个牌子就可以了，所以车头上都没牌子。挺有意思，连警察都看不见。加州实际上在二十多年前，也可以只挂一个车牌子，但是后来由于加州发生了各种各样的事，所以就强烈要求挂两个车牌子。

总而言之，佛罗里达州是美国最美丽的州之一，如果开车顺着 95 号公路沿着海岸一直往前开，你会看到非常美丽的景色。美国最大的邮轮公司也都在迈阿密，乘坐邮轮可以去看加勒比海的各种明珠一样的海岛，美国人都爱去潜水。每一次美国大选的时候，佛罗里达州都会被单独弄出来，它是美国最大的摇摆州，经常对竞选结果起决定性作用，这个州很有意思，值得一看。

2月23日

《晓松说——历史上的今天》来到了2月23日。1988年的这一天，中国电影《红高粱》获得了柏林电影节金熊奖，创造了历史。1455年的这一天，欧洲人说他们发明了活字印刷。1951年的这一天，南开大学校长张伯苓先生逝世。1945年，爆发了二战太平洋战场上最惨烈的一场战役——硫黄岛战役，美军攻到了山顶并拍下了著名的升国旗的照片。

|《红高粱》获金熊奖|

1988年的这一天，中国电影《红高粱》获得了柏林电影节金熊奖。那一天我记得很清楚，那时候我家订《人民日报》，《人民日报》上登了很大一篇报道叫《青年导演张艺谋荣膺柏林电影节金熊奖》，我当时看到后很激动。张艺谋导演青年时代经历了各种运动、各种磨炼，最终考进了北京电影学院著名的七八级。七八级不光是在电影学院，在各个大学都是最牛的一届，因为当时是前后十届考生一起参加高考，所以一个班的同学能差十多岁。

张艺谋导演、陈凯歌导演等等，都是二十七八岁才进到电影学院读书，但是正因此而成就了“第五代导演”。因为导演不像摄影、美术、灯光这些，不光是个技术活，导演最重要的是了解人，了解人生，了解人世。十八岁的学生考到导演这一行业，毕业以后才二十二岁，出来就当导演，他其实连爱情都没看明白，更别说看清人。当时二十七八岁的这一批人，经历过生活磨炼，见过人世间的种种悲欢离合，最后造就了中国的第五代导演。首先是陈凯歌导演的《黄土地》一举成名，但是陈凯歌导演当时并没有得到世界三大国际电影节的大奖。三大国际电影节是指戛纳电影节、柏林电影节、威尼斯电影节，奥斯卡不包括在内，它是美国国内电影节。到今天，三大电影节略微拉开了距离，戛纳一枝独秀，柏林电影节后来慢慢转向政治化，已经差了很多。威尼斯电影节由于坚持给一些没有票房的电影奖项，所以跟前两个慢慢地拉开了距离。但在当时，柏林电影节和威尼斯电影节还是和戛纳齐名的电影节。这次是张艺谋开天辟地第一次获得了世界大奖，大家都非常欢欣鼓舞。

据说张艺谋导演获奖时，还有一个关于陈凯歌导演的传闻。我非常尊敬陈凯歌导演，陈凯歌导演还是我北京四中的大师兄，所以凯歌导演看到下面这段不要生气。当时凯歌导演成名作《黄土地》的摄影师是张艺谋，凯歌导演看到张艺谋获奖的报纸，据传闻说他当时正在上厕所，然后很长时间没有出来，因为心里百感交集，自己的摄影师导演的作品都得了柏林金熊奖。凯歌导演奋发图强，后来拍出了中国电影史上最优秀的电影之一《霸王别姬》，得了比柏林电影节更高一级的戛纳电影节的金棕榈奖，也是中国电影这么多年来唯一的一个金棕榈奖。

《红高粱》是一部划时代的电影，今天来看依然很激动。我们的电影一直都是现实主义电影，在中国有现实主义传统，我们的艺术教育从艺术概论开始就叫社会主义现实主义艺术教育。而《红高粱》荡气回肠，第五代导演第一次冲破了现实主义的藩篱。还有一个要提的人，《红高粱》的原作者、编剧是莫言老师，那时候因为《红高粱》也是一炮成名，在很多年以后，莫言老师终于荣膺诺贝尔文学奖，按说在国际上的地位应该高于这三大电影节。莫言老师得奖的时候，张艺谋导演还发去了贺电，祝贺老搭档、老朋友得奖。那个动荡年代，确实诞生了张艺谋、陈凯歌、田壮壮等一大批优秀的导演，还有莫言、苏童、余华、王朔等优秀的作家，是文艺的黄金年代，《红高粱》应该算是黄金年代里面最闪光的电影之一。这部电影还成就了姜文、巩俐，成就了著名的摄影师顾长卫。一部好电影、一个好时代，能成就一大片人。这一天，值得纪念。

｜张伯苓去世｜

1951 年这一天，南开大学的校长张伯苓先生去世。民国时代对我们国家文化最大的贡献就是当时创立了那些大学。那些大学一直到今天，依然是这个国家的脊梁、民族的心灵，包括南开大学在内。南开大学在张伯苓校长手里发展成一流的大学。当时南开大学是私立大学，不像北大是国立大学，清华是由美国人退还的部分庚子赔款建立的留美预备学堂。私立大学办得这么好，成为与清华、北大齐名的中国最好的大学，确实了不起。抗战期间著名的西南联大创造了无数传奇，西南联大其实就是清华、北大、南开一起联合成立的。

南开不光有大学，还有中学，周恩来总理就毕业于南开中学。到今天，天津的文化标志首先是两所大学——天津大学和南开大学。两所大学实际上是在一个校园里，从天津大学进大门，走着走着就可以走到南开。这两所优秀的大学是天津的骄傲，也是民国时代的最好的大学，感谢张伯苓校长。

｜首次活字印刷《圣经》｜

1455 年德国发明家约翰内斯·古腾堡制成了第一台活字印刷机，印刷了第一部《圣经》。我们一直说印刷术是我们发明的，当时已经是 1455 年了，活字印刷术到底是他发明的，还是从我们这儿传过去的？不管怎么样，这是人类巨大的进步。

文艺复兴当然有很多很多原因，但我个人觉得，是印刷术直接导致了欧洲的文艺复兴。人类的文化和科技永远分不开，有的时候文化向前进，科技跟着走。但大部分时候是科技在推动，然后文化在解释。在没有活字印刷术前，欧洲只有贵族、宗教教士们才看得起书。那时候用的是羊皮纸，那得多少只羊才能弄出够一本书的羊皮纸。书又不能印刷，还得去抄，所以那个时候人们的识字率极低，民间普遍民智未开。这才导致了各种各样的封建落后的东西，人们长期处在黑暗时期，实际上那个黑暗时期就是愚民时期，宗教说什么就是什么。

印刷术一下子突破了这个禁忌，书可以流传到民间，民间大量的年轻人开始读书，于是诞生了大量的新兴知识分子。这些知识分子不是守旧的贵族，也不是宗教的传教士，他们开始思考、开始学习、开始交流，他们开始不服气、开始奋斗，这才导致了伟大的文艺复兴的到来，文艺复兴把欧洲从黑暗时代带到光明，开始向前进。所以印刷术不管是我们传过去的，还是他们自己发明的，都是推动人类前进的重要的里程碑。

| 美军士兵在硫黄岛竖起国旗 |

1945 年的今天，美军随军记者拍下《美军士兵在硫黄岛竖起国旗》这张照片。大家去华盛顿的时候能看到这个雕塑，就是这个姿势。硫黄岛战役是二战中整个太平洋战场上最惨烈的一场战役。瓜岛战役当然也很惨烈，美军打了半年，歼敌两万四千，但自身伤亡只有五千多。而在硫黄岛战役中，美军打了六周歼敌两万，却付出了两万五千人伤亡的惨重代价，才占领了这个弹丸小岛，其惨烈程度可想而知。

硫黄岛是一座火山岛，日军的守军也就两万多人，美军当时是大军进攻，整个战列舰队、巡洋舰队、航空母舰一直停在外海，铺天盖地地轰炸。航空母舰轰炸，战列舰 406 毫米的大炮不停地向所有的山头、所有的岩洞、所有的工事轰击，每颗炮弹一吨多重，然后美国已经身经百战的最精锐的海军陆战队登陆，打了很长很长时间。实际上，2 月 23 日这一天，并不是硫黄岛战役取得胜利的那天，而是硫黄岛战役中美国海军攻打硫黄岛的最高峰——折钵山的那天，攻到山顶之后，美军竖起一面国旗，这时正好被一个叫罗森塔尔的记者看到了，于是就拍了这张照片。照片拍了以后，这个记者觉得国旗好像不够大，士兵的姿势也不够优美，于是就找了一面更大的国旗，然后又重新让这几个士兵做了一遍，重新拍了一张照片。所以大家现在看到的这张照片，不是最开始的那张。

这张照片紧接着就登到了美国的报纸上，极大地振奋了军心和民心。所以这张照片非常重要，是美国海军陆战队的荣誉所在，现在也成为立在美国首都华盛顿的最重要的雕塑之一。当然，硫黄岛战役到此还远远没有结束，而且后面非常惨烈，照片上出现的士兵，有半数在插完国旗之后，在接下来的战斗中都牺牲了。最后，两万日军几乎全部阵亡，美军的伤亡加起来也有两万五千人。

硫黄岛战役是二战太平洋战场上最惨烈的战役，但是从此美国取得了对日本轰炸的最重要的前沿阵地。所以硫黄岛战役在二战太平洋战场上乃至人类战争史上都是一场载入史册的战役。

Today

今日

in History

2月24日

《晓松说——历史上的今天》来到了 2 月 24 日，今天是正月十五，元宵节快乐！今天咱们重点讲元宵节。接下来就是 1962 年的今天，著名的大学者胡适去世。

| 元宵节 |

元宵节北方吃元宵，南方吃汤圆，北方人想不到南方汤圆还有肉馅的，但是北方的元宵确实没有南方的汤圆好吃。北方有个歇后语，叫“汤圆没馅——整个一个白丸（玩）儿”，因为汤圆没馅就是一白丸子，就是你干一件事干了半天，全白干了，就是一白玩儿。

元宵节，在中国古代实际上是一年中最最盛大的节日。因为这一天主要就是大家出来玩，除夕大家都要在家和家里人团圆。就像在美国，圣诞节真没什么热闹可看，因为大家都在家里团聚。而到了 12 月 31 日西方人的除夕这一天美国就很热闹，因为大家都要出来玩，中国的元宵节就相当这一天，所以最热闹。在古代，元宵节这天相当于过节加上春晚，所有的小品、戏曲、相声、唱歌、跳舞、花车游行、看灯、猜谜等等全出来了，是一年一度最盛大的节日，人们全都上街看热闹。

而且元宵节是中国古代的情人节。古代女人平时就在家待着，大家闺秀学学刺绣，小家碧玉就织织布，反正都不能出门，即使出门也不能被男人看见。而元宵节是最百无禁忌的一天，大家全都可以出门了，小姐、太太、大姑娘、老妈子，全都到街上，然后在一起嘻嘻哈哈，穿的是一年最好的衣服，浓妆艳抹，所以古代的小说、戏曲里大量的男男女女相遇，就是在元宵节这天。我估计元宵节当时的情景是所有女的都在看花灯花车、猜灯谜，所有男的都在看女的，因为一年中从来都没见过这么多女的。

有很多诗词、小说中都记载元宵节，比如《西厢记》，比如“蓦然回首，那人却在灯火阑珊处”。金庸的《倚天屠龙记》里，有一个重要的转折点，写的就是元宵节。之前张无忌、赵敏、周芷若、谢逊一块困在冰火岛上，结果倚天剑、屠龙刀不见了，张无忌就坚持认为是赵敏干的。于是赵敏就在元宵节的时候做了几辆花车，她知道张无忌这天一定会出现，因为元宵节所有人都会上街，于是就把周芷若在岛上偷了倚天剑、斩了屠龙刀，然后要弄死谢逊的事情都在花车上演成戏文，张无忌正好出来看到这些花车，到后来终于明白事实原来是这样的。那时候没电话，所以当时你要找一个人，你只要在元宵节出来，这人肯定能找着。

个人猜测，元宵节应该跟月亮有关系，因为古代确实很需要自然照明，元宵节和除夕隔了正好半个月，除夕的时候没月亮，黑咕隆咚，到了元宵节十五这天是满月。中国人对满月始终怀有最美好的情感，满月寓意着团圆。这跟外国人正相反，西方人觉得月亮只要一圆了就会出各种怪事。

在中国古代，元宵节同时也意味着“盛极”，就是最盛大的一天。中国有句古话叫盛极而衰，《红楼梦》中是拿元宵节当一个非常大的隐喻。《红楼梦》里关于元宵节的描述很多，第一回上来就讲元宵节，里面有一句话，叫“好防佳节元宵后，便是烟消火灭时”，所有的烟花、灯火把元宵节那晚照得如同白昼，就叫“盛极”，而元宵佳节后，烟消火灭，就一下子衰败了。贾府里最盛大、最美好的一天，就是元宵节元妃省亲的这天，整个贾府张灯结彩，贾母儿孙满堂非常幸福，大家猜灯谜、联诗作句等等。而到了第二年元宵节，《红楼梦》差不多就到结尾了，摆了宴但是没人来，大家都有各种各样的原因，有人说恨王熙凤，有人说家里没人看家，有人说我们家没钱，不想来丢人，等等。总而言之，第二年元宵节贾府很冷清，那寓意很明显，就是说这个贾府衰败了。实际生活中，曹雪芹他们家就是元宵节后被抄的，也是盛极而衰。他真正是大家出身，然后家道中落，不是一般的败落，而是抄了他的家，一切都没有了，所以曹雪芹对此是感受至深，对元宵节描写得极为细致。

历史上还有一个朝代盛极而衰，就是隋炀帝在长安大宴全世界各国的人民。我看过各式各样的记载，有的写整个长安的树都用丝绸裹上，有的写长安的树都用米粥涂上，显得我们富得简直不得了。我个人判断有可能是先涂了米粥，外头又裹了丝绸，因为长安挺冷的，直接裹丝绸风一吹就没了，所以先涂米粥。不管是涂米粥还是裹丝绸，总而言之，整个长安是一派繁华景象，大宴所有番邦。乐队动用一万八千人，可见中国那个时候音乐还是很繁荣的，形成了历史上记载最盛大的一次元宵节。各国都回去写说，中国太厉害了，吃顿饭都那么豪华。而隋朝紧接着就盛极而衰走向灭亡。

现在元宵节联诗的已经很少了，当年我们小时候过元宵节的时候，要联长诗，这是我童年很美好的回忆。每到这个时候我就是家里最受欢迎的那个，每次联诗到我这儿，我都能想出很有意思的，而每次一到我爸那儿，就说出一句极不靠谱的。古代时候的大家庭，一到元宵节，就会来很多人，联诗作句猜灯谜，无比热闹。现在好像不但联诗作句没有了，猜灯谜的也少了。由于大家都很忙，连段子的产量都低了，饭桌上聚会，大家在谈房价和股票，唏嘘不已。但是无论如何这节还是要过的，祝大家元宵节快乐。

| 胡适去世 |

1962 年的这一天，胡适先生去世了。如果抛开所有的政治观点，我个人认为，胡适先生是民国时代知识分子的旗帜。

胡适可以说是少年有为，二十六岁从美国留学归来，哈佛博士，做了北大教授，这种伟大的教授在今天已经很少了，二十几岁做教授是极为难得的。他是公认的新文化运动的旗帜。当然，胡适先生因为名声太大，也经历过一些波折。胡适先生当时心系中国的变革，所以在美国还没来得及拿到博士的证书就回国了。那时候他已经名声很盛，所以想拿个博士证书其实很容易。而且我觉得，理工科的学位、资历都很重要，但文科的学位就没那么重要，我最喜欢的两位现代作家，王朔跟王小波，也都没有重要的学位。

胡适先生年少成名，而且成的不是一般的名，是成为民国时期的旗手、大名士。所以，胡适先生一生，始终是民国知识分子的代表，江湖语言叫他“大哥”，大批知识分子都是以他为核心。如果稍微细分一点，应该说胡适先生是民国海归知识分子的老大。胡适当时实际上是以北平为中心的一大群海归知识分子的代表。当时北平各大学院的大教授，几乎全是海归，很少有土鳖知识分子，因为当时我们最重要的任务就是现代化。当时从欧美回来的那些学者在北平还成立了一个欧美同学会，刚成立的时候，只能是留学欧美的人参加，留苏、留日的人不行。这个同学会到现在还有，不过到现在已经极度扩张，留学各地的都可以加入。

做“大哥”有两点要求：一是得有学问，二是得有气节。所以做大哥的人不光是要有学问，光武功高不能当大哥，像吕布武功高，但是吕布当不了大哥，因为他的气节不够。胡适的学问就不用说了，而他更有气节，一生始终保持着一个自由知识分子的态度，没有中途摇摆过。在那个年代做到这一点是非常难得的。因为那个年代思想极为动荡，一战二战期间，在全世界都是一个大师辈出、思想家辈出的时代，产生了各种各样的主义、思潮。在那个思想动荡的年代，大家刚刚把儒家思想抛弃，人们非常容易动摇，非常容易混乱，非常容易一会儿激进、一会儿消极。但胡适先生始终没有变过，一直都是一个自由知识分子，从来没有因为党派利益或者因为别的原因动摇过。所以胡适先生才能当“大哥”，在各种各样的情况下，有人思想激进，有人思想保守，但最后都能团结在胡适先生身边。

胡适先生的学问、人品、气节以及坚定的信仰都是非常优秀的品质，再加上还有一条，就是因为他老婆太厉害了，生活上也没敢胡来。胡适先生的夫人叫江冬秀，二十岁就订婚了，那个年代很多知识分子都在家乡娶了一个没有文化的人，鲁迅先生也是，胡适先生当然也是。但胡适先生和鲁迅先生不一样，他和江冬秀一生不离不弃，但始终都被江冬秀管得很厉害。江冬秀裹着小脚，一个字也不识，而且还非常厉害。胡适在外面非常西化，自由主义思想澎湃，在家是他对老婆“三从四德”。包括后来在美国颠沛流离，过着每天坐公共汽车的清苦生活，依然跟才貌不双全的江冬秀女士厮守。胡适先生综合了这些品质，所以自始至终是民国知识分子的“大哥”。

有一件事对胡适的影响很大，当时蒋介石很希望搞一下民主选举，当然也不是真民主，其实蒋本人非常喜欢军事独裁，他认为只有这样才能改造国家。但蒋当然要走走形式，尤其是后来跟美国那么好，总得要有个候选人一块选。所以蒋就想谁既有威望，但又肯定选不上，最后想来想去想到了胡适。因为胡适没权、没兵，只是一文人。胡适还以为民主真的来了，就去参加竞选。最后，蒋撕下了伪善的尊重知识分子的面具，从此胡适对蒋介石、国民党非常失望。

在抗战最艰苦的时候，中华民族最危亡的时候，胡适临危受命，担任了驻美大使。胡适先生在美国有很高的声望，他在美国发表精彩演讲，对争取美国对中国抗日的支持起到了巨大的作用。胡适先生还做过北大校长，虽然有了这么多功劳，但是最后面对这样的政府，他毕竟还只是个知识分子。

胡适先生最后从美国回到台湾，去接受“中央研究院”院长的职位，受到当时在台湾的知识分子的热烈欢迎，后来胡适先生在台湾去世。胡适先生的一生是一个知识分子完美的、了无遗憾的一生。胡适先生年轻的时候风流倜傥，成年以后铁骨铮铮，有信仰、有追求，是一代知识分子的旗手，这个地位、成就到今天也无人能及。

最后讲一件很有意思的事儿，当时国文考试有一个对联，就三个字，下联叫作“孙行者”，让大家对上联，当时这个题的标准答案就是“胡适之”。这是个非常漂亮的对联，这个本来是个绝对，只能对“胡适之”，但是没想到很多聪明的学生还对出了“祖冲之”，很有意思。当时老师也傻了，最后经过讨论，这两个都算对。这个对联进入了考卷里面，说明胡适先生的地位是非常崇高的。我的作品也在大学里面出现了，当然跟胡适前辈是完全不能比的，这都是知识分子的小小的荣誉感。

2月25日

《晓松说——历史上的今天》来到了 2 月 25 日。1942 年的今天，中国远征军第一次进入缅甸作战。1850 年，倒霉的道光皇帝驾崩。1715 年的今天，蒲松龄去世。1835 年，美国人柯尔特发明了左轮手枪。

| 中国远征军进入缅甸 |

现在大家提到远征军，首先想到的就是“光荣的远征军”，其实那是后来全副美式装备的新一军等部队的辉煌战绩。现在要讲的是远征军第一次进入缅甸，那个时候还没有这些先进的装备。中国军队入缅主要是基于这样的情况：当时我们的整个东南沿海都被日军占领了，中国整个对外联络线只剩中越公路以及滇缅公路这两条生命线。越南那边都是法国殖民地，由于维希傀儡政府被日本操控，中越公路封闭，停止向中国运输各种物资，所以中国就只剩下滇缅公路这一条生命线。紧接着就是 1941 年日本偷袭珍珠港，日本已经准备了很久，所以那边珍珠港海军一开战，日本陆军立即向东南亚突击，占领了香港以及整个东南亚，包括马来西亚、菲律宾、印尼等等。那个时候盟军的战斗力也很差，因为当时美国除了在菲律宾有军队，在其他地方都被打得乱七八糟。英国仅有的军队，也都在英国本土准备对抗德国。所以，整个东南亚的盟军可以说都是些老弱病残，没有什么战斗力，所以英军就非常希望中国出兵来帮助盟军。

中国当然也是为了保持滇缅公路畅通，于是就出兵了。虽然当时跟最开始淞沪战役时候的德械装备的军队不能比，但是那时候也是中国军队能出动的最精锐的部队了。三个军十万大军，进入缅甸以后才发现，原来说好的是跟英军联合作战，但是英军却撤了，中国军队被英军利用，变成给英军掩护撤退了。我们进入缅甸有保护滇缅公路的任务，所以远征军还是奋勇作战。当时的指挥也是一团混乱，因为当时有英军的司令亚历山大，还有中缅印战区的参谋长史迪威将军。他是个美国将领，又受命指挥远征军；而远征军的中国将领们又得到蒋介石的密令，就是只能听蒋的，不能听英美的。虽然这时候是盟军，但实际上蒋介石一直以私人军队的方式来把控军队，不愿意交出军队给别人来指挥。中国军队的指挥官都是蒋的中央部队的嫡系将领，只听蒋一个人的，所以在前线，中国将领跟美国将领发生了很多冲突，然后英国还在那儿捣乱，亚历山大还不停地发出各种命令，中、美、英三头指挥，混乱至极。

但是就是在这么混乱的情况下，也打出了几场漂亮仗。当时的远征军号称甲午战争之后，中国军队第一次出国打仗，是真正大规模的出境去打，士兵都很振奋。而且出境作战的都是中国最精锐的部队，虽然在极为被动的情况下，仍然是士气高昂。当时日军是势如破竹，但在进入缅甸的时候还是被我们的远征军阻击了几下。

当时有两个著名的战役，一个是全军第一主力师二〇〇师大量杀伤日军，也把英军震慑了。二〇〇师这个编号大家看着就比较奇怪，其实不是第二百个师，没有那么多师，是由于它的装备训练各方面都很特殊，所以给了一个特殊番号。二〇〇师当时大量杀伤日军，吓了日军一跳。英军看了也傻眼了，之前他还以为大家都不敢跟日军打。另一个著名的战役就是孙立人将军的成名战，叫仁安羌之战，孙立人是清华大学毕业的，又到美国弗吉尼亚军事学院留学，是个留美海归。当时英军被围在那儿了，然后不停地呼救。孙立人当时就带了一个团，亲自持冲锋枪率队冲锋，率领军队打散了日军，救出了被围困的英军，这一战震动了中美英。当然了，美国后来又给孙立人将军颁发勋章，一方面是由于孙立人将军能打仗，另一方面也是因为孙立人将军曾经留美。除了这两个战役，其他的战役规模都不大。

到最后，远征军的结局其实很惨，英国军队跑到印度去了，我军又被日军切断了后路，处在一团混战中间。在混战中，不同出身的将领，最后做了不同的选择。中央军出身于黄埔，其中有蒋的嫡系学生杜聿明，不论付出多大代价，都要服从蒋的命令，因为蒋说回国，所以他无论如何都要率部回国。所以最后杜聿明率领的残余部队是历经千辛万苦，差点儿全军覆没，因为中间不但有日军的各种围追堵截，而且有各种毒蛇猛兽、各种疫病等等，但他们还是非常坚定地要回国。

但是受过西方教育的海归将领中 ，在错综复杂的战局中，没有服从上级的命令的，一位是美国海归孙立人将领，另一位是法国海归廖耀湘将领，他们通过判断当时的形势，最终都到了印度。孙立人将军是先到的印度，当时路过野人山的时候，他就认为这一定是一条死路，所以就没进野人山，跟在英军后面到了印度。廖耀湘当时已经进入了野人山，但是在错综复杂的战斗中，廖耀湘将军认为不应继续回国，所以也转头来到了印度。孙立人将军的新三十八师，跟廖耀湘将军的新二十二师，到了印度后成为后来驻印军的最重要的主力。后来又空运了一个师到印度，然后组成了三个师的驻印军。两位海归将领正是由于自己独立的判断，自主指挥，在错综复杂的局势中，才使整个中国远征军中唯独他们带的两支部队基本完整保持下来。中国军队的第一次远征，几乎是以完全失败告终。 这就是第一次远征军入缅，非常惨痛的教训。

| 道光帝去世 |

道光帝非常倒霉，他之前的皇帝们享尽荣华富贵，康乾盛世，一直到嘉庆还享受了最后的辉煌，但到道光帝这儿就什么都没了。1840 年，中国在世界上第一次挨揍受辱。挨揍还说得过去，因为打仗总有胜有败，没有一个国家常胜，但受辱是很要命的一件事。从道光帝开始，清朝急转直下，开始割地赔款，接受不平等条约。道光帝在1850年去世，从他之后，历任皇帝都是倒霉皇帝，一直到溥仪都是。

道光帝其实是一个很不错的皇帝，非常节俭，自己穿补丁衣服。但皇宫里却不是这个状况，他当时曾经查过一次清宫里买菜的账，结果发现宫外卖几文钱一个的鸡蛋，在宫里记账的时候居然记到三十多两。几文钱和一两银子是什么比值呢？在清朝的时候，一两银子最高是三千多文钱，最低时候也得有一千文。所以几文钱的鸡蛋，变成了三十多两，可见“三公”消费的罪魁祸首并不是皇帝本人，是太监们。虽然道光皇帝自己很节俭，但是大家一听这数字就知道当时的状况，也就明白当时我们为什么受辱、为什么挨打。

| 蒲松龄去世 |

1715年的这一天，蒲松龄逝世。蒲松龄应该算是大家最熟悉的作家之一，最重要的是由于他的各种各样的小说，被后来的大导演拍成了各种各样的电影，《倩女幽魂》《画皮》等等，所以蒲松龄的名字频频出现在各种电影银幕上，他的电影票房都很高，所以可以称他为票房作家蒲松龄。

蒲松龄的书卖得也很好，因为蒲松龄写的这些东西不是文学巨作，都是一些跟别人聊天聊来的小玩意儿。我还记得其中一篇短的大概是说：“某生，偶娶一女，夜，喜扪私处，则男子也。”就这么简单，可是有人物，有事件，有转折，有结尾，非常有意思。说明蒲松龄讲故事的才华极高，到现在中国的电影、电视剧故事都匮乏成什么样了，编故事编不出来，结果翻出了《聊斋》，发现里面就有这么一堆故事，于是就拍了很多电影、电视剧。电影的容量其实就是一个短篇小说，中篇小说拍电影几乎都有点长。所以长篇小说拍电影极其困难，每次看长篇小说拍的电影，比如《达·芬奇密码》《白鹿原》，我都替人着急，一边看一边说，这怎么往里装？蒲松龄这些短小精悍的小故事，在今天是非常适合拍成电影的。我给各位影视同行建议，《太平广记》里也有很多很多有意思的段子、小故事，大家可以尝试一下。

|柯尔特发明左轮手枪|

1835 年，美国人柯尔特发明了左轮手枪，获得了专利，从此所有的牛仔、侠客，都开始迷上了这个漂亮的武器。后来所有的影视剧、所有的小说中的英雄，都拿出把枪来炫耀一把。西部电影里面，黑帽子和白帽子决斗的时候，来一个左轮手枪特写。包括巴顿将军，也是佩一把象牙柄的左轮手枪，其实巴顿将军完全有那种连发手枪。左轮手枪也是连发的，但左轮手枪其实比较落后，因为它没有弹匣，打完了得一颗一颗往上装子弹。当然，后来发明的有六颗子弹已经弄好的，直接往里一插，但是那也比那有弹匣的要差多了。

仅仅是因为它的美感，所以看西部片，大家就觉得拿出这么一把左轮枪的就应该是侠客、军人。到今天，美国警察虽然有标准配枪，但是为了显得自己帅，很多美国警察也弄一把左轮手枪。到枪店里去看，左轮手枪卖得比普通的手枪要贵，其实并不太实用，但大家就是喜欢用。所以左轮手枪不但是武器，而且是一样道具，是进入人类剧场史的漂亮道具。

2月26日

《晓松说——历史上的今天》来到了 2 月 26 日，1871 年的今天，欧洲历史上一场重要的战争——普法战争以法国签订割地赔款的屈辱合约而告终。1968 年的今天，老一代中国人民无比熟悉的八个样板戏正式确定发布。

| 普法战争结束 |

普法战争中国人民比较熟悉，我们的中学课本里，有一篇课文是都德写的《最后一课》。那篇课文讲的是普法战争结束之后，法国割让了阿尔萨斯跟洛林两个省，学校里上的最后一堂法语课。因为马上就要改教德语了，法国教师充满了对祖国的热爱，让学生们一定要坚持学习法语，最后在黑板上写了一句话："法兰西万岁。"这也是绝大多数中国学生第一次学到一句法语。其实我觉得应该写 C'est la vie（这就是生活）。

普法战争很神奇。法国是一个很大的国家，尤其在十九世纪初，法国军队在拿破仑的指挥下，曾经横扫欧洲，当时法军可以说是天下无敌。当时奥匈帝国那么厉害，也被法国打得屁滚尿流。全欧洲多次联合起来跟法国打，然后都被法国横扫。只是法国最后在进攻俄国的时候，败给了俄国的一样秘密武器——“严寒”，希特勒也一样败于俄国的严寒。法军最后的滑铁卢是失败于全欧洲，但是法军的能征善战，依然留存在全世界人民的脑子里。

而普鲁士当时是一个小国，虽然作为一个军事贵族的国家，普鲁士军事还算强大。拿破仑说过，普鲁士人是炮弹里孵出来的。但是毕竟这个国家不大，因为它只是德国东北的一小部分。在普法开战的时候，法军骄傲极了，根本没把普鲁士放在眼里，充满乐观情绪。而最终的结果却完全出乎意料，普鲁士居然摧枯拉朽一般全歼了法军，还俘虏了法国皇帝拿破仑三世。都德的另一篇小说《柏林之围》，说退役的一位法军上校，每天听孩子念报纸上的战报，战报上当然都是败退的消息，他的孩子们为了让他高兴，就说我们进攻到德国什么什么地方，最后我们包围柏林了，这位法军上校还很高兴，说没问题，法军这么强大。最后听到军乐声，这位法军上校就穿起戎装，站到阳台上去观看，当他发现凯旋门下走过来的竟然是戴着那种头盔的普鲁士军队时，这位上校又惊又气，当场猝死在阳台上。

短短二十年以后在亚洲也发生了这样一件事，当时无比强大的清帝国，在甲午战争中被东洋小国日本以摧枯拉朽之势打败。当时的战争跟今天很不一样，今天这样的战争是很难很难做到一下子就彻底胜利的。因为今天的战争是全民动员的战争，是消耗双方真正国力的战争，所以几乎很难做到一战定乾坤，一战定胜负。再也不会出现只需一次战役就把皇帝或者是国王俘虏了，战事就结束了的事。那个时代不一样，那个时候一场战争打完，两个国家立即就主客颠倒，普鲁士成为当时最强大的国家，并且普鲁士因为打败了法国，立即以强大的军威，统一了整个德国。

普法战争导致了几个结果，一个是普法战争以后德国统一了，变成了一个强大的德国。德国统一的仪式不是在德国举行的，而是在法国巴黎的凡尔赛宫举行的，当时的普鲁士国王登基成为德国皇帝。另一个结果是普法战争埋下了第一次世界大战的祸根。第一次世界大战的爆发是由于塞尔维亚人刺杀奥匈帝国王储，但是真正的法德之间的宿怨，从普法战争的时候就埋下了。法国被打败了，皇帝也被俘虏了，尤其是阿尔萨斯、洛林这两个矿产丰富的省被割让了，这是法国人心里一直不能容忍的。

再有一个就是普法战争直接引发了共产主义的革命。这也是我们在历史课本里大篇幅地学过的，普法战争法国的失败直接导致了工人阶级在巴黎掀起了革命，一度占领了巴黎，史称“巴黎公社”。当然巴黎公社最后被普法两国的资产阶级镇压了，为了镇压巴黎公社，法国当时同意了德国提出的各种屈辱的条件来换取德国的支持。在保卫巴黎公社的战斗中，最后一批公社战士在拉雪兹神父公墓牺牲，并被埋在公墓的一堵墙下。现在那儿还有雕塑，人称巴黎公社墙。为了纪念巴黎公社，由原公社战士、诗人鲍狄埃作词，工人音乐家狄盖特谱曲的《国际歌》在十六年之后的法国首次唱响，并传遍世界，成为全球无产阶段的不朽战歌。

总而言之，普法战争对整个欧洲的格局，对后来的世界大战，甚至对后来的共产主义和社会主义革命，都产生了深远的影响，所以这是非常值得纪念的一天。

| 纽约爱乐乐团到平壤演出 |

2008 年的这一天，纽约爱乐乐团来到朝鲜演出，纽约爱乐乐团是美国最重要的几个大的交响乐团之一。这是一件很有意思的事情，朝鲜的百万大军主要就是针对三八线以南的美军，他们跟美国不共戴天，整天不惜一切地要跟美国干。在这样的情况下，纽约爱乐乐团去朝鲜演出，实际上是在释放一个信号，从不共戴天、全面对抗，到现在可以坐下来聊一聊。我们跟美国开始慢慢走近，是通过打乒乓球，文艺、体育等等对于外交永远是有作用的。

还有一件事，我前一阵看朝鲜的电视台，惊奇地发现，朝鲜的晚会上有四个女歌手，居然露出了肩膀。我在电视上拍下来了，在微博上还截了图。她们唱的时候，居然还有一些资产阶级的小扭动。因为我上大学的那时候，1988 年，中国已经改革开放的时候，我们在大学的舞台上排练，扭动了起来，当时我们学校负责的老师就说你们这个扭动太“资产阶级自由化”了。总而言之，今天朝鲜在新一代领导人的领导下，让人感到了一些春天的气息。新一代领导人毕竟去西方留过学，所以在各方面，实际上还是有更多的开放的可能。这是一个小小的点，但是未来看起来可能是一个不小的点。

|《红灯记》等被树为革命样板戏|

1968年的这一天，中国人无比熟悉的《红灯记》等被树为样板戏。关于那个时代，有很多否定。我们在十一届三中全会上，也对那个时代有了明确的界定——“十年浩劫”，那十年发生了很多应该否定的事情。但是在众多的事情里，样板戏已经被捆绑成那个时代的标志，一提到样板戏，大家就感觉是不好的。

我个人完全从音乐、文艺的角度，认为样板戏不说全部，至少半数以上是非常优秀的作品，做了非常有益的探索。这么多年大家一直在探讨京剧如何现代化，如何融合西方的现代的音乐。那么古老的西方芭蕾舞，如何跟中国的题材、舞台结合。这是长期以来，每一个文艺工作者直到今天心里念兹在兹、一直在探索的事情。那个时候的样板戏，许多都是用交响乐伴奏的，有像歌剧一样非常好听的旋律，到现在甚至比我小的那一代人也都会唱其中的几句，但是它又不是纯西方歌剧的旋律，没有脱离京剧的基础。

世界的音乐是这样的，亚洲最重视旋律，非洲最重视节奏，欧洲最重视和声。我们原来的京剧没有和声，节奏也没有，非常单一。然后我们引进了节奏，引进了和声，变成了非常现代而且非常好听的音乐。样板戏流传就说明了人民认同，觉得它美。而且服装、造型、舞美都脱离了京剧的那种简单写意，大量的漂亮的舞美得以运用，但又没有变成曾经的海派京剧。所以样板戏是一种非常有节制的，非常有分寸的，但是又非常好的探索。

《红色娘子军》《白毛女》是非常中国化又非常优美的芭蕾舞。有一场我小时候看得不明白，觉得这个叔叔怎么裤腿都成墩布了，还在跳芭蕾舞。后来当然明白了，那是敌人殴打的，是为了表现坚贞不屈。

我个人对文艺是有信仰的，我坚定认为样板戏是非常非常优秀的文艺作品。甚至如果今天重演，依然能让大家看得荡气回肠。这跟政治、历史都无关，仅从文艺与美的角度来看，样板戏就是好的文艺作品。

2月27日

《晓松说——历史上的今天》来到了2月27日。1932年的这一天，好莱坞一代巨星伊丽莎白·泰勒诞生。1972年的这一天，中美两国就《上海公报》达成协议。第三件事非常惨痛，2007年2月27日中国股市大跌，波及世界股市。

| 中国股市创最大跌幅 |

2007年的这一天，许多中国人都记忆犹新，中国股市开始大跌，而且引发了全世界股市的连锁反应。当然也从侧面说明中国经济强大了，中国一咳嗽，全世界都哆嗦。我个人也很惨，因为我命里无偏财，从来也不会什么投资、理财，但那时候我周围每个人都谈股票，每天都谈投资。刚一开始，我一大学同学说，你要炒股我来替你弄。结果他就替我炒股，但是我也每天看着那曲线，经常涨停什么的。既然买什么都赚，行了，我自己来吧，然后就自己乱买一通。

咱们那时候买股票很盲目，美国人和咱们不一样，因为美国人经历过各种各样的股市起落，都习惯了，再加上美国股市也不是政策市，所以美国人买股票跟咱们不一样，他们是用什么买什么，也不短期炒。但是咱们那时候简直就是疯了，今天买这个，明天买那个。结果后来股市大跌，有好长一段时间，我什么都不干了，每天就趴电脑那儿看它跌。

这股市一路跌到2008年，2008年5月份，我去戛纳参加电影节，那年也是汶川地震，章子怡募捐我也在现场。就因为这些事，一个礼拜没看股票。等我回到洛杉矶，再一看，完了，没法看了。从那之后，我是大概每隔三个月或者半年，打开偷偷看一眼，不是为了看我还剩几个钱，是为了励志。每次看完，马上就开始写剧本、写歌、拍电影、当评委，就让自己特别有干劲。

我觉得中国股市有这么一个作用——励志。每当大家在工作中开始厌倦、开始疲惫的时候，就打开自己的股票账号看一眼，然后立刻就开始像打了鸡血一样奋勇工作。这次股票暴跌，第一次教育了改革开放以后的中国股民应该怎么理财。但是人生有这样的惨痛经历也不是坏事，让自己不要去幻想偏财、暴富、彩票等等，还是勤劳致富比较好。

| 中美就《上海公报》达成协议 |

1972年的这一天，中美就《上海公报》达成协议。《上海公报》是中美之间二十世纪最重要的文件，意识形态完全不同的两个大国，突然握起了手，发表了《上海公报》。全世界为此目瞪口呆，分出两大阵营。

《上海公报》开创了几个有意思的事，其中一个叫“求同存异”，其实到今天中美之间也是如此。大家当然有不同的价值观和追求，不光是政府，中美两国的民族有很多很多完全不同的东西。第一，美国人一直在追求一个叫“truth”的东西，就是“真理”“真相”。中国人呢在追求一个叫“harmony”的东西，就是“和谐”“潜规则”“默契”。

第二，两个民族思考的方式很不一样，美国跟中国一直是反着的。比如美国非常非常重公德，但是私德不是很好。美国人社会公德很好，但是对于父母，对于儿女，对于同学、朋友、亲戚，美国人都比较淡薄。尤其在孝顺父母的时候，跟中国有巨大的差距，一年能回去看一回父母就行了，父母老了也从来没见过美国大家庭在一起生活。而中国人私德非常好，不但孝顺父母，对儿女简直是呕心沥血，而且跟朋友、亲戚、同学等所有认识的人都很好，但是对不认识的人，就是公德方面，我就不多说了，我们经常在媒体上看到。

第三，美国政府没什么创意，而民间创意特别丰富。这可能是因为美国各种版权、专利等等的知识产权保护得好。而中国是倒过来的，民间创意极为匮乏，政府创意极为丰富。不光是现在，历朝历代都是这样，由政府主导，政府不停地在变化，在改革。所以中美是两个完全不同的民族，这两个政见相左的大国，甚至是两个爆发过残酷战争的敌对国家，这次求同存异，携起手来发表了《上海公报》。

《上海公报》里面还谈到了一个重要的问题，就是“海峡两岸共同认为，只有一个中国”，这是一个非常重要的共识，一直到今天这个都是指导性原则。

发表《上海公报》时还有件小事情。当时中美是多年来第一次见面，相互就表现出极大的热情，我们送了美国人很多糖果，因为那时候很朴素，也没什么更多的东西可送。然后美国友人、外交官都非常兴奋，接受了中国礼物，结果箱子都被水果糖塞满了，装不下了怎么办呢？他们就把箱子里的彩色摄影胶片拿出来，留给了上海。而且正好赶上当时上海从西德引进了第一套彩色电视发射设备，由此，上海的第一条彩色摄影的电视新闻就这样诞生了。所以大家第一次从电视上看到彩色的东西，很巧就是用水果糖换来的。这就是历史，历史就是由这些有意思的小事情组成的。

| 伊丽莎白·泰勒出生 |

1932 年，一代巨星伊丽莎白·泰勒出生。伊丽莎白·泰勒全世界无人不知，无人不晓，我们不讲伊丽莎白·泰勒去世，因为中国有句话叫“自古美人如名将，不许人间见白头”。所以我们不讲美人去世，讲美人出生。

我记得小的时候第一次看到在墙上挂美人的照片，当时最耀眼的就是伊丽莎白·泰勒，那是泰勒十七岁时的照片，穿着金色的小礼服，呼之欲出，非常性感。伊丽莎白·泰勒实际上比玛丽莲·梦露在身材上要更加性感，梦露是比较有风情，而泰勒非常性感，但是又非常端庄。

伊丽莎白·泰勒最重要的代表作——《埃及艳后》长达四个小时，我很小的时候看过一遍，后来就再也没时间看。这一次正好飞在太平洋上，由于百无聊赖，又看了一遍。我以为我看不下去，结果居然目不转睛地看完了。她的每一次出场，每一次亮相，穿着不同的衣服，无论是端庄的、性感的，都无比吸引人。现在好莱坞的制作已经到了非常非常高的水平，其实到今天我们拍的这些所谓的古装巨片，因为有电脑特效，武打动作与时俱进了，但是影片本身的质量，从剧作到美术，甚至化妆，还不如那时候的电影。那一代的电影，非常精彩，而且那一代的影星，让人永远难忘。

我还记得我外公的偶像是玛丽莲·梦露，刚有互联网的时候，我外公特别认真地坐下来跟我说，你能不能给我搜一下玛丽莲·梦露的照片，他那时候已经七八十岁了。然后外公在那儿看着照片长叹，非常感慨。不管你喜欢奥黛丽·赫本、喜欢梦露，还是喜欢泰勒，都会在那个时代的好莱坞中找到你永世难忘的女性的形象。今天大家靠特技，弄得天翻地覆，那个时代就是大明星往那儿一坐，就什么都有了，她在哪儿，你就往哪儿看。今天这些已经几乎没有人能做到，令人长叹。

泰勒一生结了八次婚，其中两次都和在《埃及艳后》里头和她演对手戏的这位大帅哥理查德·波顿。在电影里波顿为她献身，最后生活中也是他俩各种缠绵的绯闻，先结婚，又离了婚，然后又相爱，又复婚。她最后到了很大年纪的时候，还能嫁给一个比自己年轻很多的帅哥。我觉得伊丽莎白·泰勒的一生是很值的一生，女人就应该勇敢追求自己的爱情，泰勒是一位活得精彩、纯粹、淋漓尽致的女性。伊丽莎白·泰勒，生日快乐。

| 马科斯被迫下台 |

1986 年 2 月 27 日，统治了菲律宾数十年的总统马科斯被迫下台。他当政期间，侵吞了大量的国家财产，富可敌国，夫妇俩都是亿万富翁。他们当时有很多钱都存在瑞士银行，瑞士银行长期以来为了保护客户的隐私，不愿意披露这些信息。但是，在马科斯这件事上，瑞士银行迈出了一步，因为菲律宾这个国家的钱都被存在这里，公开马科斯的账户以后，瑞士银行把马科斯所存的巨额的钱，还给了菲律宾人民。

马科斯贪污应该和他老婆有极大的关系，他老婆极其爱美，年轻时候是个选美冠军，光鞋就两千多双。其实马科斯这件事也给大家起了一个很好的警示作用，全世界大量的贪污的总统、官员，其实都是身边家人先开始贪婪。身边人贪婪，怂恿你，你就铤而走险。陈水扁也是这样的问题，儿子的欲望太强。其实不管是皇帝登上宝座，还是总统被人们选上去，还是官员被任命，我不相信每个人一上来心里就是坏的，上来就为了贪钱。男人是有抱负的，他一定想把这个国家管理好，想把这个位置做好，想为人民做点事，至少有名垂青史的理想，谁也不愿意遗臭万年。但是第一因为个人权力无限，第二是因为周围的人影响，自己的欲望越来越大了，慢慢走上这条路。最后连当时日本作为战争赔款赔给菲律宾的天皇的游艇，也被马科斯总统据为己有，成为他们家私人财产，供他们娱乐用，所以是相当腐败。

走这条路最终是要付出代价的，之前韩国也有几任总统贪污，最终没有人能逃脱正义跟法律的审判。菲律宾这件事最后是以马科斯下台出国而和平解决的。马科斯不光是贪污钱的事情，他手头还有血债，还刺杀过阿基诺，当然这也导致了阿基诺家族后来一直被菲律宾人民热爱。最后大家达成了协议，不血债血还，最后以这种还钱的方式免死、流亡，他的夫人最后还能回到菲律宾，这条路是和解之路。我个人觉得还算与时俱进，是比较文明的一条路。

路易·威登去世

1892 年 2 月 27 日，路易·威登逝世。凡属路易·威登品牌的货物都很昂贵，喜欢时尚的人们都了解。当年，北京、上海都有友谊商店，只能卖外国人的东西，只向外国人开放。上海友谊商店的一位老员工回忆说，当年美国总统里根夫人来了要买东西，大家都在想美国是全世界最有钱的国家，里根总统夫人来买东西肯定得买贵的、买好的。结果里根总统夫人挑来挑去，只挑了两样便宜的小东西，大家都很意外很吃惊。实际上美国总统当时的年薪就十几万美元，在美国算是中产阶级。个别总统有钱，但绝大部分总统都欠一屁股债，尤其是像克林顿总统，还要打官司，最后都靠总统退休了以后到处去演讲、出书、写回忆录等等挣钱还债。美国总统不是个很富有的职位。

2月28日

《晓松说——历史上的今天》来到了2月28日。公元前202年的这一天，汉高祖称帝，汉朝正式建立。公元701年的今天，两位大诗人王维、李白同年同月同日出生。1947年台湾发生“二二八”事件。

| 刘邦称帝，汉朝建立 |

我们经常说自己是汉人、汉族，今天我们讲一讲强大汉朝的来历。先说汉朝的各位皇帝，我很小的时候，家人逼我学历史，每天就书包里揣本《汉书》。我虽然不喜欢读，但是经常在班里举起来给同学们看，假装自己多有文化。然后家人逼着我背，汉朝皇帝到现在我还能背下来——“高惠文景武昭宣，元成哀平孺子篡”。

之前我们说明朝的时候叫“三无”，说宋朝的时候叫“三不”，说到汉朝呢，我们可以管它叫“三最”。第一个“最”是指军功最盛。西汉时期把不可一世的匈奴从漠南一直打到漠北。东汉时期，又把实力雄厚的北匈奴打败后赶出漠北，一直追击到现在的蒙古。最后匈奴被汉朝军队追得无处安身，不得不从亚洲迁徙到遥远的欧洲。作为汉朝败军之将的匈奴在向西发展过程中，竟然横扫欧洲，打败了当时西方世界的霸主罗马帝国。可见当时汉朝有多么强大，那也是汉人最荣耀的时候。到现在各种爱国青年经常在网上说："犯强汉者，虽远必诛。"所以汉朝的军功是最强的，其他历朝历代都赶不上。后来的汉人不知道为什么变成了一个文人民族，经常挨打。

第二个"最"是指历史最长。两汉加在一起，有四百多年，是所有的王朝里最长的一个，可见汉朝统治力之强。第三个"最"是指文化最久。汉朝之前，文化是比较多元化的，诸子百家。秦朝是法家，成了一个短命的王朝，说明法家不行。所以在汉朝的时候，董仲舒"罢黜百家，独尊儒术"，说法家那套不行，严刑峻法那一套咱们不来了，咱来一个仁义治国。于是儒家被汉朝确立为最主要的文化，之后儒家文化一直绵延了两千多年，直到中华民国建立。后来在新一代知识分子的变革中，儒家传统才最终结束。但两千多年来一直统治中国的儒术、儒家，都是由汉朝确立的。

汉朝有两个有意思的地方。一个就是我们经常说中国经历了几千年的封建社会，三座大山压在人民头上。但实际上，真正的封建专制就是封侯建地，封贵族在各地建起自己的小领地、小的诸侯，这样的统治实际上在汉朝就结束了。西周与春秋战国时期是典型的封建统治，最后被秦统一了，汉朝因为片面吸取了秦朝灭亡的教训，刚开始也还是封了一堆王，结果打得不亦乐乎。到了汉武帝的时候，就正式开始实行了郡县制。郡县制不能说是封建制，不是把贵族封到那儿，封儿子、弟弟、表哥，男的不够来女王、女公爵。郡县制是由朝廷统一派遣官员来管理地方，不再世袭，从汉武帝开始，朝廷从民间选人来做官。这套中央集权体制一直绵延到中华民国，所以汉武帝之后，中国应该就不再算是封建社会了，应该叫作中央集权下的官僚统治。

科举制度是到隋朝的时候才有的，当时也没有想到可以用考试的方法。当时选人做官就是"举孝廉"，要推举孝顺、廉洁的人。但大量的靠"举孝廉"来荐官，导致了一个副作用。大家为了努力尽孝，把最好的东西都给爹妈陪葬，导致汉墓里面有很多珍贵的东西。这也使汉朝变成了后来盗墓者最多的一个朝代。就考古来说，确实是留了很多好东西，但就当时社会财富来说，三分之一的财富都给埋到地底下去了，导致了严重的社会问题。后来从曹操开始，就开始举行薄葬了。所以“举孝廉”的荐官办法就被后来的朝代所禁绝，如果再继续“举孝廉”下去，国家最后就全埋地底下去了。汉朝之后，选官的方法开始改革，开始是“九品中正制”，其实就是世袭制，官二代继续做官。后来发现这个也不行，其他的广大的平民知识分子就没有做官的机会了，所以到了隋朝，才有了后来延续了一千三百多年的科举考试。

所以汉朝做了这几件影响了整个中国两千年历史的大事，还命名了我们这个民族，是一个伟大的朝代。还有就是第一次有了东西方交流，大汉帝国和罗马帝国在汉朝发生了第一次接触。历史上有这样的记载，说罗马的马戏团来到汉朝，表演吞刀吐火，等等。这说明当时东西方开始交流，世界开始流动起来，那个时候的人们开始知道原来远方还有别的民族、别的国家。还有一个记载，当时有一支罗马人的雇佣军团，辗转从罗马来到了中亚，和汉帝国军队打了一仗，结果打败了。当时的汉朝军队天下无敌，最后罗马人投降了，就把他们安置在了现在甘肃酒泉这个地方。现在那个地方成了一个旅游景点。据说那儿确实有很多人长得不太像我们汉人，因为是那一支罗马军团留下的后代。

| 李白、王维生日 |

公元 701 年 2 月 28 日，两位大诗人，李白、王维，同年同月同日生。两位都是唐初最知名的大诗人，他们走了不同的人生道路，但共同的是他们都为我们中华民族做出了巨大贡献。王维是考了科举，做了官，李白由于他爹是商人，所以不能考科举。那时候科举有很多规定，怕商人唯利是图，所以商人的孩子不能考科举。而且李白是一个外国人，他出生在吉尔吉斯斯坦的碎叶，当然也有一说他是四川江油人。他有可能是出生在吉尔吉斯斯坦，然后在四川长大。总而言之，他会说外语，最后成了一个游侠，没有参加科举考试。所以科举制度还是很有意思，规定了有一些人不能考，如果大家都考科举做官了，就不会出现李白这种酒仙、游侠，也不会出现唐伯虎这种人。

李白有无数的作品传世。王维擅长五绝，武功叫一寸短，一寸险，文学也是，诗越短越难写，能写五绝的、能写十四行诗的，都是非常厉害的人，因为就这么几个字。王维最著名的诗就是“红豆生南国，春来发几枝。愿君多采撷，此物最相思”。一直流传到今天，今天所有的男男女女都会背，歌里都有。一首诗能流传这么久，有这样的传世之作，就是不朽的大诗人。

| 台湾“二二八”事件 |

1947年的2月28日，台湾发生“二二八”事件，这在台湾是大家最最重要的一个共同记忆，也是一个历史转折点。历史书里面讲过，包括侯孝贤导演的电影《悲情城市》里也讲到过。现在每到台湾选举的时候，蓝营、绿营两边每次吵起来，绿营永远要谈到“二二八”事件。

“二二八”事件实际上是由警察殴打一个卖烟的女小贩而引起的。那个小贩是台湾本地人，导致当地的人民非常愤怒，动员起来反抗，后来被当时台湾的军队镇压了。因为那个时候国民党刚从大陆到台湾，所以“二二八”事件被定性成大陆来的统治者屠杀台湾人民。蓝、绿营双方对于“二二八”事件的伤亡，有完全不同的记载，最后变成了一起政治事件，成了蓝营、绿营双方的政治武器，一方说打死了很多很多人，另一方说没有死那么多人。但无论如何，人的生命是最珍贵的，打死一个人也是重大事件。所以讨论打死一千人还是几百人，我个人认为是最无意义的事情。

台湾本地人对大陆的感情非常复杂。首先康熙年间郑家投降，台湾回归祖国。当时的中央政府其实想扔掉这个岛，因为当时封关禁海，不愿意在海外有个岛。那个时候台湾人民非常悲情，就一定要留在中国，一定要做中国的一部分。台湾的乡绅当时攒了大笔的钱送到北京，包括当时占领台湾的统帅施琅，也恳请中央政府把台湾留在中国，最后中央政府才收回了放弃台湾的决定。后来甲午战争我们战败，割让了台湾和辽东半岛给日本，后来中央政府因为舍不得辽东半岛，才发生了三国交涉事件，花了三千万两银子，赎回了辽东半岛。中央政府认为辽东半岛对我们来说很珍贵，而台湾就不要了，也不花钱赎。于是台湾人民又哭求请命，不愿意被割让给日本，但是中央政府不为所动。所以台湾人民再没有办法，在中央政府把台湾抛弃的情况下，台湾人民奋起抗日，当时在台湾岛上打死的日军，比中央国防军在海上、在陆上打死的日军加一起还多。去年台湾有一部电影，叫《赛德克巴莱》，也讲到了这个问题。所以台湾人民是怀着这种悲情，在日本的统治下，从 1895 年到 1945 年，生活了五十年。台湾的老一代一直在教育下一代，有点像《最后一课》，一定要记住我们是中国人。

1945 年台湾光复的时候，当时台湾老一代很激动，杀猪宰羊，敲锣打鼓，欢迎王师归来，五十年没见过中国军队了，“王师北定中原日，家祭无忘告乃翁”。但是当时发生的一件事，给当地的台湾人民一个极大的刺激。当时在高雄跟基隆各有一个国民党军来接受日军投降。基隆码头上等待投降的日军军容庄重，全都衣装整齐，然后笔挺地在那儿站着，等着投降。台湾人民非常激动地看到王师来了，船靠岸了，结果下来了一群衣衫褴褛、穿着草鞋、背着锅、歪戴帽子的国民党兵，就是我们经常在电影里看到的当年的国民党军形象。

当时去受降的国民党军确实忽略了这一点，也是我们对台湾不够重视。因为我们当时去南京以及其他各地接受日军投降的军队都衣装整齐，拿着最好的武器，说明我们重视这些地方。唯独去台湾受降的时候，实在有碍观瞻，尤其是跟日军一对比，一下子让当时码头上的台湾人民产生了一种很不好的情绪，后来这种情绪开始慢慢蔓延。当然，这个跟当时的大背景也有关，就是部队从各地辗转一直到台湾，也没时间整歇，匆匆忙忙第一时间就来了，所以才会这样。

但不管怎么说，当时国民政府对台湾确实也不够体恤，当时去接收的官员、军队确实有那种歧视当地人民的情绪。另外，当地人民由于被日本占领了这么多年，有的人确实不会说中文，有的说日语，也产生了很多矛盾，最后导致了“二二八”事件的爆发。

图书在版编目（CIP）数据

鱼羊野史．第1卷 / 高晓松著．-- 长沙：湖南文艺出版社，2014.4
ISBN 978-7-5404-6620-6

Ⅰ．①鱼… Ⅱ．①高… Ⅲ．①中国历史—野史 Ⅳ．① K204.5

中国版本图书馆 CIP 数据核字（2014）第 036902 号

上架建议：文化 随笔

鱼羊野史·第1卷

作　　者：高晓松
出 版 人：刘清华
责任编辑：薛　健　刘诗哲
监　　制：蔡明菲　潘　良
特约监制：杨文红　陈雨人　闫　虹
特约策划：邢越超
特约编辑：杨丽娜　杜冬梅
营销编辑：孙玮婕　尤艺潼
特约编审：张景岳　尹　约
封面设计：一诺·闫薇薇
版式设计：姜利锐
内文排版：百朗文化
出版发行：湖南文艺出版社
（长沙市雨花区东二环一段 508 号　邮编：410014）
网　　址：www.hnwy.net
印　　刷：三河市鑫金马印装有限公司
经　　销：新华书店
开　　本：700mm × 1000mm　1/16
字　　数：360 千字
印　　张：22
版　　次：2014 年 4 月第 1 版
印　　次：2014 年 4 月第 1 次印刷
书　　号：ISBN 978-7-5404-6620-6
定　　价：39.80 元
（若有质量问题，请致电质量监督电话：010-84409925）

Today
in History

Today

in History

Today

in History